DE MÈRES *En* FILLES

DE LA MÊME AUTEURE

Tableau de jeunesse, Éditions Pierre Tisseyre, 1986.
Jazz chez la mécanicienne, avec Annie Harrisson, Éditions Pierre Tisseyre, 2007.
Jazz chez le médecin, avec Annie Harrisson, Éditions Pierre Tisseyre, 2007.
Mia chez la coiffeuse, avec Annie Harrisson, Éditions Pierre Tisseyre, 2007.
Théo chez les comédiens, avec Annie Harrisson, Éditions Pierre Tisseyre, 2007.
De mères en filles, tome 1, *Alice*, Éditions Libre Expression, 2014.

DOMINIQUE
DROUIN

DE MÈRES *En* FILLES

2
ARIANE

Catalogage avant publication de Bibliothèque et Archives nationales du Québec et Bibliothèque et Archives Canada

Drouin, Dominique, 1958-
De mères en filles
L'ouvrage complet comprendra 4 volumes.
Sommaire : t. 2. Ariane.
ISBN 978-2-7648-0834-4 (vol. 2)
I. Drouin, Dominique, 1958- . Ariane. II. Titre. III. Titre : Ariane.
PS8557.R694D4 2014 C843'.54 C2013-942536-5
PS9557.R694D4 2014

Édition : Nadine Lauzon
Révision linguistique : Marie Pigeon Labrecque
Correction d'épreuves : Julie Lalancette
Couverture : Axel Pérez de León
Grille graphique intérieure : Chantal Boyer
Illustration de couverture : Xin Ran Liu
Mise en pages : Annie Courtemanche
Photo de l'auteure : Sarah Scott

Remerciements
Nous reconnaissons l'aide financière du gouvernement du Canada par l'entremise du Fonds du livre du Canada pour nos activités d'édition.
Nous remercions le Conseil des Arts du Canada et la Société de développement des entreprises culturelles du Québec (SODEC) du soutien accordé à notre programme de publication.
Gouvernement du Québec – Programme de crédit d'impôt pour l'édition de livres – gestion SODEC.

Les Éditions Libre Expression
Groupe Librex inc.
Une société de Québecor Média
La Tourelle
1055, boul. René-Lévesque Est
Bureau 300
Montréal (Québec) H2L 4S5
Tél. : 514 849-5259
Téléc. : 514 849-1388
www.edlibreexpression.com

Dépôt légal – Bibliothèque et Archives nationales du Québec et Bibliothèque et Archives Canada, 2014

ISBN : 978-2-7648-0834-4

Distribution au Canada
Messageries ADP inc.
2315, rue de la Province
Longueuil (Québec) J4G 1G4
Tél. : 450 640-1234
Sans frais : 1 800 771-3022
www.messageries-adp.com

À mes enfants, Gabrielle et Jean-Michel.
À mon amour, Bernard.
À Isa.
À Louise.
À ma famille.
À ceux qui ont eu le courage de s'ancrer
et de s'enraciner dans une vie nouvelle.

Chapitre 1

Ariane Calvino peine encore à y croire. En cette fin du mois de juin 1933, elle passe ses derniers jours à Paris, où elle s'est installée deux ans plus tôt avec sa mère et ses six sœurs. Elle met fin à ses études en art dramatique pour lesquelles elle ne se sentait pas de grandes affinités au départ. Sa sœur Agathe ne sera pas du voyage de retour; elle reste en Europe pour y faire carrière. Et toute la smala éprouve une grande tristesse à devoir se séparer de l'une d'entre elles.

L'aînée des Calvino se prépare à revenir au Canada, terre de son cœur et pays tant aimé ! Elle se plaît à imaginer les derniers préparatifs pour le défilé de la Saint-Jean-Baptiste. La foule joyeuse saluera les figures emblématiques de la province personnifiées sur les chars allégoriques sillonnant les grandes artères. Affairée à boucler ses valises, la jeune femme, qui célébrera sous peu ses dix-neuf ans, s'étonne de ne pas éprouver plus de gaieté. Depuis qu'elle a gagné la France, pas une journée ne s'est écoulée sans qu'elle se représente et espère cette rentrée bénie. Et là, devant ses effets alignés, elle se surprend à penser qu'elle a tant changé qu'elle ne sait plus ce qu'elle souhaite vraiment. Elle se sent bien loin de la jeune fille qui retenait ses larmes en abandonnant son père sur le quai. C'est désormais une femme qui s'apprête à quitter Paris et qui revoit le fil de son parcours vers l'âge adulte…

***

Ariane se souvient que c'est grâce aux relations de son père, Claudio Calvino, qu'elle a été admise à l'École des beaux-arts de Montréal. Elle avait alors douze ans. Après des années d'étouffement causé par la pudeur maniaque des religieuses, Ariane respirait enfin ! Sa vie prenait une saveur et une tournure nouvelles dans un décor totalement différent de ce qu'elle avait connu jusqu'alors. En effet, pour garnir l'établissement, Athanase David, le secrétaire de la province, avait fait venir de France des reproductions de plusieurs chefs-d'œuvre : des bas-reliefs, des sculptures et des ornements importés d'Europe. Partout, sur tous les murs, au détour de chaque couloir, la beauté du corps humain et la sensualité de grands artistes étaient mises à l'honneur. La petite Ariane devait se retenir pour ne pas repartir en courant vers la maison pour raconter à sa mère à quel point elle faisait fausse route quant à sa perception des gens d'ici ! La preuve, c'est qu'aux Beaux-Arts elle rencontrait des êtres raffinés et cultivés qui savaient apprécier la culture et qui avaient voyagé en France, en Italie, en Amérique du Sud et même en Afrique ! Quelle révélation !

Les premières années d'enseignement étaient consacrées au dessin et Ariane s'y était mise avec fougue. Pour une fois, sa sœur Agathe n'était pas là pour lui faire ombrage par ses performances et son aisance. Seule de la famille à étudier aux Beaux-Arts, elle goûtait au plaisir d'exister par elle-même, sans qu'une ribambelle de petites sœurs la suive. Si peu habituée à cette autonomie, elle avait senti son plaisir se teinter parfois d'angoisse. Malgré tout, elle avait eu le sentiment de découvrir un univers qui lui ressemblait et qui n'appartenait qu'à elle.

De loin la plus jeune élève du groupe, elle redoutait les spectaculaires sautes d'humeur d'Edmond Duchesne, un professeur au talent incontestable, mais au tempérament dur et impulsif. Dans les cours du maître, craignant les réprimandes, Ariane s'installait dans le coin le plus éloigné et se cachait derrière son chevalet. Eugène Boyer, un des élèves embauchés pour seconder le titulaire, avait remarqué la nervosité de sa timide collègue. Chaque fois qu'il le pouvait, il faisait un crochet vers elle, corrigeant discrètement, au fur et à mesure, les erreurs qu'une débutante ne peut manquer de faire. Ce grand garçon de dix-neuf ans, habitué aux premiers prix, faisait preuve de beaucoup de tact et de diplomatie envers les autres étudiants. Classé parmi les cinq meilleurs de l'école, aussi doué pour le dessin que pour la peinture ou la sculpture, jamais pourtant il n'en devenait prétentieux. Auprès d'Ariane, un être aussi attentionné et prévenant avait rapidement fait figure de mentor et de protecteur. Boyer l'avait prise sous son aile, facilitant son intégration et la présentant aux uns et aux autres. Elle le suivait partout, impressionnée par l'intarissable passion de ce garçon dégingandé et tellement gentil à son égard.

D'une timidité quasi maladive, Ariane avait dû pour la première fois de son existence se débrouiller sans sa famille. Elle n'avait plus le choix, il fallait qu'elle sorte de son cocon. Elle qui s'était toujours définie par son opposition à Agathe, d'un an sa cadette, devait apprendre à exister sans sa rivale.

Souvent, à l'heure du dîner, les compagnons d'études s'offraient une pause au restaurant tout près. Le boui-boui était tenu par une Canadienne française qui accueillait ses clients comme si chaque jour était Noël. Elle servait une cuisine savoureuse à petit prix, ce qui était d'autant plus apprécié. Chez Gina, il y avait tout le temps du monde. En retrait dans un coin de la salle, elle avait installé la tablée de ses propres enfants, cordés en ordre de grandeur. Ils venaient trois fois par jour manger eux aussi. Les gamins avalaient leur repas d'une traite puis se dépêchaient de rejoindre leur mère pour la seconder. Pendant que son mari courait la galipote et faisait des petits dans tous les quartiers de la ville, Gina souriait, servait, s'arrêtait à chaque table, prenant des nouvelles de chacun tandis que sa marmaille s'affairait au service et dans la cuisine. Avec les étudiants des Beaux-Arts souvent fauchés, elle se montrait d'une patience et d'une générosité sans bornes.

Quand la joyeuse bande s'amenait Chez Gina, ça riait et ça discutait fort, ébauchant des projets de voyage, critiquant concerts, pièces de théâtre ou expositions. On se sentait bien et on restait des heures à siroter un café dans lequel certains ajoutaient une goutte de cognac.

Discrète au début, Ariane se réjouissait de faire partie du groupe. Se contentant d'écouter, elle découvrait des collègues cultivés et avides d'apprendre. Elle avait de l'estime pour ces étudiants, qui devenaient tranquillement ses amis. Jamais on ne la traitait de « maudite Française », pas plus qu'on ne lui demandait d'où elle venait ou si son père était italien. Elle passait de plus en plus de temps avec cette bande de jeunes qui rêvaient d'imiter les grands maîtres européens et de marcher dans leurs traces. Grâce à eux, la plus âgée des Calvino s'éloignait du chauvinisme maternel. Aux Beaux-Arts, elle changeait de camp et façonnait, au fil des ans, sa propre opinion.

Agathe avait été la première à remarquer les effets de la métamorphose de sa grande sœur. Alors qu'Ariane et elle étaient toujours à couteaux tirés, un jour, plutôt que de lui rendre ses piques, l'aînée s'était retirée du jeu, ne répondant plus aux ironies et aux mauvaises blagues. Vraiment seule, privée de sa quasi-jumelle, la cadette en avait éprouvé un chagrin sincère.

❊❊❊

Non seulement Eugène Boyer secondait les professeurs de dessin et de peinture, mais pour boucler ses fins de mois il avait en plus été engagé pour participer à la conception et à la peinture des chars allégoriques du défilé de la Saint-Jean-Baptiste. Le jeune homme, qui avait remarqué le talent de la petite Calvino, lui avait offert dès les premiers jours du printemps 1928 de gagner un peu d'argent et de venir travailler avec lui, les fins de semaine, aux ateliers.

— C'est hors de question ! s'était exclamée Alice, terrifiée, comme si sa fille risquait de se faire prendre dans le commerce de la traite des blanches.

— Nous ferons le chemin ensemble. Et il me raccompagnera à la fin de la journée. Il est professeur assistant à l'école, ce n'est pas un inconnu ! En plus, papa connaît bien les gens de la Société Saint-Jean-Baptiste !

— Le samedi, ton père enseigne, je l'accompagne. Agathe et toi devez prendre soin des petites avec Mlle des Moulins.

— J'ai déjà parlé à Mlle des Moulins, elle est d'accord, elle peut se débrouiller sans moi. Agathe a promis d'aider et Amélie aussi.

— Non, c'est non, chérie. Je ne connais pas ce M. Boyer.

— Ce dimanche, je partirai quand même ! Je veux y aller et j'irai !

Alice, pour éviter de se mettre en colère, se concentrait sur la confection d'un baba au rhum, qu'elle comptait servir au repas du soir. La journée avait été ardue, les filles, grouillantes, et Athos, leur grand chien, n'était toujours pas revenu de sa balade du matin en solitaire. Avec les formes féminines qui se dessinaient sur son corps, son aînée faisait montre d'entêtement, prenait du caractère et troublait l'harmonie.

Devant le silence de sa mère, Ariane avait tourné les talons, traversé le grand couloir assombri, enfilé ses bottes et son manteau à la hâte et quitté la maison. Elle connaissait bien le chemin que prendrait son père pour rentrer, l'ayant parcouru plus d'une fois avec lui. Elle s'en alla donc à la rencontre de son allié de toujours.

Quand il l'avait aperçue, marchant d'un pas rageur et fixant le sol encore recouvert des dernières neiges du printemps, il avait compris que l'heure était grave. Bientôt, sa fille lui relatait les faits et revendiquait le droit à une certaine liberté.

— Je tiens énormément à ce travail. M. Boyer va veiller sur moi. Il n'y a aucune inquiétude à avoir.

— Je discuterai de cela avec ta mère.

— Quand c'est pour moi, elle refuse toujours ! Alors qu'avec Agathe tout est permis ! Elle est injuste, et si tu ne fais rien, tu le seras toi aussi !

Il fallait du courage pour s'adresser à son père ainsi. Contre toute attente, plutôt que de s'emporter, Claudio avait éprouvé de la fierté. Sa fille avait du tempérament. De plus, les propos de son aînée comportaient une part de vérité. Pour Ariane, Alice n'avait ni la patience ni la compréhension qu'elle manifestait à l'égard d'Agathe.

— Entendu. Tu vas à cet atelier. Je me charge du reste.

La chaleur ressentie en entendant ces paroles avait apaisé la furie d'Ariane d'un seul coup. Elle avait glissé les mains dans les poches de son pantalon de gabardine et avait inspiré profondément, satisfaite de cette liberté conquise.

***

Lorsqu'elle avait accompagné Eugène, en ce premier dimanche qui confirmait sa victoire, elle s'était montrée volubile, plus souriante. Quelque chose en elle émergeait. La compagnie d'Eugène, douce comme une caresse, la mettait en confiance. Avec lui, rien n'était compliqué. Comme l'été s'annoncerait dans quelques mois, spontanément elle lui avait fait part des moments passés en famille à Sainte-Marguerite, au milieu des épinettes. Elle lui avait expliqué comment, avec ses sœurs, elle avait appris à déchiffrer le chant des oiseaux à l'aube, le coassement des grenouilles, l'appel du suisse au dos rayé, le chant du geai bleu déchirant le ciel lors d'une journée chaude, le hululement de la chouette que l'on aperçoit parfois en plein jour. Il l'écoutait, captivé par son récit. Tandis qu'elle narrait, elle constatait combien elle avait adoré cet été de totale liberté. Elle décrivait la splendeur du lac, coulé en pleine montagne, dont l'eau pure et fraîche vous vivifie d'un seul coup. La puissance des émotions imposées par la nature sauvage l'avait marquée pour toujours. Stimulée par les questions de son interlocuteur, elle se rappelait les excursions dans l'immense chaloupe de bois, peinte orange. Chacun ramait à tour de rôle, pendant que les autres, penchés au-dessus du bord, regardaient vers le fond vert et limpide.

Eugène suivait le récit de la jeune fille sans en manquer un mot. De temps à autre, il lui posait une question, la relançait sur un détail. Ariane, après tant d'années passées dans le silence, ouvrait les vannes ! Elle racontait ces jours de pluie, où les filles, allongées côte à côte, tassées comme des sardines dans deux grands lits juxtaposés, se lisaient ou s'inventaient des histoires... Ou encore l'immense arbre dans lequel elle grimpait chaque fois un peu plus haut, et duquel elle pouvait voir à des milles à la ronde. Sous ce pin-là, elle s'était aménagé un lit d'aiguilles séchées sous une tente improvisée à même une vieille couverture. L'extase d'être accueillie par la nature ; les arbres, la terre, l'eau et l'air ! Ses sœurs et elle se baignaient nues. Source de bonheur intense, ces sensations corporelles n'avaient rien à voir avec ce que les religieuses dénonçaient, percluses de honte et de dédain. De tout cela, Ariane n'avait jamais parlé ; mais avec Eugène elle se sentait en confiance.

Une fois à l'atelier, parmi tous ces bénévoles dévoués, son ami avait dû la délaisser un peu pour vaquer à ses occupations au cœur des tâches à coordonner.

Armée d'un pot de peinture et d'un pinceau, Ariane avait été assignée au char conçu par son protecteur et sur lequel il fallait colorer une scène hivernale : une dame vêtue d'un manteau rouge à grand capuchon bordé de fourrure, les mains dans son manchon, patins aux pieds, souriait au milieu d'un rond de glace peuplé d'enfants espiègles et d'amoureux se tenant par la main. La jeune fille devait couvrir de couleur cette dame de papier mâché sur une structure en bois tandis qu'Eugène, de son côté, reproduisait la neige.

— Rien n'est plus difficile que de peindre le blanc. Il y a des bleus, des gris, des jaunes. Il faut y aller par petites touches.

Dévoilant sa fascination pour le nord de la province, avec ses paysages inimaginables de beauté qu'il avait découverts avec son père, grand chasseur et pêcheur, Eugène ouvrait à son tour son cœur à Ariane.

— J'ai vu ces gens pêcher. Leurs vêtements sont de vraies œuvres d'art. J'ai voyagé avec eux sur leurs traîneaux à chiens.

Et il s'était mis à raconter comment, tout petit garçon, il s'était installé avec son crayon et sa tablette pour croquer une scène de chasse. À partir de ce moment-là, il avait voulu devenir peintre. Il avait vieilli, mais le rêve lui était resté : il existait dans le Nord des peuples fiers, des panoramas magnifiques qu'il immortaliserait.

Les propos de son ami enthousiasmaient Ariane. Cette idée qu'il faille faire œuvre utile l'inspirait. Voilà ce à quoi elle réfléchissait, en plongeant son pinceau dans le rouge vermillon pour en recouvrir le manteau de laine brute. Du coin de l'œil, Eugène et elle avaient échangé un sourire complice.

***

Le Festival de musique canadienne auquel son père se consacrait corps et âme depuis des mois débutait le soir du 23 juin avec l'oratorio en trois parties *Jean le Précurseur*, de Guillaume Couture. Après tant d'efforts et de répétitions venait la satisfaction du travail bien fait. De partout, les félicitations avaient fusé après cette représentation exceptionnelle à laquelle le public avait participé en grand nombre. Eugène, dans la foule, avait applaudi chaleureusement le travail du père de sa jeune amie, qui avait consacré la majeure partie de ses temps libres à seconder Claudio dans son entreprise.

Le lendemain, malheureusement, une pluie torrentielle s'était déclenchée sur la ville. Après avoir dû batailler pour obtenir une permission spéciale pour que les chars puissent défiler un dimanche, voilà que les organisateurs avaient dû faire face aux éléments de la nature en furie. On avait attendu jusqu'au dernier moment, puis décidé de reporter les festivités au dimanche suivant. Quelle déception pour tous ceux qui espéraient cette journée depuis des mois !

L'attente avait heureusement valu la peine. Le dimanche suivant s'était révélé radieux. Un soleil ardent rayonnait sur Montréal. En fin de journée, une procession longue de près de deux kilomètres composée de trente-quatre chars allégoriques, suivis des cinquante-cinq sections de la Société Saint-Jean-Baptiste, de fanfares, des corps de cadets ainsi que de délégations des autres sociétés patriotiques avaient sillonné la ville. La population, nombreuse, s'était rassemblée de part et d'autre de la procession. Les enfants tapaient des mains et chantaient des airs à tout rompre. Les adultes se réjouissaient de pouvoir exprimer leur fierté de participer à cette célébration de leur culture. Parmi cette foule, constituée en grande partie de petites gens, d'ouvriers travaillant en usine, de manœuvres, de plombiers, de serveuses, de femmes de chambre, de secrétaires et de gagne-petit, il ne manquait que les riches, ceux de l'ouest de la ville, qui avaient préféré rester chez eux.

Marchant au milieu de la masse compacte, en compagnie d'Eugène et de plusieurs autres compagnons ayant travaillé avec eux dans les ateliers, l'aînée des Calvino avait éprouvé un bonheur intense. Elle faisait partie de ce groupe, vivait la même ivresse et participait au succès indéniable remporté par la procession. Elle appartenait à un peuple.

Quelques jours plus tard, les Calvino s'affairaient, car comme l'année précédente ils allaient quitter la ville pour rejoindre les Laurentides. La vie à la campagne était moins coûteuse pour une grosse famille de sept enfants et plus facile pour les parents.

Ariane, qui adorait les vacances à la campagne, s'était sentie tiraillée cette année-là à l'idée de passer deux mois sans ses compagnons d'école. L'isolement, brisé par la seule compagnie de sa mère et de ses sœurs, l'angoissait. Désormais, elle fuyait Alice de manière à esquiver les prises de bec. Elle ne supportait plus que sa mère se plaigne du pays et qu'elle évoque systématiquement la France comme une panacée à tous les maux. Lorsque le temps de faire les provisions pour les prochaines semaines était venu et qu'Ariane avait ouvert la porte de chez Van Houtte, l'odeur du café, dont elle raffolait jadis, lui avait semblé rance. C'est sans enthousiasme qu'elle avait commandé les croissants, les pains et les confitures. Toutes ces gâteries, les Calvino les apporteraient à la maison bleue, de l'autre côté de la rive de la petite Rivière-du-Nord.

***

De retour à l'école, après des vacances interminables, Ariane avait fait montre d'une meilleure maîtrise des couleurs puisqu'elle avait passé l'essentiel de l'été à peindre. Prise d'une véritable passion pour l'huile, elle avait demandé à devancer ses cours pour ne pas perdre ses acquis. Le travail à l'huile, plus difficile, n'était enseigné qu'aux cours des dernières années de la formation. Pour sa plus grande joie, elle avait obtenu gain de cause et avait donc pu poursuivre ce qu'elle avait si bien commencé.

Poussée par Eugène, elle s'était inscrite à un concours organisé par le gouvernement provincial dont le thème était la prévention des feux de forêt. Boyer y participait aussi. Contre lui, elle n'avait aucune chance. Mais gagner lui importait peu, elle faisait de son mieux et travaillait d'arrache-pied. La complicité avec Eugène ne faisait pas de doute. Au bout du compte, elle avait présenté une toile assez réussie, intitulée *Brasiers*. Bien que, en raison de son jeune âge, elle ait obtenu une mention, c'est son ami qui avait remporté le premier prix.

— Félicitations ! Ton talent est reconnu !

— Et moi, c'est toi qui m'éblouis...

Ariane, flattée, avait éclaté de rire. Du haut de ses quatorze printemps, elle n'avait pas bronché sous le regard un peu insistant de son compagnon. Il lui avait tant manqué au cours de l'été qu'elle ne voulait pas assombrir son plaisir et avait préféré passer outre à son léger malaise.

Forte de ce qu'elle désignait comme son succès d'estime, Ariane se sentait en droit de jouer les artistes et s'était mise à fréquenter la galerie Watson et la galerie Scott & Sons, qui présentaient régulièrement des toiles de maîtres européens. Là, elle admirait des tableaux de Paul Cézanne, d'Auguste Renoir et de Camille Pissarro, ses préférés. Transportée par tant de beauté et enhardie par la confiance acquise, il lui arrivait de rêver qu'un jour elle aussi exposerait ses toiles…

Son avenir dans son pays d'adoption commençait à se tracer dans son esprit, à un point tel qu'elle parvenait à se sentir autrement que comme une étrangère…

***

À l'époque, une fois par semaine, les Calvino invitaient leurs voisins et amis à assister à un concert chez eux par le truchement de la radio. Les prestations de Claudio étaient enregistrées régulièrement et diffusées sur les ondes de CKAC, et il avait reçu d'un admirateur fortuné un poste de diffusion. Meuble fait en noyer et aux formes arrondies, la radio de marque Fada trônait sur le bahut de la salle à manger. La station diffusait en anglais et en français et offrait hebdomadairement à ses auditeurs l'occasion d'entendre des music-halls américains adaptés et traduits en français, joués et chantés par des artistes d'ici. L'accès à ces prestations, fort appréciées, était recherché. Claudio avait un jour eu l'idée d'inviter quelques personnes du voisinage à écouter l'émission du samedi après-midi. De fil en aiguille, les uns et les autres s'étaient passé le mot et avaient fini par s'amener toujours plus nombreux chez les Français de la rue Saint-Hubert. Les gens se présentaient en tenue du dimanche, vêtus comme pour les grandes occasions. D'une semaine à l'autre, il fallait ajouter des chaises, jusque dans le couloir, puis au salon !

Dans un recueillement presque religieux, les auditeurs découvraient les divers styles musicaux, allant de la chanson de charme à l'opérette, jusqu'au grand opéra. Les rencontres, si elles surchargeaient Alice et ses filles aînées de petits fours à confectionner et à servir à la ronde, permettaient en contrepartie de briser l'isolement. Au fil de ces séances, cette famille originale gagnait des amis et nouait des relations. Et Ariane, loin de se plaindre du surcroît de travail lié à ces réceptions, se sentait comblée. Ainsi la radio pouvait-elle créer des liens, réunir les gens, malgré les différences et les peurs.

***

L'École des beaux-arts était dotée d'une bibliothèque extraordinaire. Riche en livres d'art et en périodiques de toutes sortes, on pouvait y passer des jours entiers sans s'ennuyer une seconde. *La Gazette des Beaux-Arts*, en provenance de Paris, recelait une foule d'informations précieuses sur les peintres en vogue et sur leurs techniques. Dans cette revue qu'elle parcourait de la première à la dernière page, Ariane avait découvert Edgar Degas, pour lequel elle s'était prise d'une admiration sans bornes. Le style de Degas, cette lumière diffuse qu'il mettait dans ses œuvres, la fascinait.

Ariane et d'autres étudiants consacraient tous leurs temps libres dans cette caverne du savoir et de la découverte. Boyer s'exposait parfois volontairement à des réprimandes professorales pour le simple plaisir d'être envoyé à la bibliothèque où il pourrait lire en paix.

Un jour qu'elle se trouvait complètement absorbée par sa lecture, Ariane avait perçu un effleurement sur son épaule.

— Pardonnez-moi. C'est l'heure de la fermeture. Je dois ramasser tous les livres et toutes les revues.

Ariane avait bégayé une réponse approximative. Une chaleur intense l'avait envahie et lui avait rosi les joues. Elle avait bafouillé quelques mots incompréhensibles et empilé les documents pour faciliter la tâche au jeune homme. Qu'est-ce qui lui prenait ? Ses mains tremblaient, et elle se demandait si elle pourrait parvenir jusqu'à la sortie sans tomber.

Chamboulée, elle était rentrée chez elle. En ouvrant la porte, elle avait eu un haut-le-cœur en humant l'odeur de poulet rôti qui flottait dans l'air. Elle s'était dirigée tout droit à sa chambre, souffrante. Après s'être allongée sur son lit pour se calmer, elle avait fixé le plafond un long moment, détaillant chaque interstice, chaque saleté. Pour une fois, elle avait sauté le repas du soir et était restée dans sa chambre, évitant ainsi d'avoir à expliquer son bouleversement.

Quand elle avait confié son émotion à Eugène, celui-ci avait minimisé l'événement. Étrangement, il avait invité sa jeune amie à s'investir plus sérieusement dans ses cours, plutôt que de traîner du côté de la bibliothèque, où lui-même flânait si souvent.

Ariane avait mis plusieurs jours avant de retourner dans ce lieu qu'elle adorait pourtant fréquenter. Des amis lui avaient révélé que le nouveau bibliothécaire se nommait Louis-Marie Dubé et qu'il était poète. Son premier recueil de poésie, intitulé *Océan de brumes*, lui avait valu un prix prestigieux. Il signait aussi des articles pour *La Revue moderne*, l'un des premiers magazines dirigés par une femme. Fortement impressionnée par le parcours du jeune homme, du haut de ses quatorze ans, Ariane hésitait à lui faire face de nouveau. *Si jamais il m'adressait la parole, je dirais sûrement quelque chose de ridicule*... Son inexplicable réaction à leur première rencontre lui avait retiré toute confiance. Puis, après des jours d'hésitation, elle s'était décidée à se rendre seule dans la bibliothèque.

Une fois assise le long des fenêtres, à sa place favorite, elle avait observé celui qui lui avait fait un si puissant effet. Elle ne parvenait pas à détacher son regard du bellâtre, encore plus beau que dans ses rêveries. Elle espérait qu'il la remarquerait, mais en même temps elle paralysait dès qu'elle sentait son regard s'arrêter sur elle. Il lui avait fallu plusieurs minutes pour surmonter son dilemme et regarder le jeune bibliothécaire en face. À son pur ravissement, elle avait constaté qu'il l'observait aussi. Elle n'osait plus respirer. Et quand, enfin, il avait quitté son bureau pour se diriger vers les allées, Ariane s'était empressée de se lever pour se rendre presque en courant à la sortie. Au moment de pousser la porte, alors qu'elle se retournait d'un quart de tour dans sa direction, elle avait vu que Louis-Marie Dubé la fixait. Figée, elle avait souri tandis qu'il la saluait de la main. Elle avait poursuivi sa route, les jambes flageolantes.

Dès lors, elle n'avait plus pensé qu'à lui. Elle interrogeait les uns et les autres pour tout connaître de la vie de ce beau jeune homme. Fils de notaire, il habitait le quartier Notre-Dame-de-Grâces. Louis-Marie avait entrepris des études universitaires en littérature et travaillait quelques heures par semaine à la bibliothèque pour subvenir à ses besoins. Il était arrivé que Dubé vienne casser la croûte Chez Gina. Gentil et raffiné, il disait à qui voulait l'entendre qu'avec la poésie il fallait se montrer patient. Il avait déclaré qu'il préférait l'écriture au verbe, réflexion romantique qui avait achevé d'enflammer le cœur d'Ariane.

Un jour, voilà que le destin lui avait fait signe. Il neigeait si fort qu'il fallait se presser de rentrer chez soi à la fin des classes. La tempête faisait rage, et l'obscurité rendait le temps encore plus menaçant. Celle que l'on surnommait « la garçonne », en raison des pantalons qu'elle portait pour se donner du style, terminait ses dernières lectures et se trouvait seule, avec lui, dans l'immense salle désertée. Il lui avait demandé si elle accepterait de lire quelques-unes des strophes qu'il venait d'achever et de lui donner son avis sur elles. Il les avait transcrites là, sur une feuille blanche qu'il lui tendait. Si elle n'avait pas le temps, il comprendrait, avait-il ajouté, mais il serait flatté qu'elle lui donne ses impressions. Pétrifiée, elle n'avait pu s'empêcher de marmonner que cela lui ferait plaisir et avait glissé la feuille dans le sac qu'elle portait en bandoulière. Cramoisie, mais fière comme un paon, Ariane avait affronté le vent, les tourbillons de flocons et le tumulte dans une allégresse indicible. Louis-Marie Dubé, celui qu'elle espionnait depuis des semaines, venait de lui demander une faveur ! Quel retournement inespéré !

Pour éviter de trahir son énervement, une fois de retour à la maison, elle s'était comportée comme à son habitude. Installée à la table pour manger le ragoût apprêté par Mlle des Moulins, elle avait raconté la tempête qui l'avait retardée, la neige qui tombait dru et l'avait aveuglée, le froid à ses joues, ses mains et ses pieds. Elle avait acquiescé quand sa mère lui avait reproché de ne pas se vêtir assez chaudement dans ce pays où il fait perpétuellement noir et où on gèle six mois par année.

Quand elle avait enfin pu sortir de table, aller à la salle de bain pour se rafraîchir rapidement et se préparer pour la nuit, elle avait souri, toute seule devant la glace. Une fois coiffée et lavée, elle avait rejoint la chambre, où trois de ses sœurs dormaient déjà. Elle s'était mise au lit avec plaisir, sachant qu'elle déplierait enfin la feuille et lirait les vers rédigés de la main d'un homme magnifique. À la lumière de la veilleuse, elle avait parcouru la vingtaine de strophes se révélant à elle telle une ode au voyage. Le style lui rappelait Victor Hugo, mais en mieux. Elle était chavirée au point où elle avait dû replier prestement la page, la glisser sous son oreiller, puis respirer pour retrouver contenance ; l'amour, celui qu'elle avait lu dans les livres, celui qui transforme l'existence, venait de faire son entrée dans la sienne.

Une nuit merveilleuse avait suivi, de celles qui marquent et auxquelles on revient, parfois. Dans ses rêves, elle se trouvait avec lui. Il lui lisait des strophes magnifiques. Il s'adressait à elle avec beaucoup de tendresse, comme un amoureux. Une lumière surnaturelle inondait les lieux. Il se rapprochait et la saisissait par la taille. Elle était nue et en prenait tout juste conscience. Ses seins, durcis, pointaient vers lui tandis qu'il y posait un baiser doux. Une jouissance intense la propulsait vers la lumière. Elle avait poussé un cri qui l'avait réveillée. Amélie, assoupie tout à côté, avait gémi, dérangée par le bruit, puis s'était replongée dans ses songes. Ses deux autres sœurs, dans la couche d'en face, n'avaient rien entendu. Ignorant tout des plaisirs intenses que les femmes peuvent trouver dans les fantasmes, Ariane, comblée et pacifiée, s'était endormie, le corps repu et l'esprit chargé d'images sensuelles.

Pour rédiger son commentaire à Louis-Marie, elle avait pesé chaque mot, rayant et reprenant, pendant des jours. Elle devait ensuite se décider à le lui transmettre. Cela lui avait demandé tout son courage, car elle n'était pas de celles qui s'expriment facilement. Elle avait fini par glisser une enveloppe, scellée et adressée au jeune homme, dans le pupitre de celui-ci. Le poète avait mis quelques jours avant de trouver le document et d'en prendre connaissance, délai qui avait semblé interminable à Ariane.

— Ils sont rares, ceux qui lisent avec autant d'attention. Je vous suis sincèrement reconnaissant pour votre aide.

— Tout le plaisir a été pour moi. Vos vers m'ont transportée.

Ce premier échange, magnifié par un sentiment amoureux, avait marqué le cœur de la jeune et naïve adolescente. Elle qui avait cru bon d'échapper à la féminité y trouvait tout à coup des avantages.

***

Ariane se ressaisit. Louis-Marie Dubé s'efface et le présent reprend ses droits. La nuit tombe. Elle se trouve dans cette chambre parisienne minuscule, au papier mural couvert de roses, qu'elle a occupée durant deux longues années et que, bientôt, elle ne reverra plus. Amélie rejoint sa grande sœur dans cette pièce où elles se sont fait des confidences et se sont encouragées lorsque le mal du pays les prenait.

— Maman est allée conduire tante Jeanne. On a vidé la cuisinette. Il reste encore quelques livres au salon qu'il faut donner.

— Mes valises sont empilées ici.

— Les miennes ont déjà été emportées avec les malles.

— Plus jamais je ne voyagerai ni ne prendrai un bateau. C'est la dernière traversée de toute ma vie, je te le jure, déclare Ariane sur un ton solennel qui a l'heur de faire rire sa cadette.

Sous leurs airs de jeunesse et de fraîcheur, les deux jeunes femmes ont l'impression d'avoir cent ans.

Chapitre 2

Ce 23 juin 1933, à la veille de leur grand départ, la mère et les filles Calvino logent dans un petit hôtel tout près du port. Leurs effets les plus importants ont été chargés sur le navire. Il ne leur reste que l'essentiel, empaqueté serré dans des mallettes. Il fait chaud et humide. Les vêtements collent à la peau. Dans la chambre minuscule et bondée, l'air ne circule pas plus que le temps n'avance.

Plantée devant la fenêtre, Ariane tourne en rond. Il lui tarde que sa vie se remette en marche. Pour le moment, elle n'a que son passé, qu'elle ressasse en boucle…

***

Le Montréal de ses quinze ans lui revient, sa prospérité et son optimisme. Du côté des Canadiens français, les disciples du curé François-Xavier-Antoine Labelle, nombreux, s'affairaient à la colonisation des Laurentides et à l'occupation du territoire. L'heure était aux espoirs et aux résolutions positives. De plus en plus de gens avaient désormais les moyens de se procurer un poste radiophonique à la maison. Les divertissements gratuits devenaient accessibles à la population, avide de s'ouvrir à de nouveaux horizons. Chez les Calvino, si le premier appareil avait déjà changé les habitudes familiales et sociales, il a en plus suscité depuis un intérêt pour les émissions d'informations, aussi nombreuses que les concerts et les multiples interprétations théâtrales diffusés par CKAC.

Pour sa part, Ariane avait alors une raison secrète et supplémentaire de se montrer plus attentive puisque, de temps à autre, les textes de son bel amoureux étaient lus en ondes. La jeune adolescente nourrissait un sentiment intense qui lui donnait des ailes. Avec son poète, elle avait pris l'habitude d'échanges épistolaires : il lui glissait ses nouvelles strophes, elle lui répondait par une analyse écrite. Pour la bibliothèque, leurs échanges platoniques s'avéraient parfaits. Ils se souriaient souvent, se parlaient peu. Plus âgé qu'elle, Louis-Marie trouvait beaucoup de satisfaction à l'idée d'éveiller un esprit neuf aux joies de la poésie. Loin de se douter des intentions paternalistes de son bellâtre, Ariane profitait intensément de leur liaison de rêve.

Le jeune homme, toujours très gentil et galant avec elle, n'exprimait aucune des réserves susceptibles de la décourager. Les critiques de son émule l'aidaient vraiment, disait-il, car elle avait une lecture sûre et très posée pour son âge et semblait se passionner pour la poésie. Pas une seconde l'auteur n'avait deviné les désirs qu'il avait allumés chez celle qu'il considérait comme une enfant. Aussi l'encourageait-il à poursuivre ses lectures, multipliant sans s'en douter les interprétations erronées.

***

Ariane voyait avec anxiété approcher le printemps, puis l'anniversaire de ses quinze ans préludant à l'été et aux grandes vacances. Comment pourrait-elle vivre sans lui ? À cette seule pensée, elle était prise de crampes. Elle avait proposé à son père de rester en ville, au moins pour les quelques semaines de son enseignement privé. Ce serait toujours ça de gagné. Elle prétendait être en âge de rester à Montréal pour y travailler, de loger avec Mlle des Moulins à la maison toute la saison chaude ou d'habiter chez une amie avec laquelle elle passerait le long congé, elle essayait toutes les propositions... Et chaque fois elle essuyait un refus de la part de ses parents: le repos d'été s'imposait à leurs yeux comme une nécessité.

Dévastée, elle s'était dirigée vers les bureaux de CKAC, station où elle accompagnait souvent son père.

— Je peux tout faire. Je désire travailler, avait-elle annoncé fermement à la jeune secrétaire, toujours amicale avec elle.

— Je vais voir avec mon patron. Sauf que si ton papa s'oppose à tes projets...

— Trouve-moi du travail et je m'organiserai avec lui, avait rétorqué la jeune fille, déterminée, avant de quitter la station, pleine d'espoir.

Et puis, lors d'une journée qui semblait en tous points pareille aux autres, son monde s'était effondré. Après une matinée sans histoire et un dîner pris à la sauvette tout près des Beaux-Arts, elle avait aperçu par hasard son chantre, celui qui, croyait-elle, se brûlait d'amour pour elle, tenant une femme par la main. Sur le coup, son cerveau avait refusé l'information. *C'est impossible*, avait-elle pensé, *je dois me tromper; ça ne peut pas être lui!* Elle avait détourné un instant son regard de la fenêtre, en espérant que, lorsqu'elle y reviendrait, sa vision se serait dissipée et aurait repris une allure plus conforme à ses sentiments. Malheureusement, ces quelques secondes de pause n'avaient rien arrangé, au contraire. De retour à son poste d'observation, elle avait vu un couple d'amoureux en train d'échanger un baiser passionné. Touchée par la foudre, elle s'était éloignée de la fenêtre comme si elle avait été en flammes. Une douleur d'une intensité incomparable la pliait en deux. Une vision s'imposait à son esprit: dans une mise en scène pathétique et désespérée, l'amoureuse transie postée à son balcon, apercevant Roméo et Juliette enlacés, comprenait qu'elle n'avait aucun rôle à jouer dans la pièce.

Alors que dans l'immense atelier aux fenêtres inondées de soleil tous les élèves s'affairaient à la mise en place pour les examens de fin d'année, se concentraient, disposaient leur chevalet dans le bon angle, sélectionnaient les meilleurs fusains, Ariane, elle, venait d'être propulsée dans le néant. Le modèle vivant, cette discipline fondamentale et la plus difficile, l'indifférait complètement. Au centre de la pièce, une femme en robe de chambre s'installait sur le promontoire où elle allait devoir rester immobile pendant plus de trois heures. La femme s'était dénudée et avait pris la pose. C'était le signal de départ. Les fusains s'étaient mis à crisser sur le papier. Un silence religieux régnait, occasionnellement brisé par une toux, un chevalet déplacé.

Ariane, le souffle coupé, avait beau faire, elle ne parvenait plus à coordonner ses gestes normalement. Elle restait là, les bras de chaque côté du corps, regardant fixement le vide. Eugène, parmi les surveillants, avait remarqué son étrange comportement. En toute discrétion, il s'était approché et lui avait murmuré :

— Mademoiselle Calvino... Ariane... Vous disposez de trois heures. Il faut vous y mettre.

Comme elle ne lui répondait pas, il avait agrippé ses effets d'une main, le coude de la jeune fille de l'autre, et l'avait poussée vers un coin plus retiré de la pièce. Il avait disposé ses affaires tandis qu'elle tentait de reprendre ses esprits.

— Il faut te redresser, quoi qu'il arrive. Cet examen compte pour beaucoup... Allez, tu as travaillé fort, ce n'est pas le moment d'abandonner.

— Je ne peux pas dessiner. Mes mains ne m'obéissent plus. Je ne vois pas clair.

— Essuie tes larmes et mets-toi au travail. Quand nous sortirons d'ici, tu me raconteras tout. Allez...

Soutenue par son ami, elle avait trouvé la force de se mobiliser. Après être restée pendant de longues minutes debout, sans effectuer le moindre mouvement, tranquillement, elle avait saisi le fusain et s'était placée devant la feuille immaculée. Elle avait concentré son attention sur ce corps dénudé devant elle, assis sur un tabouret dans une position simple et naturelle. Elle se laissait gagner par la beauté des formes et des rondeurs duveteuses, repoussait ses pensées sombres et se remettait au travail. Sa main, retrouvant son assurance, appuyée sur le papier, la guidait. Un trait à la fois, un corps prenait forme. Au bout d'un moment, l'intensité de la douleur s'était estompée. Elle avait cessé de penser, d'exister. Elle n'était plus que cette page à noircir. Les trois heures accordées pour faire l'examen ne lui suffisaient pas. En fait, elle aurait voulu ne plus sortir de cette salle, ni devoir affronter ce que serait son existence sans amour.

— C'est mieux que tout ce que tu as fait ici jusqu'à présent, lui avait gentiment confié son protecteur, un œil à demi fermé devant son travail.

Boyer, le garçon au cœur d'or, tentait de cacher son désarroi. L'état dans lequel Ariane se trouvait le bouleversait. Il se retenait de l'embrasser, de l'enlacer. Il aurait fait n'importe quoi pour lui éviter son premier chagrin d'amour.

— Un jour, ton poète sera oublié. Tu ne te souviendras même plus de l'avoir aimé. Tu auras rencontré un autre garçon. Il te plaira mille fois plus. Celui-là sera vraiment fait pour toi.

— Je ne veux pas d'un autre, répondait inlassablement Ariane.

La sincérité de sa jeune amie l'ébranlait. Vulnérable, fragile, elle lui apparaissait encore plus belle, plus inaccessible, plus désirable. Aussi avait-il multiplié les efforts pour redonner un peu d'espoir à l'amoureuse trahie. Il l'avait entraînée Chez Gina, lui avait offert le repas, avait accueilli ses aveux passionnés et sa déception cuisante. Après l'avoir raccompagnée chez elle, il l'avait laissée un peu ragaillardie. L'enlaçant pour lui insuffler du courage, il avait posé un baiser sur son front.

— Courage, avait-il soufflé, pris lui-même d'une forte envie de pleurer.

Ariane avait retrouvé la parole, asséché ses yeux et repris une allure normale. Le feu de la blessure semblait supportable.

Cette fin de journée ressemblait en apparence à tant d'autres. Ariane était rentrée à la maison pour se trouver au milieu d'un brouhaha extraordinaire : Claudio avait ramené sa troupe d'élèves à la suite d'un spectacle de fin d'année spécialement réussi. Alice s'affairait à nourrir et servir tout le monde. Pour tromper son décalage, l'aînée s'était empressée de rejoindre sa mère à la cuisine pour l'aider. Elle beurrait les petits pains au fromage, les glissait sur une plaque à biscuits dans le four chaud. Après avoir disposé les bouchées dans une grande assiette aux contours dorés, elle s'était faufilée dans le long couloir menant au salon. Tandis qu'elle s'avançait, un rire cristallin avait traversé la porte de la petite bibliothèque, là où les invités déposaient leur manteau.

Ariane s'était arrêtée net, manquant de laisser échapper l'assiette cerclée d'or qu'elle tenait. Elle s'était approchée. Agathe, appuyée sur le chambranle, gloussait encore. Un garçon aux traits parfaits racontait une histoire amusante, de toute évidence. L'harmonie qui se dégageait de la scène la heurtait de front. La féminité de sa sœur, le désir qui flottait dans la pièce aussi. Elle avait envie de détruire cette Agathe si belle et élégante. Elle refusait d'avoir sous les yeux autant de charme, d'attraits, de perfection. Elle avait refermé la porte avec fracas, prise d'une colère puissante, d'une jalousie terrible.

Son père était apparu dans le couloir, stoppant de justesse la montée orageuse.

— Alors, ma chérie ? Tu en fais, une tête ! On n'a plus rien à offrir ici… Donne les bouchées.

Il s'était dirigé vers elle, lui avait pris le plat des mains, et avait entraîné sa fille vers le salon. Agathe, étonnée, avait entrouvert la porte, affichant son magnifique sourire.

— Tu as claqué la porte ?

Percevant sa détresse, Claudio avait lancé un regard tendre à sa plus vieille et déclaré :

— C'est d'accord pour cet été. Tu resteras avec moi jusqu'à la fin de mes leçons. Nous passerons un bon moment. On se retrouvera tous les deux. Ça nous fera le plus grand bien !

Elle obtenait finalement gain de cause juste au moment où, ironiquement, elle aurait souhaité changer ses plans et fuir la ville aussi longtemps que possible. Feignant de se réjouir, elle se sentait plutôt coincée. La soirée s'était achevée sur cet imbroglio qui lui laissait un goût amer.

***

Une fois de retour aux Beaux-Arts, elle avait systématiquement évité de fréquenter la bibliothèque. En période d'examens, cette ligne de conduite avait son tribut. Privée d'un accès aux livres de référence, Ariane n'étudiait pas comme elle le devait. Elle s'entêtait néanmoins, incapable d'envisager la possibilité de revoir celui qu'elle aimait toujours et qui ignorait tout de son anéantissement.

Gauche dans son corps et dans sa vie, elle ne savait pas comment s'extirper de cette mauvaise passe. La moindre allusion à son poète la bouleversait aux larmes. Elle n'allait plus Chez Gina de peur de croiser Dubé ou même d'entendre parler de lui. Tout lui était devenu pénible et douloureux : s'exprimer, répondre à une question banale. Elle s'exilait du groupe de joyeux fêtards avec lequel elle avait connu tellement de joie et de stimulation. C'était dur. L'amour avait réduit ses ailes en fumée. Elle qui s'était timidement mise aux décolletés et aux froufrous donnait tous ses vêtements à ses sœurs. En réaction à son énorme déception, elle s'était fait la promesse que, comme Coco Chanel à Paris, elle reviendrait au pantalon de son enfance et ne porterait plus que lui. Elle s'était mise à dessiner et à coudre des vêtements foncés et unis, aux lignes droites, des hauts rayés et des bérets pour imiter la célèbre Parisienne.

Alice, vaguement contrariée par l'originalité choquante des tenues de sa fille, la rejoignait parfois le soir après une interminable journée et essayait de la raisonner. Ses multiples tentatives restaient lettre morte. Ariane était bien décidée à adopter le pantalon comme vêtement de tous les jours et poussait parfois l'audace jusqu'à le porter les soirs de sorties mondaines.

— T'habiller à la garçonne n'est plus de ton âge. Tu commences tout juste à t'habituer à avoir l'air d'une jeune femme !

Ariane détestait ces conversations et cherchait le premier prétexte pour s'esquiver. Elle se dérobait devant sa mère, pleine de bonne volonté, ignorant ses recommandations.

Entre sa déprime générale, ses résultats scolaires en chute libre, son manque d'intérêt et de motivation, Ariane se laissait lentement mais sûrement couler.

— Les paresseux et les nonchalants ne font pas long feu aux Beaux-Arts, lui répétait Eugène, pour la secouer.

— Tant pis. J'irai travailler comme les autres, lui répondait-elle avec un haussement d'épaules.

Alors qu'au mois de juin, au lendemain de la Saint-Jean-Baptiste, la famille se préparait à gonfler ses valises pour s'enfuir vers la campagne, Ariane ne participait pas au mouvement. Elle resterait avec son père. Tous les matins, elle travaillerait à CKAC, où on l'emploierait durant les quelques semaines passées en ville. Sans se réjouir de la situation, elle ressentait tout de même une curiosité quant à ce qu'elle découvrirait sur elle-même et sur le fait de gagner sa vie. Et puis cette intimité avec son père lui était offerte comme une compensation pour toute la peine des derniers mois.

Alors qu'elle se promenait dans la rue Saint-Laurent, profitant des rayons chauds de l'été et de sa convalescence émotionnelle encore fragile, Ariane s'était arrêtée pour saluer un camarade, sans se douter qu'il allait lui apprendre une nouvelle troublante.

— Dubé est parti pour l'été, il a été remplacé, lui avait révélé l'ami, ignorant tout des sentiments d'Ariane, qui déjà n'entendait plus la suite.

Elle avait marché droit devant, l'esprit vide. Avait-elle une place dans la vie et valait-il la peine de continuer ? Son avenir ne lui réservait rien de bon, croyait-elle.

***

Avec les chaleurs de juillet et le départ d'une grande partie des membres de la famille Calvino vers les Laurentides, l'air de la maisonnée avait changé. Les jours suivants avaient mis un peu de baume sur les malheurs de la jeune fille. L'appartement, empreint de silence, lui offrait la paix, et Claudio gâtait sa fille. De plus, prendre le chemin vers la station CKAC la comblait de fierté. Elle devait classer des bobines dans une pièce réservée à la conservation des enregistrements. Rien ne la réjouissait plus à la fin de la semaine que de toucher fièrement son salaire et d'en déposer une partie dans la boîte de fer-blanc cachée dans sa chambre. Le vendredi soir, elle allait avec Eugène voir un film à l'Impérial.

***

Ariane adorait assister aux répétitions des enregistrements. Sa présence quotidienne à CKAC lui permettait de faire la connaissance de réalisateurs. Ceux-ci avaient acquiescé à sa demande d'avoir accès aux locaux et aux studios pour observer. Aussi, dès sa tâche terminée, la jeune fille se trouvait un coin, s'installait en retrait et ne bougeait plus. Dans l'ambiance silencieuse qui régnait dans un studio d'enregistrement, elle se sentait chez elle, à sa place. Elle ne se lassait pas de regarder les gens travailler, occupés à transformer le son pour le rendre encore plus émouvant et évocateur. Elle admirait l'humilité de ceux qui, tapis dans l'ombre, unissaient leurs efforts pour donner à la voix des artistes une stature, une magnificence. Les pièces, feutrées et minuscules, aménagées pour absorber les sons, lui paraissaient accueillantes et confortables comme autant de petits cocons destinés à la production de chefs-d'œuvre. Chaque enregistrement apportait son lot de complications techniques à résoudre. De voir comment les solutions étaient improvisées, et la manière dont les problèmes se résolvaient grâce à la collaboration créative des uns et des autres, avait quelque chose de magique. Ces inventeurs offraient un monde neuf à des auditoires avides, curieux et sans cesse croissants. Ariane adorait la radio.

***

Après avoir passé le dernier mois de l'été à la maison bleue, sans être complètement guérie, l'aînée des Calvino était revenue en ville décidée à reprendre son allant. Elle se rendait à ses cours, se surprenait à rigoler avec les autres. Ravis de voir leur camarade afficher de nouveau sa bonne humeur, ses amis se montraient gentils et prévenants. Plusieurs avaient remarqué qu'Ari, comme ils la surnommaient, n'allait plus jamais feuilleter les revues d'art comme elle l'avait tant fait au cours des années précédentes et qu'elle préférait effectuer de longs détours plutôt que de se trouver à proximité de la bibliothèque, qui semblait n'évoquer pour elle que de sombres souvenirs.

Si l'adolescente reprenait courage, l'élève avait perdu le goût des études. La chute, amorcée quelques mois auparavant, s'accentuait rapidement. Sur ses toiles, plus rien ne s'allumait. Il fallait approfondir l'étude de la couleur au moment où, à l'intérieur d'elle, tout s'était couvert de gris. Les professeurs, inquiets du recul de leur étudiante, faisaient preuve d'indulgence, espérant que le temps aplanirait la crise. Le pari aurait pu se conclure positivement, n'eut été d'un événement, anodin en apparence, mais qui allait rouvrir toutes les blessures.

En effet, Agathe, quelques mois plus tôt, en parcourant le journal du soir, était tombée par hasard sur un encart placé dans la revue *Canada Musical* qui annonçait un concours d'interprétation pancanadien. Sur un coup de tête, elle avait décidé de s'inscrire. Espérant secrètement gagner, elle s'était mise au travail avec persévérance et acharnement. Assise au piano du salon, elle répétait sans fin et rendait les autres membres de la famille à moitié fous. Au couvent, impressionnées par la ténacité de leur élève, dont le sens musical se révélait depuis toujours exceptionnel, les religieuses lui avaient gracieusement prêté une salle de répétition. Obsédée par les ambitions que sa pupille manifestait, sœur Louise, son professeur, consacrait toutes ses énergies à aider sa talentueuse élève dans le peaufinage de son doigté et lui avait même offert gratuitement plusieurs leçons particulières. Six mois de dur labeur s'étaient écoulés, bien que l'objectif ait été tenu secret, à la demande de la pianiste.

Une fois l'automne venu, en plein été des Indiens, Agathe avait dévoilé ses plans. Elle avait convoqué toute la famille au salon et, dans un geste théâtral, distribué les billets pour assister à la compétition musicale dans la salle de concerts de l'Ermitage du Collège de Montréal. Des virtuoses réputés s'étaient inscrits. La joute serait difficile, mais la musicienne en herbe se sentait prête, avait-elle annoncé à ses parents ébahis.

Au jour dudit concours, toute la famille Calvino, endimanchée pour l'occasion, siégeait dans les premières rangées. Les six filles étaient cordées par ordre de grandeur. Les plus âgées, aux interminables tresses de chaque côté des épaules, vêtues d'une robe bleu lavande à jabot blanc à la mode de Paris, se concentraient et espéraient de toutes leurs forces que leur sœur ne ferait aucune fausse note.

Non seulement la jeune pianiste avait réussi un parcours sans accroc, mais en plus elle avait joué Schubert avec une conviction, une intelligence, une passion qui avait soufflé l'auditoire. La dernière note qui avait retenti dans l'auditorium avait été suivie par un silence recueilli, le public étant encore imprégné de sa magistrale interprétation. Sûre d'elle, souriante, Agathe avait bien pris son temps pour se relever et saluer. Des applaudissements nourris avaient fusé. Père et mère pleuraient de joie, acclamaient la virtuose, leur fille ! Sous le regard bleu et rempli d'étoiles de sa mère, Agathe terminait première.

Ariane, à la tête de la rangée, s'était levée comme les autres et avait lancé des hourras lorsque les jurés avaient dévoilé leur verdict. Puis cherchant à dissimuler son état d'esprit, elle avait croisé les mains derrière son dos. Contrairement à sa sœur, elle ne savait qu'échouer. Jamais elle n'aurait dû assister à ce concert, se disait-elle.

***

De mauvaise humeur à l'évocation de ce souvenir, Ariane doit faire un effort pour surmonter sa frustration. Les succès de sa cadette la plongent encore aujourd'hui dans un sentiment de colère et de jalousie. Cela manque de noblesse, certes, mais elle ne parvient pas à réagir autrement. À cela s'ajoutent ces jours d'inactivité qui l'exaspèrent en attente du grand départ vers l'Amérique. Elle n'en peut plus de faire du surplace... Agathe entre à ce moment précis dans la chambre de l'hôtel.

— Mon chapeau est trempé ! Et tout le bas de ma robe aussi !

— Il pleut, répond sèchement Ariane en haussant les épaules.

— Maman s'en vient. Tu aurais dû venir manger avec nous. Ça te rend grognonne de jeûner.

Même si ce n'est pas l'envie qui lui manque, Ariane se retient de répondre à cette pique de sa sœur. Dans quelques heures, leurs routes se sépareront. Agathe entamera une tournée en Europe tandis qu'elle s'embarquera vers le Canada. L'aînée se détourne de sa cadette alors que le reste de la famille se fait entendre dans le corridor. Il faut se coucher, car l'embarquement aura lieu tôt le lendemain matin.

Chapitre 3

Les yeux grands ouverts, Ariane n'arrive pas à trouver le sommeil. Jeanne ronfle à ses côtés tandis qu'Amélie marmonne et ne cesse de tourner dans le lit voisin. L'air de la mer entre par la fenêtre de leur chambre d'hôtel et a un effet excitant, aussi la plus âgée des Calvino ne réussit pas à se détendre et garde les yeux rivés vers le plafond, respirant à fond et à un rythme régulier. Malgré l'insomnie, elle essaie de garder son calme. D'autres journées passées remontent à sa mémoire…

C'était le jeudi 24 octobre 1929. Un jour qui ressemblait tellement à tous les autres jours que personne ne s'en était méfié. Pourtant, ce temps gris et ces nuages qui sillonnaient le ciel comme des fantômes présageaient de bien mauvaises nouvelles. Ariane s'en rappelle comme si c'était hier…

Déjà en retard, elle s'apprêtait à quitter la maison pour rejoindre les Beaux-Arts. Elle avait démêlé ses cheveux et ceux de deux de ses petites sœurs tandis qu'Amélie se chargeait de ceux des deux autres. Après avoir fini de s'habiller, elle s'était rendue à la cuisine pour servir le petit-déjeuner. Son père et sa mère étaient déjà partis : Claudio enseignait à Québec cet après-midi-là et Alice l'avait l'accompagné. Agathe était aussi du voyage : elle devait suivre une leçon particulière avec son professeur, Paul Rivard, pianiste et compositeur, qu'elle rencontrait désormais une fois par mois.

Depuis qu'elle avait remporté son satané premier prix, sa sœur s'était mis en tête de faire carrière en interprétation comme pianiste. Déjà du genre acharné et perfectionniste, elle s'attelait désormais au piano avec un sérieux extrême. Plus rien d'autre n'occupait ses pensées. Elle parlait phrasé, lié, à table, en faisant le ménage. Même à la salle de bain, elle emportait son clavier de carton pour y exécuter ses doigtés. Elle traînait ses cahiers de musique partout, chantonnant à tout moment, l'esprit ailleurs quand on s'adressait à elle. Ses heures quotidiennes de répétition, à la maison, comme à l'école, passaient avant tout. En dehors de sa pratique, Agathe était un zombie. Enthousiasmée par la révélation du talent de sa fille et par son désir de le développer, Alice mettait les bouchées doubles ; elle voulait transmettre à sa favorite tout ce qu'elle-même s'était tant appliquée à apprendre. Bientôt, les leçons de sœur Louise n'avaient plus suffi, à son avis, et elle s'était efforcée de trouver d'autres professeurs, plus expérimentés, de grande réputation, et dont les services étaient fort coûteux. En ce qui concernait les talents artistiques de leurs filles, ni Alice ni Claudio ne regardaient à la dépense. Le père multipliait les contrats d'enseignement, les concerts en salle et les enregistrements à la radio ; il faisait des prodiges pour trouver les moyens de payer une formation convenable à Agathe. Il partait plus tôt le matin et ne rentrait qu'une fois la maisonnée endormie.

Mais alors que le monde croyait s'être reconstruit et remis de la Première Guerre mondiale, voilà qu'une nouvelle catastrophe l'attendait. Ce jeudi noir du mois d'octobre confirmait les pires craintes. À la radio, on annonçait la débâcle des bourses, la ruine pour une multitude d'investisseurs et un gouffre dans lequel allait plonger l'Amérique.

Ariane appréhendait le manque d'argent pour sa famille. Malgré son jeune âge, les questions financières la préoccupaient. Aussi, elle s'intéressait aux données économiques transmises sur les ondes de CKAC. En écoutant ces bulletins, elle cherchait à mieux comprendre, certes, mais surtout à envisager l'avenir et les répercussions de la crise financière sur le quotidien des gens ordinaires. Elle s'inquiétait pour ses petites sœurs, qui ne cessaient de grandir et qui coûtaient de plus en plus cher à vêtir, à choyer, à nourrir. Le côté bohème de ses parents en ce qui avait trait aux questions d'argent la tourmentait. Son père travaillait comme un fou, mais tenait trop lâches les cordons de la bourse. Sa mère ne refusait aucuns frais quand il s'agissait d'Agathe, de ses cours, de sa carrière éventuelle. Leur attitude lui semblait irresponsable. D'autant plus qu'à la maison il arrivait fréquemment qu'une des filles doive se passer de chaussures neuves ou d'un manteau à sa taille. Pire encore, il avait fallu, pour joindre les deux bouts, remercier Mlle des Moulins. Cette séparation avait causé un énorme chagrin dans la famille. Cette femme était devenue l'une des leurs. Mais les filles avaient grandi et pouvaient se débrouiller seules, avaient annoncé Claudio et Alice. La vérité, c'est que les leçons de piano grugeaient le superflu. Et qu'un choix déchirant avait dû être fait. On sacrifiait tout à l'espoir d'avoir une pianiste dans la famille. Pour l'adolescente, cette attitude dénotait un manque de réalisme auquel elle n'adhérait pas. Avant de s'exprimer, il fallait manger, s'habiller, se loger. C'était une réflexion qui lui venait souvent.

— Tu parles comme un banquier ! lançait parfois Alice, exaspérée par les remarques désobligeantes de son aînée.

Et toi, tu n'en as que pour ta chère fille adorée. Ton Agathe, celle pour qui tu es en train de te ruiner à lui payer des cours particuliers avec les plus grands maîtres d'ici ou de passage. Elle gardait ses pensées pour elle, s'en voulant même de les formuler mentalement. Elle s'isolait de la vie de famille. Quand elle se trouvait à la maison, elle écoutait beaucoup la radio, qui offrait une programmation diversifiée et instructive : musique, théâtre, conférences et reportages politiques. Elle trouvait amplement de quoi nourrir son esprit et sa curiosité. Elle écoutait régulièrement son père sur les ondes, soit lors de la diffusion de concerts ou d'extraits, soit lorsqu'il animait des émissions spéciales. Sa fille adorait entendre sa belle voix, qu'elle imaginait entrer chez les gens, d'un bout à l'autre du pays. Elle se prenait à rêver de réaliser des émissions, de pratiquer ce métier qu'elle avait découvert au cours de cet été passé à CKAC.

En ce jeudi d'octobre, lorsque à la fin de sa journée Ariane avait capté les nouvelles économiques, le ton et la nature des informations avaient tôt fait de l'alarmer. Les systèmes d'achat d'actions sur marge s'écroulaient comme un château de cartes. Le marché, surpeuplé d'acheteurs trop gourmands, avait atteint son point de non-retour. Les quelques phrases prononcées par le journaliste avaient suffi à faire comprendre à la jeune fille qu'un séisme d'une ampleur importante se déclarait. Les ventes massives d'actions avaient commencé. À New York, le sentiment décrit par le commentateur s'apparentait à la panique. Des spéculateurs s'étaient suicidés. Une émeute avait éclaté à l'extérieur des bureaux du New York Stock Exchange… Bouleversée, Ariane avait éteint le poste de radio. Elle n'avait rien révélé de ses inquiétudes à ses cadettes, riant autour d'elle. Elle s'était affairée à retirer les assiettes et à nourrir les chiens, tandis que les plus jeunes faisaient la vaisselle. Il fallait ensuite s'occuper du coucher, puisque les parents dormaient avec Agathe à Québec. Habituée à la discipline, chacune effectuait sa tâche, en un ballet bien ordonné. Au pire, si elle avait besoin d'aide, Ariane pouvait toujours aller sonner chez Mme Gilbert, une voisine attentionnée. Mais si elle s'était endormie la gorge nouée, ce soir-là, c'est que l'aînée des Calvino pensait à la débâcle annoncée et aux conséquences que celle-ci risquait d'avoir sur la vie de sa famille.

Le samedi matin, Ariane avait décidé d'emmener les filles faire une promenade sur le mont Royal pour oublier les nouvelles qui ne cessaient de s'aggraver. On avait assis Jeanne, fatiguée par une toux tenace, dans la petite brouette à quatre roues spécialement coussinée pour elle, tirée par Athos, le grand chien de berger blanc, et dirigée par Amélie. Angèle,

Annie et Adeline suivaient derrière, se tenant par la main et s'extasiant à propos de tout.

Une fois installées à proximité du belvédère, les filles Calvino s'en étaient donné à cœur joie, déballant les victuailles apprêtées à l'aube par leur grande sœur, qui cachait ses inquiétudes sous un sourire rassurant. Tandis qu'elle jouait avec les plus jeunes, Ariane laissait des pensées s'imposer à son esprit. La situation n'avait plus de bon sens, elle ne pouvait plus continuer à vivre dans le déni et l'inaction. Comme les autres personnes de son âge, elle avait l'obligation de travailler pour apporter sa contribution au revenu familial. Si elle trouvait toujours beaucoup de plaisir à colorer les chars de la parade du mois de juin et si elle travaillait à l'occasion comme réceptionniste à CKAC, il reste que ces emplois ponctuels ne rapportaient pas suffisamment. Il lui faudrait gagner beaucoup plus pour soutenir son père à la mesure des besoins d'une smala de neuf personnes. Sur le mont Royal, tandis qu'elle déambulait avec « ses filles », courant et riant, elle sentait la vie peser lourd sur ses épaules.

Elle avait laissé sa décision mûrir tout au long de la fin de semaine. Et dès le lundi matin, une fois de retour à l'école, elle était allée trouver son grand complice pour l'aviser qu'elle ne l'accompagnerait pas aux ateliers de la Saint-Jean-Baptiste de l'été suivant.

— Je ne gagne pas assez avec vous. Il faut que je trouve un travail plus payant.

— C'est dommage, on parlait justement de toi et de ton ouvrage, très apprécié.

Flattée par le compliment, Ariane avait souri à Eugène et l'avait remercié. Il avait tant fait pour elle ! *C'est terrible de décevoir un tel ami*. Confuse, elle ne trouvait pas les mots pour exprimer ses regrets. Prétextant un retard à un rendez-vous, elle l'avait salué et était partie presque en courant, laissant son compagnon en plan. Ironie du sort : on l'attendait à son cours de gravure sur bois, une discipline qui l'ennuyait et qui lui semblait parfaitement inutile, où son professeur lui avait appris qu'elle avait échoué l'examen. Décidément, les études ne lui réussissaient pas.

À leur retour, les parents Calvino avaient trouvé la maison dans un état impeccable. Les filles, joyeuses, avaient raconté leur excellente semaine. Alice, ravie, s'était exclamée à l'attention d'Ariane :

— Tu t'en es tirée aussi bien que Mlle des Moulins ! Bravo !

Un ange était passé. Chez les Calvino, on n'évoquait pas la gouvernante tant aimée sans causer un réel chagrin. Si Mlle des Moulins manquait à tous, on ne pouvait plus revenir en arrière : elle travaillait dans une nouvelle famille. Ariane aurait dû se réjouir du compliment, maladroitement adressé, certes, mais positif tout de même, alors qu'au contraire il la mettait en colère. Sa mère ne lui trouvait-elle des qualités qu'aux travaux ménagers ? Y voyant une sorte d'occasion de se venger, elle avait annoncé :

— Justement, j'ai trouvé un nouveau travail. Je vais gagner pas mal plus qu'une bonne.

— Il ne faut pas négliger les Beaux-Arts, avait lancé Claudio depuis le salon.

Pour toute réponse, Ariane avait agrippé Annie par la taille pour la hisser sur son dos et faire le cheval, puis avait quitté la pièce en galopant. Inquiet de l'esquive de sa fille, le père comptait revenir sur le sujet. Une fois les gamines couchées et endormies, tout comme leur mère, épuisée par le voyage en voiture, il s'était dirigé à la cuisine pour rejoindre sa grande, affairée à préparer la pâte à pain pour le lendemain, tâche dont elle s'acquittait depuis de nombreuses années.

— Ton travail ne doit pas t'empêcher de dessiner. Tu as du talent…

— Je vais t'aider. Je vais gagner de l'argent, faire ma part. Tu peux compter sur moi.

— C'est très gentil. Mais ai-je tant besoin que l'on me secoure ?

— À la radio, ils nous invitent à nous préparer. Il faut se serrer la ceinture, car la crise va cogner dur. Les États-Unis s'écrouleront et nous aussi par la suite. Tu as entendu ce qu'on dit, n'est-ce pas ?

— Bien sûr. Mais c'est à moi de gagner ce qu'il faut... Il y a un homme pour assumer les frais de cette famille, ne t'inquiète pas, avait ajouté Claudio avec un clin d'œil.

— À quinze ans, je dois apporter ma contribution. Je veux le faire. Il est temps pour moi.

Le ton était sans appel. Le père connaissait assez sa fille pour deviner que sa position était irrévocable. Ariane avait longuement réfléchi à sa décision et n'y reviendrait plus, ne nourrissant ni nostalgie ni regrets.

— Je donnerai des cours de français dans une famille de l'ouest de la ville. Les samedis pour commencer. Le salaire est excellent. Je vais t'aider à régler les factures.

L'empathie de cette enfant à qui il avait, depuis sa naissance, accordé un amour particulier le touchait profondément. Le père s'était approché de son aînée, avait entouré de ses grands bras ses épaules. Il ne pouvait que lui donner raison. La crise économique dont on parlait risquait de couper les ailes aux gens du peuple, car ce sont toujours eux qui payent en fin de compte.

— Tu as raison : nous devons faire preuve de prudence. Bravo pour ce nouvel emploi. Je suis bien fier de toi.

— Il me semble qu'il faudrait, dès maintenant, réduire les dépenses. Dommage que maman ne sache pas compter.

Stupéfié par le ton acerbe et inacceptable de sa fille, Claudio s'était dégagé d'un coup. Il hésitait entre le déni et la colère. Loin de se rétracter, Ariane en avait rajouté.

— Et pour tout ce qui concerne Agathe, alors là, elle n'a plus de limites.

Une gifle, comme une flèche dans un cœur tendre et chaud, avait violemment atteint la joue de sa fille adorée. Celle-ci était restée immobile, le regard fixe, accusant le coup, et, surtout, l'humiliation. Le père ne baissait pas les yeux. Sa fille avait dépassé les bornes. Comme toujours, mais encore plus âprement ce jour-là, Alice et son amour démesuré pour Agathe les séparaient. Ariane avait donné un coup sur la pâte, qui achèverait de lever pendant la nuit. Sans un mot, droite comme un i, elle avait tourné les talons et s'était engagée dans le couloir menant à sa chambre. Il l'avait laissée partir, l'âme chavirée, coincé entre ses amours.

Cette nuit-là avait été blanche. S'il ne pouvait autoriser qu'une de ses filles, fût-elle sa favorite, critique ouvertement sa mère, Claudio devait toutefois reconnaître qu'Alice consacrait une part exagérée des ressources familiales au développement du talent pianistique d'Agathe. Son épouse n'avait probablement pas conscience des montants engloutis et ne pensait certainement pas à mal en agissant de la sorte. Mais Ariane avait raison : le krach boursier menaçait l'équilibre de tout le monde et il fallait se montrer prévoyant…

Ni le père ni la fille n'étaient revenus sur leur marquante altercation, où pour la première fois de sa vie Claudio avait levé la main sur sa grande. Il faisait néanmoins tout en son possible pour qu'elle lui pardonne son geste, multipliant les gentillesses et les clins d'œil complices.

***

Les samedis, Ariane se rendait à pied dans le quartier de Westmount. Elle ne se lassait pas d'admirer les maisons en pierres de taille, aux devantures parfaitement tenues et enjolivées de fleurs. Tant d'opulence la faisait rêver. Son employeur, un sympathique monsieur, grand voyageur, francophile, amateur d'art et d'œuvres de grands maîtres dont il avait couvert les murs de sa demeure, tenait à ce que ses enfants, deux espiègles garçons gâtés, puissent s'exprimer dans un français impeccable. La maison des Richards, aux dimensions inconcevables pour la jeune employée, aurait pu loger facilement quatre ou cinq familles nombreuses. Dotée de plusieurs salons, la résidence comptait aussi une immense salle à manger et une cuisine munie de plusieurs fourneaux pour les employés… Autant de richesse consacrée à aussi peu de gens comportait une part d'irréalité.

La tutrice inexpérimentée avec les garçons tentait de son mieux de discipliner ses deux élèves agités et grouillants. Mark, le plus vieux, faisait systématiquement le contraire de ce qu'on attendait de lui, entraînant son cadet dans son sillage. Pour imposer son autorité, la jeune fille affichait une indifférence totale devant les frasques et les mauvaises dispositions du petit tannant. Elle s'acharnait à communiquer en français avec le gamin et à ignorer les manifestations d'indiscipline. Elle l'emporterait sur le malin à l'usure, espérait-elle. Certains samedis, pour éviter de perdre patience, Ariane allumait le poste de radio. Par hasard, lors d'une fin de journée, elle était tombée sur un match des Canadiens contre les Blackhawks de Chicago qui avait retenu l'attention du jeune Mark. Ce geste tout simple avait fait basculer les choses. Tout de suite, son élève s'était passionné pour le jeu. Que la description du match soit faite en français ne le gênait nullement. Par la suite, Ariane avait autorisé l'écoute de toutes les parties à la condition que celles-ci soient commentées dans la langue de Molière, ce qui favorisait considérablement les progrès des deux pupilles. L'enseignante en herbe gagnait ses épaulettes. Étonnamment, alors qu'il s'était montré au départ docile, Anthony, le second fils, serait celui qui lui donnerait le plus de fil à retordre. Dès le premier jour, il avait manifesté un attachement démesuré pour sa tutrice, ne la lâchant plus d'une semelle et posant question après question, dans un cirque ahurissant. Elle devait exercer sa patience, faire en sorte de négocier avec le gamin en manque d'amour maternel. La moindre contrariété plongeait Anthony dans de spectaculaires crises qu'il fallait absolument éviter, car elles alertaient toute la maisonnée. Ariane usait de tout le sang-froid dont elle disposait pour essayer de contenir les rages du petit et sauver les apparences. Plus que tout, elle tenait à garder cet emploi qui lui rapportait une bonne paie et qui lui permettait de poser régulièrement dans le tiroir du bureau de son père les quelques dollars bien gagnés. Elle rêvait du moment où M. Richards lui offrirait de venir travailler à Westmount tous les jours de la semaine.

***

Loin de se résorber, la crise s'était intensifiée. Bientôt, sur les ondes comme dans les journaux, il n'était question que de ces investisseurs submergés qui ne parvenaient plus à reprendre pied. Un mouvement de retrait massif des capitaux provoquait le déséquilibre et se répercutait comme un jeu de dominos dans tous les secteurs des activités économiques. Entraînées dans un cycle infernal, les banques elles-mêmes ne disposaient plus de suffisamment de liquidités pour gérer leurs affaires courantes. Les clients, en panique, se présentaient pour retirer leur argent et repartaient bredouilles. Il n'y avait plus assez d'eau dans le système pour l'alimenter.

Partout, les effets de la débandade financière se faisaient sentir. Les entreprises fermaient leurs portes les unes après les autres. Les chômeurs devenaient de plus en plus nombreux dans toutes les classes sociales. Plus personne ne se sentait en sécurité. La honte, avec la misère, se répandait.

Chez les Calvino, on devait chercher longtemps dans la soupière posée sur la table avant de dégoter de faméliques morceaux de viande. Alice faisait des prodiges pour cuisiner à bon compte trois repas par jour pour neuf personnes, sept jours par semaine. Pour tromper le goût, elle épiçait. Pour duper l'estomac, elle mettait des os, des petits pois et du pain rassis dans le liquide clair. Claudio peinait à garder ses élèves, car la musique et le chant étaient devenus un luxe auquel plusieurs renonçaient. L'argent se raréfiait.

Les riches n'échappaient pas plus à la tourmente. Dans la famille Richards, la vie se compliquait aussi. Mark senior, entrepreneur dans le tabac, n'obtenait plus les liquidités sur les marchés pour financer ses affaires. Il vendait son stock au rabais, coupant les prix pour s'assurer des commandes. Sans cesse, il réduisait ses activités, mettait ses gens à la porte. À la maison, il ne cachait plus ses difficultés. Il parlait ouvertement de ses déboires à ses employés comme à ses fils, qui n'étaient pas à même de mesurer les effets des difficultés décrites. Mais leur professeure de français saisissait très bien les effets à prévoir...

Au fil des semaines, les Richards se dépouillaient de leurs biens, à un rythme qui s'accélérait. Les voitures avaient été les premières à être vendues pour des bouchées de pain. Puis les toiles sur les murs avaient disparu, l'argenterie avec les bibelots, les meubles ouvragés, les sofas de velours, les postes de radio qui se trouvaient ici et là dans les pièces. La demeure somptueuse était méconnaissable. Le personnel se raréfiait aux cuisines et à l'entretien ménager, les salons perdaient de leur éclat. M. Richards travaillait jour et nuit, enfermé dans son bureau, discutant au téléphone. Puis un jour s'était produit ce qui ressemblait à une chute de pression dans la grande maison dénuée de ses splendeurs. M. Richards avait cessé ses appels au secours. Il coulait à pic.

— Nous allons devenir pauvres, avait révélé à Ariane son petit élève dans un murmure empreint de honte. *My father told us yesterday that we have lost everything.*

Ariane était sincèrement navrée de cette nouvelle. Celle-ci lui semblait encore plus triste pour ces gens complètement dépourvus quant à la pauvreté. Les Richards s'efforçaient de rester dignes, toujours tirés à quatre épingles, emprisonnés dans cette fausse aisance qui les privait de la compassion des autres, dont ils auraient pourtant eu besoin. La jeune enseignante allait perdre son gagne-pain. Ça ne pouvait être qu'une question de semaines. Pour épargner à M. Richards l'odieux de la congédier, elle était allée le trouver pour lui annoncer qu'elle quittait son poste.

— Mes fils apprécient énormément votre travail, mademoiselle. Ils auront bien du chagrin de devoir se priver de vos sagesses samedi prochain, et moi tout autant qu'eux.

Comme l'exigeaient les circonstances, elle avait remercié cet homme qui lui avait fait confiance et l'avait fortement recommandée auprès de tous ses amis. Elle avait refermé doucement la porte du bureau, l'âme en peine. Cette crise économique foudroyante, cette tempête ne touchait pas que les plus pauvres et les immigrants. Elle emportait aussi les plus aisés. La jeune fille se désolait de laisser derrière elle deux petits garçons qui lui manqueraient.

***

De nouveau libre les samedis, Ariane avait rejoint Eugène, son ami fidèle, au coin des rues Sherbrooke et Peel. Les complices avaient décidé de se rendre ensemble dans les diverses galeries du quartier pour tenter de vendre les dernières œuvres de Boyer. Comme Ariane baragouinait l'anglais et que les marchands étaient pour la plupart anglophones, elle faisait office d'agent et d'intermédiaire. Si ce travail de marchandage se déroulait rarement dans le plaisir et la facilité, ce jour-là s'était avéré particulièrement rude. Les commerçants ne voulaient même pas regarder les toiles d'Eugène. Ses paysages ne soulevaient aucun intérêt. Le peintre sentait que la partie était perdue pour lui ; c'est pourquoi il insistait démesurément et se montrait même impoli. Ariane faisait de son mieux pour calmer son compagnon, tandis que les commerçants menaçaient de les expulser de leur galerie. Exaspérée, prise entre deux feux et bouleversée parce qu'elle était elle-même sans travail, Ariane s'était laissée emporter par la colère. Elle avait répondu avec aplomb aux galeristes tout en entraînant Eugène vers la sortie. Il n'avait jamais vu Ari dans un tel état.

— Tu as tellement de talent ! Comment peuvent-ils te traiter de cette façon !

— Ils m'ont pris en grippe. Parce que je m'entête à leur parler en français et que je travaille pour la Société Saint-Jean-Baptiste. Ce n'est pas si grave, allons…

— Les artistes sont trop fragiles. Ils sont toujours les premiers à crever de faim ! Ils sont essentiels, mais ils ne savent pas se défendre et se battre.

Il l'écoutait et ses paroles étaient comme des coups de lame dans son cœur.

— Mon père est comme toi : résigné à pratiquer son métier même si pour ça il doit se priver de tout.

De but en blanc, elle lui avait annoncé :

— Fais comme tu veux, Eugène, mais les Beaux-Arts, c'est terminé pour moi.

— Allons… Il reste quelques mois avant de terminer ton année. Un petit coup de cœur et tu seras récompensée !

— Les arts, ça ne met rien dans les assiettes. Et même si j'avais le quart de ton talent, je ne voudrais pas d'un avenir à galérer pour vendre des toiles magnifiques dont personne ne veut !

Eugène avait très bien senti, au cours des derniers mois, le désintérêt de sa protégée pour ses études. N'empêche que sa décision d'abandonner le plongeait dans un sentiment d'échec. Empreint de tristesse, il était rentré chez lui, malheureux, pauvre, vide.

***

Décidée à changer de vie, Ariane Calvino s'était rapidement mise à la recherche d'un emploi. Souhaitant placer ses parents devant le fait accompli, elle leur avait laissé croire qu'elle partait pour l'école, alors qu'elle se dirigeait plutôt vers le centre de la ville. Après s'être arrêtée devant quelques devantures de boutiques, elle avait décidé d'aller faire un tour chez Eaton, rue Sainte-Catherine, ce grand magasin où sa mère l'emmenait parfois pour lui acheter des vêtements. Transportée par la beauté du lieu, la jeune fille s'était dit que travailler au milieu de tant de splendeur lui serait plutôt agréable. Elle avait demandé à voir le gérant des ventes et avec aplomb lui avait offert ses services. Comme l'homme s'adressait à elle en anglais, elle s'efforçait de répondre adéquatement. Mais surtout, elle s'appliquait à souligner ses connaissances en matière de mode vestimentaire. Ses arguments avaient convaincu l'homme de l'embaucher. Elle avait commencé sur-le-champ puisqu'une des vendeuses venait d'être renvoyée. Tandis qu'elle prenait place derrière le comptoir, elle avait eu une pensée pour la famille Richards qui, en l'invitant régulièrement à sa table, lui avait transmis les bases de la langue anglaise.

***

Apprendre à vendre peut s'avérer difficile, mais étant donné la crise, ceux qui avaient la chance de travailler courbaient l'échine. Ils se montraient prêts à bien des compromis pour préserver leur gagne-pain. Pour devenir une vendeuse efficace, Ariane avait dû retenir les consignes, faire preuve d'initiative, se garder de cancaner et démontrer une capacité de travail supérieure à la moyenne. Les longues journées passées debout demandaient une résistance nerveuse et physique qu'elle possédait. Quand elle rentrait à la maison le soir, même si elle se sentait fourbue, qu'elle avait sa journée dans le corps et surtout dans les pieds, jamais elle ne regrettait d'avoir suivi son instinct. Car, un peu partout, les files se multipliaient et s'allongeaient aux portes des usines, des restaurants, des magasins. Dès qu'un poste s'affichait quelque part, les chômeurs s'agglutinaient, prêts à attendre des heures. Ceux qui travaillaient avaient de la chance. La jeune fille était stupéfiée de voir tous ces gens : des avocats, des notaires autant que des ouvriers se précipitant sur la moindre opportunité. Tous se battaient pour nourrir leur famille, leurs enfants. Il n'y avait aucune autre ressource que le travail, aucun filet de sécurité.

Bientôt, à Montréal, le tiers de la population allait se trouver au chômage. Pour contrer le désœuvrement autant que la pauvreté, le gouvernement encourageait aussi la colonisation et finançait les travaux publics. Les temps restaient néanmoins durs.

***

Pour célébrer le retour du printemps, Ariane était passée par le couvent où elle avait étudié jadis afin de faire une surprise à ses sœurs. Elle rapportait deux pommes et des biscuits qu'elle avait achetés, avec une grosse brioche. Heureuse de partager son butin avec les petites, elle marchait d'un pas joyeux. Au détour d'un coin de rue jouxtant la cour de l'école, elle avait remarqué une file de gens attendant pour entrer au sous-sol de l'église. Reconnaissant sœur Monique, affairée comme toujours, elle l'avait rejointe pour l'interroger sur les raisons de cette activité inhabituelle.

— C'est la soupe populaire qu'organise le couvent pour les indigents, avait répondu la religieuse. Nous avons besoin de bras. Une jeune fille forte et délurée comme vous est la bienvenue. Venez nous donner un coup de main !

Suivant l'appel de son cœur, Ariane n'avait pas tergiversé longtemps. Elle avait glissé la brioche dans son sac et suivi la religieuse. La bâtisse grouillait d'activité. Les femmes avaient installé des tables et de longs bancs de bois de chaque côté. Dans un coin, dans de grosses marmites bouillonnait encore un potage épais en faisant des bloup-bloups. Du doigt, sœur Monique lui avait indiqué d'aller se poster derrière les casseroles, lui assignant du coup la tâche du service de la soupe. Les choses s'étaient enchaînées rapidement lorsqu'on avait ouvert les portes pour laisser entrer les premiers nécessiteux. Ils faisaient pitié à voir, affamés, en tenues débraillées, pressés d'agripper une assiette et de la remplir à ras bord pour aller manger à la table, sans honte, au milieu des autres.

Sœur Monique orchestrait et coordonnait les tâches. Elle dirigeait d'une main de fer la ruche bourdonnante. On cuisinait, on servait, on ramassait puis lavait la vaisselle, et on servait de nouveau. Tant qu'il y avait à manger dans les chaudrons. On ne posait pas de question.

Ariane, la louche à la main, remplissait les bols et les tendait. Les gens la remerciaient du bout des lèvres et allaient s'asseoir. Hommes, femmes, enfants, vieux, jeunes, pauvres, riches, voleurs et mendiants, tous ceux qui se présentaient repartaient avec leur bol fumant. Devant cette épouse de Dieu, totalement dévouée à aider son prochain, qui donnait sans compter et sans rien espérer en retour, Ariane regrettait de l'avoir haïe, enfant. Derrière son voile et ses airs durs, sœur Monique cachait une grandeur d'âme et un amour profond pour son peuple dans la tourmente. Inspirée par la bonté de cette matrone au cœur tendre communiant avec la détresse des mendiants, Ariane s'était promis qu'elle reviendrait tous les jours pour lui prêter main-forte. Aider les autres la réconfortait.

❊❊❊

Chez les Calvino, on peinait, comme partout, à joindre les deux bouts. Alice et Claudio tentaient de combattre la peur et les difficultés par l'optimisme et l'amour de l'art. On pouvait se priver d'un repas, mais pas de lecture, sport national de la famille. S'il fallait économiser sur tout – garder les restes, les bouts de savon, de chandelles et même de ficelle –, en revanche, on trouvait le moyen d'acheter des livres, de les échanger avec des voisins. Les filles poursuivaient leurs études au couvent, contre quoi Claudio fournissait, au rabais, ses services comme professeur. La majeure partie des dépenses de la maisonnée restait concentrée sur Jeanne, trop souvent malade, ou sur Agathe et ses leçons particulières. Ariane, qui n'avait encore rien dit au sujet de son travail, payait les comptes en cachette. Un matin, elle suivait le laitier dans son camion pour régler la facture du mois et lui demandait de garder le silence ; un autre jour, c'était le boucher...

De temps à autre, l'aînée Calvino, qui souffrait régulièrement de maux de dents intenses, était incommodée par une rage dentaire pénible. Une consultation chez le dentiste étant hors de prix, pour soulager la douleur, elle chiquait des clous de girofle. Elle avait aussi appris à dissimuler ses caries, en souriant le moins possible et en serrant les lèvres pour éviter de révéler sa dentition pourrie. Elle s'était habituée. Une fois les factures de la maisonnée payées, il ne restait pas un sou de trop.

Les fantaisies et petits luxes, Ariane se les offrait grâce à la couture. Elle savait repriser, découdre un manteau usé, en garder les morceaux encore beaux pour les utiliser ailleurs et confectionner une nouvelle pièce à l'une de ses sœurs. Elle pouvait aussi s'inspirer des créations parisiennes, qu'elle voyait quand elle traînait chez Eaton dans le département des vêtements pour dames, et réussissait à confectionner de vraies merveilles. À pinces, serré à la cheville, ou encore avec de larges bords à la mode pyjama, le pantalon restait son vêtement de prédilection. De temps à autre, elle se payait un carré de tissu, y cousait un fuseau élégant qu'elle portait ceinturé, accentuant sa taille plutôt courte. Elle paradait fièrement dans ses tenues quand elle suivait son père à la station de radio ou à l'occasion de ses concerts. Son originalité et son audace faisaient jaser, mais elle se plaisait à les afficher avec fierté, comme une petite victoire contre la misère.

Un soir, alors qu'elle marchait avec Claudio jusqu'au théâtre du Gesù, elle s'était étonnée qu'il ne lui fasse pas de compliments sur sa tenue, particulièrement réussie. Claudio aimait en effet que sa fille fasse preuve d'originalité. Mais ce jour-là, il semblait plutôt en colère. Il avait fini par lui demander sur un ton sec :

— Tu ne fréquentes plus les Beaux-Arts ? Et depuis plusieurs mois, m'a-t-on dit...

— J'aurais peut-être dû t'en parler.

— Peut-être, oui !

— Mais tu n'aurais pas été d'accord. J'estime qu'il y a des occupations plus importantes en ce moment. Moi, je veux agir, payer le lait et le pain. Rien d'autre ne compte.

Bousculé par les paroles de sa fille, humilié aussi dans sa fierté masculine, mais sachant combien la contribution apportée par son aînée était essentielle, Claudio n'avait rien ajouté. Il s'était plongé dans ses pensées. Les dernières années lui avaient été pénibles. Il enseignait à crédit. Il devait quémander, insister pour récupérer les sommes dues. Il ne lui restait plus que quelques élèves en leçons privés. La situation financière précaire générait une anxiété qu'Alice tolérait mal. Elle s'était remise à rêver de la France, prétendait que la vie serait plus facile là-bas, ne se trouvait bien nulle part, parlait sans cesse de déménager. La seule chose qui la réjouissait, c'était le succès d'Agathe, qui remportait un prix après l'autre. Alice avait cette obsession de trouver de quoi payer de meilleurs maîtres, d'inscrire leur fille à des concours de plus en plus prestigieux, de la soutenir dans sa formation.

— Un grand talent exige de grands sacrifices, répétait-elle invariablement.

Tandis qu'il avançait aux côtés de son aînée, Claudio devait admettre que l'attitude de sa bien-aimée avait atteint la limite du déraisonnable. Cette fois, c'est du côté de sa grande fille qu'il penchait.

— Tu as raison, Ariane : rien d'autre ne compte...

***

Ariane avait repris son travail chez Eaton plus légère. Il n'y avait plus de secret entre elle et ses parents. Alice avait à peine réagi en apprenant que sa fille avait interrompu sa formation de peintre. Comme si cet abandon allait de soi, comme si son aînée n'avait, de toute façon, jamais eu le talent qu'il fallait pour accéder au statut d'artiste.

— Alors, tu es une vendeuse. C'est bien ça ?

— Oui, maman. Au magasin Eaton. Et mon patron m'apprécie beaucoup.

Sa mère avait feint de se réjouir, mais ni l'une ni l'autre n'était dupe : entre elles, quelque chose s'était rompu. Seul Eugène persistait à lui exprimer ouvertement son opposition à son choix que, à son avis, elle ne pourrait que regretter un jour.

— Tu as le sens des volumes ! Et des couleurs !

— Je vais te décevoir, mais j'ai le sens de l'argent aussi. Sans mon salaire, ma famille crèverait de faim.

Il était déçu qu'elle ne fasse même pas mention de la séparation que sa décision impliquait entre eux. Eugène devait se résigner à l'idée qu'Ari n'éprouvait pour lui que de l'amitié, sincère certes, mais rien qui pouvait ressembler à de l'amour.

— Il me reste de l'huile, des toiles, des pinceaux. Si tu les veux, ils sont à toi. Je n'en aurai plus besoin, lui avait annoncé Ariane.

— Pourquoi ne continuerais-tu pas de peindre, en cours privés avec moi ?

Ariane avait éclaté de rire tellement la proposition lui semblait farfelue. Elle avait tenté d'expliquer à son ami que son emploi et son bénévolat l'occupaient amplement. Elle lui avait confié combien elle se réalisait dans les activités de bienfaisance et à quel point elles lui importaient. Après avoir participé à l'instauration d'un système d'échanges pour les vêtements d'enfants qui fonctionnait très bien, elle avait mis la main à la pâte aux cuisines. Elle avait fait ajouter de l'estragon, du thym, du romarin, des feuilles de laurier, même du sel et du poivre aux plats trop fades. Elle cultivait un lopin de terre derrière le couvent pour y faire pousser des herbes. Elle s'était aussi affairée à enseigner aux cuisiniers à saisir les viandes pour éviter qu'elles ne durcissent, ou encore à mariner puis cuire longtemps les morceaux les plus durs ou les moins frais, puis avait transmis les trucs de sa mère pour allonger les potages, les sauces, les bouillis. Si bien que les nécessiteux de la soupe populaire s'étaient faits plus nombreux à la porte. Le mot se répandait parmi les pauvres du quartier : autour de Saint-Denis et Sherbrooke, les repas valaient le détour. Certains soirs, ils se terminaient même par de petits gâteaux au lait absolument divins. Rien ne réjouissait plus Ariane Calvino que de savoir ses efforts prisés par des gens moins nantis qu'elle. D'une tablée à l'autre, elle avait l'impression de prendre sa place. Sœur Monique savait qu'elle pouvait compter sur la jeune fille et elle lui confiait des responsabilités de plus en plus importantes. À ses tâches liées aux vêtements et à la cuisine s'était ajoutée la rédaction d'un mot dans le journal dominical pour faire le bilan des activités de la semaine et des besoins à satisfaire. Ariane était douée pour écrire des scènes touchantes au sujet de ceux qui fréquentaient la soupe populaire. Quelques phrases et l'action était plantée : on se retrouvait avec cette veuve aux prises avec la maladie, cet ouvrier sans travail tombé dans l'alcool et la dépendance, cet enfant livré à lui-même dans un appartement sans fenêtres. Ébranlée par l'ampleur de la détresse, Ariane mettait tout son cœur dans ses textes pour susciter la générosité.

— Les paroissiens apprécient tes écrits. Ils disent que ces mots les touchent. Je ne peux plus me passer de toi, avait déclaré la sainte femme et idole de la jeune fille.

En écoutant Ariane relater ses exploits et en la voyant s'illuminer au fil de son récit, Eugène avait compris qu'il devait se faire une raison. Il lui fallait tenter d'oublier celle qui lui inspirait des sentiments si forts qu'il lui arrivait parfois de les noyer au fond d'une bouteille de rhum.

***

L'été annonçait la fin des classes. La famille Calvino, comme à son habitude, s'apprêtait à quitter la ville. Claudio, qui n'avait plus d'élèves en leçons privées, n'avait pas d'obligation et pouvait partir dès le début de la saison. La vie coûtait moins cher à la campagne, autant en tirer son parti. Ariane ne suivrait pas ses parents et resterait seule à la maison.

De plus en plus retirée de la vie familiale, partageant son temps entre son travail chez Eaton et son bénévolat, l'aînée n'avait pas eu connaissance de ce qui se tramait dans son entourage. Alice, encouragée par Maggy Thomas, son amie londonienne, venait de trouver dans la capitale française un pianiste de grande réputation qui avait accepté de préparer Agathe pour que celle-ci puisse se présenter au concours d'admission au Conservatoire de Paris. Ce nouvel espoir, allumé par son amie, avait réveillé la nostalgie d'Alice, restée en latence pendant toutes ces années. Désormais, elle émettait souvent l'idée de retourner en France, d'installer la famille dans ce pays dont elle n'avait au fond jamais cessé de rêver...

Aussi, le jour où Ariane était rentrée du travail pour se changer rapidement puis manger en vitesse avant de repartir pour l'église où elle servait à souper, elle était restée bouche bée lorsque sa mère, folle de joie, lui avait annoncé :

— Il est possible que nous allions à Paris !

La jeune fille avait mal encaissé le choc : au ton pris par sa mère, elle avait pressenti que la proposition était plus que sérieuse. Elle devinait qu'Alice avait déjà tout mis en œuvre pour réaliser son projet. Sa mère avait relaté l'intercession de Maggy, le professeur réputé, l'admission devenue possible pour Agathe... Et puis cette idée de déplacer la famille au complet, Montréal s'enlisant dans la misère et n'offrant rien de bon à ses habitants. Silencieuse, l'aînée avait gardé ses réactions pour elle et réprimé ses envies de protester. Mais à peine Alice était-elle retournée à ses activités que, se retrouvant un instant seule avec Agathe, Ariane l'avait prise sans ménagement par le coude et l'avait suppliée :

— On n'a même pas de quoi payer la traversée. Si notre mère n'est pas raisonnable, c'est à toi de l'être ! Dis que tu ne veux pas étudier là-bas. Il le faut ! Si, toi, tu refuses de partir, maman reculera !

Pour toute réponse, Agathe avait repoussé sa sœur sans ménagement et s'était dirigée prestement vers la salle à manger, où tous s'attablaient.

— Laisse-moi tranquille.

***

Ce mauvais souvenir la ramène au réel. La voilà de nouveau en 1933, dans la chambre de l'hôtel du port, assise dans un fauteuil alors que ses sœurs rêvent encore dans leur lit. L'aube s'annonce, et Ariane n'a pas fermé l'œil de la nuit. Bientôt, il faudra procéder à l'embarquement. Jeanne s'agite et s'étire. Heureuse comme toujours, elle semble prête à affronter une première journée complète en mer. Le courage de sa sœur cadette l'impressionne: jamais Jeanne ne se plaint des souffrances que son corps lui impose. Tandis qu'elle entend sa sœur qui fredonne, Ariane prend exemple sur sa benjamine et essaie de se redonner du courage. Pour tout bagage, elle rapporte avec elle la fraîcheur de ses dix-huit ans. Une vie devant elle l'attend.

Chapitre 4

Sur le bateau qui la ramène chez elle, Ariane, ambivalente, tangue entre le chagrin et l'allégresse. Déracinée de son pays d'adoption par ses parents alors qu'elle n'a jamais souhaité étudier le théâtre, voilà qu'elle quitte le Conservatoire de Paris à la veille d'obtenir son diplôme et juste au moment où elle commençait à récolter ses premiers succès comme comédienne. Quelle ironie !

Elle va revoir son père, quitté deux années plus tôt. Claudio a été laissé à lui-même et a mené une vie en solitaire pour laquelle il n'était pas fait. Comment a-t-elle pu l'abandonner ainsi ? Pourquoi avoir coupé court à une existence qu'elle adorait et qui avait exigé tant d'efforts pour s'adapter ? Pourquoi avait-elle démissionné de son travail chez Eaton ? Et pourquoi avait-elle tourné le dos à ses activités charitables et à la soupe populaire qui lui procuraient tant de satisfaction ? Lorsqu'elle avait annoncé son départ à sœur Monique à la fin de l'été 1931, celle-ci avait éclaté en sanglots sincères :

— Plus qu'une irremplaçable collaboratrice, c'est une amie que je perds.

— Votre chagrin est partagé, ma sœur, mais ma famille passe avant tout.

Ses paroles avaient résonné sur les murs du sous-sol de l'église.

— Vous m'avez appris le plaisir d'aider les autres. Je ne l'oublierai jamais, avait-elle murmuré en enlaçant chaleureusement la religieuse.

L'aînée des Calvino avait beau maugréer, elle ne pouvait se séparer de ses sœurs, Agathe comprise. Même se détacher de sa mère lui était impossible. Car en effet, devant ses objections, son père lui avait donné le choix entre rester à Montréal avec lui ou partir avec les autres pour la Ville lumière. Déchirée, elle avait quand même décidé de son destin.

— J'ai réfléchi : je vais tenter ma chance au Conservatoire. Je pars avec maman.

À Paris, l'intervention de Maggy allait ouvrir aux trois aînées des filles Calvino la porte d'une école de grande réputation. Agathe se perfectionnerait au piano, Amélie pourrait étudier la danse. Et Ariane apprendrait l'art dramatique. C'était le plan qu'on faisait pour elles et auquel elles avaient acquiescé.

— En art dramatique ? Tu veux dire, pour devenir comédienne ? Excuse-moi de rigoler… Tu es la personne la plus gênée que je connaisse ! Et tu vas jouer sur une scène, devant des gens ? s'était exclamé Eugène, encore stupéfait par la nouvelle dont elle venait de lui faire part.

— Je ne serai pas la première timide à pratiquer le métier d'actrice ! Mon père m'enseigne le théâtre depuis l'enfance. Il prétend que je joue juste. J'ai confiance en son jugement. Et j'ai toujours eu beaucoup de plaisir à réciter les classiques.

— Tu me fais marcher.

— Pas du tout ! C'est une chance de pouvoir étudier en Europe. J'ai bien l'intention d'en profiter ! Tu sais ce que je pense ? Je pense que tu es jaloux et que tu voudrais bien partir, toi aussi !

La réplique avait jeté un froid entre les deux amis. Eugène, blessé, avait battu en retraite tandis qu'Ariane cherchait le moyen de revenir sur ses paroles désobligeantes.

— Excuse-moi. Il est possible que je n'aie rien pour devenir comédienne. Mais je dois partir, je ne peux pas faire autrement. C'est mon devoir.

— Tu as raison, je t'envie, avait faussement admis Eugène.

Ariane s'était mordu la lèvre, désolée, devinant le chagrin de l'autre. À la vérité, l'idée d'abandonner « ses filles » lui causait une douleur pire encore que celle de tout quitter. Aussi avait-elle pris le parti de persister dans sa décision et de regarder vers l'avant.

— Tu vas me manquer, Eugène.

— On s'écrira ?

D'un haussement de sourcils, elle avait signifié l'évidence. Un sourire forcé accroché au visage, elle refusait de s'abandonner à la peine. Redressant le torse, rajustant sa veste, elle avait inspiré un bon coup. Elle n'avait pas le luxe des larmes.

— Avec mes valises à faire et tous les préparatifs du départ, je vais devoir interrompre nos rendez-vous. Pour un moment.

— Je comprends. Si tu as besoin d'aide, tu n'as qu'à me faire signe. Et si on ne se revoit pas d'ici ton départ, alors sache que je te souhaite la meilleure des chances.

Il avait posé sa main en une douce caresse sur l'avant de son bras, comme un souffle tendre. Jamais il ne s'était permis une telle intimité. Une seconde à peine et sa main s'était retirée. Il avait avalé son sandwich au jambon en trois bouchées, puis repris le chemin vers les Beaux-Arts. À ses côtés, elle avait affiché une fausse sérénité. Ainsi donc, puisque la seule personne susceptible d'empêcher son départ renonçait à la retenir, elle partirait…

Après un été radieux, chaud, trop court, c'est une jeune fille émue et déchirée qui s'était engagée sur le pont du navire, mesurant ce que cela comportait de définitif. Il était trop tard pour reculer. Encore une fois, elle s'était délestée du peu de biens accumulés pour n'emporter que l'essentiel. Elle s'était fait la promesse qu'un jour elle posséderait une grande maison où elle pourrait enfin s'établir et accumuler des souvenirs à sa guise.

Au matin de l'embarquement, le soleil magnifique s'était levé sur une mer calme et rassurante. À peine Ariane avait-elle mis le pied sur la passerelle que l'oscillation imposée par l'eau sur la coque avait provoqué chez elle un haut-le-cœur d'angoisse. Elle avait détesté le sourire complice qu'Agathe et Alice s'étaient échangé. N'eût été ces deux-là, jamais l'irrationnelle équipée familiale n'aurait eu lieu. Ariane avait fermé les yeux : dans un éclair, elle avait imaginé sa sœur plongeant dans l'eau. Quand elle avait rouvert les paupières, c'est Montréal au loin qu'elle avait vu disparaître. *Adieu, ville de mon cœur ! Adieu, mon cher pays ! Adieu, Eugène, mon doux ami !*

***

Paris ne remplirait pas les folles espérances d'Alice. Ce qui, du point de vue de Maggy, sa compagne londonienne, avait été annoncé comme un acquis s'était effiloché et détricoté une fois sur place et au fil des démarches. Les admissions au Conservatoire, loin d'être faciles, avaient imposé aux trois aînées, mal préparées pour des concours aussi rigoureux, trois mois de cours intensifs et une multitude d'heures de répétition. Les professeurs et répétiteurs embauchés par Alice se montraient sans pitié, tant par leurs exigences artistiques que par les tarifs facturés en vue de les atteindre.

Le coût de la vie, tellement élevé en Europe, était un autre des éléments que devaient affronter les nouvelles arrivantes. Tante Jeanne, qui avait ses moments de lucidité, s'était montrée heureuse d'accueillir les membres de sa famille et avait offert de subvenir en partie à leurs besoins. Les envois d'argent faits par Claudio ne suffisaient pas à couvrir les dépenses. Loin de se révéler aisée et plaisante, la situation s'assombrissait de semaine en semaine.

Ariane, désorientée par la rudesse de maître Clavet, qui avait pour mission de la préparer aux auditions, pensait à tout abandonner.

— Vous dites ? Mais qu'avez-vous dans la bouche ? Ah là là là là là là... Je ne saisis pas un mot ! Ar-ti-cu-lez, nom de Dieu !

La dose de réconfort qui lui manquait, c'est auprès de sa tante Jeanne qu'elle l'avait trouvée alors qu'elle ne l'attendait pas. Lors d'un après-midi de découragement complet, elle avait vu la vieille dame réciter Molière avec un plaisir d'enfant que celle-ci lui avait transmis. Oui, le théâtre pouvait donner tant de bonheur qu'il faisait oublier les turpitudes de la vie. Aussi avait-elle décidé de tirer parti de la situation, s'acharnant à préparer sérieusement ses auditions pour faire en sorte d'être admise en art dramatique. Elle avait dû travailler fort, dompter une mémoire paresseuse, corriger sa posture et son allure pour faire oublier sa carrure plutôt solide.

Pour sa sœur Amélie, la partie n'avait pas été plus facile. Son amour de la danse lui imposait un combat de tous les instants contre son corps. Elle avait dû s'appliquer à effiler sa taille un peu large pour prendre la démarche d'un ange. C'est la première chose qu'avait exigée son professeur particulier :

— Vous êtes grasse comme une oie et vous voulez danser ? Revenez quand vous aurez perdu ces affreux bourrelets. Je ne peux rien pour vous tant que vous êtes dans cet état.

Or, chez les Calvino, on n'aimait rien de plus au monde que s'asseoir en famille pour savourer un repas carné nappé d'une sauce crémeuse, y tremper un pain lourd, déguster ensuite des fromages coulants pour terminer le tout avec un dessert riche et sucré. Amélie, elle, devait dominer ses pulsions et s'imposer un retrait pour obtenir et garder l'allure filiforme d'une danseuse étoile. Elle s'était mise à manger comme un oiseau, puisant son inspiration et son courage dans la beauté et la grâce d'Anna Pavlova, cette ballerine qu'elle avait vu évoluer jadis. Son interprétation de la *Mort du cygne*, une chorégraphie de Michel Fokine sur une musique de Camille Saint-Saëns, avait à jamais illuminé la vie de la jeune admiratrice. Depuis ce spectacle-là, elle s'était juré qu'un jour elle aurait sa place au sein d'une troupe de danse et parcourrait le monde sur ses pointes.

Des trois sœurs, Agathe était celle qui s'était le mieux accommodée de la situation. Son talent exceptionnel et sa beauté hors du commun lui donnaient un avantage certain.

Dès les premières leçons particulières, son tuteur s'était montré emballé par la maîtrise technique de l'aspirante pianiste et par la qualité de son interprétation.

Ariane se rappellerait longtemps son audition au Conservatoire. Coiffée avec ses nattes jusqu'aux fesses, elle avait déambulé sous le regard moqueur des autres jeunes filles, toutes à la mode et plus belles les unes que les autres, et elle s'était sentie comme étant la moins talentueuse, la moins à sa place. Pourtant, et au grand étonnement d'Ariane, le jury l'avait retenue à titre d'étudiante étrangère en art dramatique, et accepté Amélie comme danseuse. Évidemment, Agathe avait obtenu une mention pour sa prestation...

***

L'aînée des Calvino avait consacré les mois suivant son admission à se départir de ses manières « paysannes ». Elle avait confié à sa sœur le soin de lui couper les cheveux. La lenteur de l'exécution n'avait eu d'égal que l'élégance du résultat. Jeanne, une fois le travail accompli, s'était extasiée devant la nouvelle apparence de sa seconde mère.

— Que tu es belle, Ariane ! On jurerait que ce n'est plus toi !

Touchée par la maladresse du commentaire et l'admiration de la fillette, la grande avait éclaté de rire :

— Cette fois-ci, j'ai les cheveux courts, comme les autres !

Bien entendu, Alice s'était offusquée de l'audace de sa fille, qui avait agi de son propre chef et coupé sa tignasse sans même demander la permission.

— Quel exemple pour tes sœurs ! Félicitations ! Tu n'en fais jamais qu'à ta tête. Tu sapes mon autorité ! Qu'ai-je donc fait pour que tu te comportes toujours exactement à l'opposé de ce que je souhaite ?

Encore une fois, Ariane avait poussé sa mère à bout. Elle en éprouvait un sentiment confus de victoire, comme si elle avait voulu se venger de ce départ du Canada qu'elle avait toujours du mal à accepter.

— Toutes les femmes de Paris ont les cheveux courts, maman. Pour faire comme Greta Garbo…

— Oui, l'actrice suédoise, l'avait timidement appuyée Amélie.

— La vedette du film *Anna Karénine* ! Tu sais, Agathe l'a vu au cinéma…

Il suffisait de mentionner le prénom d'Agathe pour que, du coup, Alice retrouve son calme et que la situation prenne une tournure positive. Le procédé, maintes fois validé, faisait toujours ses preuves…

Ariane avait tourné la tête et aperçu son image dans le miroir. Sa nouvelle coiffure lui donnait une allure de star de cinéma. La jeune fille avait souri pour elle-même. Eugène avait raison : jouer la comédie était contraire à sa nature ! Il lui avait fallu des heures et des heures de travail acharné pour surmonter sa gêne et son manque d'aisance à donner la réplique ! Mais ces quelques mois l'avaient changée, son reflet dans la glace en témoignait.

***

Le navire déchire les vagues, indifférent à leurs attaques. Ariane se remémore ses premiers mois à Paris, consacrés aux cours de diction, de pose de voix, d'interprétation. Puis le moment où une connaissance lui avait appris la tenue d'auditions, organisées par l'entremise du Conservatoire, par un producteur de cinéma pour l'un de ses films. Il cherchait plusieurs figurantes. Elle avait décidé de tenter sa chance, espérant gagner un peu d'argent tout en se faisant valoir au sein de l'établissement.

D'un pas mal assuré, cheveux coupés au carré à la hauteur du menton, elle avait rejoint le local des entrevues. Il y avait une place à prendre au cinéma et cela alimentait les espoirs de plusieurs aspirantes. Ariane s'était mise en file, parmi une centaine de jeunes filles désireuses d'être de la distribution du film de René Clair. Tandis qu'elle attendait son tour, percevant de loin les soupirs impatients des concurrentes, elle avait songé à son père. Il aurait été fier de la voir là ! Le long appartement de Montréal lui était revenu en tête et la voix chaude de son cher Claudio, qu'elle n'avait pas revu depuis une éternité... Il n'avait pas pu tenir sa promesse. Il n'était pas venu les rejoindre et travaillait toujours comme un forcené à Montréal. Elle regardait droit devant, indifférente aux commérages des participantes. L'attente se prolongeant, Ariane s'était rappelé leur dernière conversation :

— Ça me soulage de savoir que tu accompagneras ta mère. Je te la confie, avait déclaré Claudio, à voix basse, dans un moment de complicité.

— Ne t'inquiète pas. Tout ira bien. Je veillerai sur maman et sur les filles. Tu as ma parole.

Après cet engagement, il n'avait cessé de lui manifester sa reconnaissance. Il lui souriait, la remerciait, la complimentait. Dans ses valises, le jour du départ de la famille vers la France, il avait glissé une jolie boîte carrée, qu'elle n'avait découverte qu'une fois sur le paquebot. Déposant ses effets sur son étroite couchette au-dessous du hublot, elle avait involontairement fait tomber le contenant par terre. Elle avait d'abord cru à une erreur de son père, qui sans doute avait mis le cadeau dans la mauvaise valise. Aussi avait-elle hésité avant de l'ouvrir. Mais, trop curieuse, elle avait soulevé le couvercle, dévoilant un anneau doré muni d'un ruban sur lequel était écrit : « À mon Ari de toujours. Papa. » Cette bague, elle la porterait dès lors à son doigt comme un grigri. Avant chaque épreuve déterminante, elle y posait un baiser pour que Claudio la soutienne.

— Mademoiselle Calvino, vous êtes la suivante. Il ne faut pas faire attendre M. le réalisateur. Vous êtes absolument parfaite, lui avait soufflé avec chaleur dans le creux de l'oreille l'assistant-réalisateur, alors qu'elle quittait sa place en apposant ses lèvres discrètement sur son bijou.

Il lui avait ensuite posé une main sur son épaule pour lui indiquer le chemin à suivre. Il y avait dans ce geste une intimité, une proximité qui l'avait tout de suite mise en confiance. Loin de s'en offusquer, Ariane s'était sentie flattée. Cet homme élégant et raffiné lui manifestait sa sollicitude au moment précis où elle pensait très fort à son père. Elle interprétait cela comme un signe. *C'est Claudio, il m'envoie quelqu'un...* Voilà ce qui lui était venu à l'esprit. Du coup, la solitude extrême dans laquelle elle s'était trouvée jusque-là, l'incommunicabilité qu'elle vivait avec sa mère, la rage qu'elle éprouvait de façon coupable envers Agathe, tout cela s'était estompé. Le présent soudain paraissait plus prometteur. Elle avait choisi de porter ce jour-là une petite robe noire, sans manches, cintrée, qu'elle avait elle-même dessinée, taillée et cousue dans une pièce de crêpe, simple dans ses lignes. Elle avait enjolivé sa tenue d'un collier de perles semi-précieuses emprunté à sa tante et de bracelets de pierres du Rhin aussi fausses qu'étincelantes. Par le contraste entre sa tenue et sa carrure plutôt forte, elle ressortait du lot. Ses yeux très bruns, la profondeur de son regard, ses traits prononcés lui conféraient une originalité et une beauté rares. Elle avait mené son audition avec un détachement affirmé, indifférente aux réactions des membres de l'équipe de tournage, se concentrant sur le texte et sur la gestuelle avec laquelle elle l'appuyait. Elle savait donner sa couleur aux quelques lignes d'un texte plutôt banal. Sa robe échancrée épousait ses formes, laissait entrevoir ses jambes, pour lesquelles elle percevait dans le regard de tous ces étrangers un intérêt aussi grand que pour sa prestation. Musclées et bien galbées, ses cuisses étaient magnifiques, elle n'était pas sans le savoir. Elle avait reconnu, dans la rangée de ceux qui lui faisaient face, l'homme qui l'avait approchée quelques minutes plus tôt. Il lui avait lancé un coup d'œil amical qui l'avait réjouie. Elle avait remercié son auditoire et quitté la pièce avec le sentiment du devoir accompli.

Après avoir franchi la grande cour arrière du bâtiment, elle avait rejoint Amélie et Agathe qui faisaient le pied de grue. Les trois sœurs avaient pris le chemin du retour. Leur mère les avait accueillies avec une mauvaise nouvelle. Une personne de sa famille avait été retrouvée morte de vieillesse, endormie dans sa chaise longue, face à la mer et aux voiliers. Si la fin avait été paisible, Alice s'inquiétait pour la suite des choses, qui risquait de l'être moins à cause des conflits que la succession ne manquerait pas de causer. Elle avait été convoquée à la lecture du testament et elle devait s'y rendre seule.

— Je dois partir pour Gassin. Je devrai sans doute y rester quelques jours, avait-elle annoncé en se tournant vers son aînée. J'ai tenté d'embaucher Paulette pour quelques jours, mais elle a trouvé du travail depuis que j'ai dû me défaire d'elle.

Si elle ne tarissait pas d'éloges en ce qui concernait les talents artistiques d'Agathe, c'était invariablement vers Ariane qu'elle s'en remettait lorsqu'il s'agissait de confier sa maisonnée.

— Pourras-tu tenir le fort et me remplacer ? Il m'est impossible d'emmener les petites, car j'aurai besoin de toutes mes forces et de toute ma tête.

Alice n'avait pas attendu la réponse d'Ariane. Elle s'affairait déjà à préparer ses bagages. Elle n'avait rien dévoilé de son secret à ses filles, qui ne pouvaient pas saisir les raisons de son émoi depuis sa rencontre avec le vieil homme, Jean-Jacques Martin, qui venait de mourir. Un devoir lui incombait, celui de protéger les biens de sa mère, qui perdait chaque jour un peu plus de ses facultés. Elle devait se montrer à la hauteur.

— Pars tranquille, maman. Je verrai à tout. On se débrouillera très bien.

— Tante Jeanne est particulièrement agitée, ces jours-ci.

— Je sais comment la prendre. Ne t'inquiète pas.

— Agathe prépare ses examens. Elle ne pourra pas beaucoup te seconder.

— Je sais, avait répondu stoïquement Ariane.

À quoi bon se vexer ? Ariane avait depuis longtemps adopté l'indifférence. Au fond, ce départ l'arrangeait : seule comme chef de meute, elle organiserait les tâches et les horaires. Une fois sa mère au loin, sa vie se simplifierait. Alice avait donc quitté l'appartement parisien, rassurée de savoir que son aînée acceptait de prendre la relève.

Alice partie, la smala s'était organisée. Le plus gros problème avait été d'assurer auprès de tante Jeanne une présence constante. Ses capacités déclinant, elle ne pouvait plus rester seule. Lorsque l'un de ses professeurs l'avait convoquée de façon impromptue au Conservatoire, prise au dépourvu, Ariane avait opté pour une solution de dernière minute : elle était allée sonner chez la concierge pour lui demander si elle accepterait de passer voir Jeanne quelques fois dans la journée. De cette façon, une personne responsable veillerait à ce que la vieille dame n'ait rien oublié sur le poêle au gaz. La logeuse, avenante et serviable, avait mis la jeune fille en confiance, lui proposant même, pour quelques sous de plus, de faire une visite quotidienne, tous les avant-midi, pour le temps où Mme Calvino serait absente. Voilà qui apportait un grand soulagement à Ariane : elle irait à ses activités l'esprit en paix et n'aurait pas à revenir au milieu de ses journées. Pour payer la concierge, elle avait pigé à même l'argent laissé en réserve, et versé d'avance le montant négocié pour la semaine complète. Elle se sentait soulagée, même si elle se doutait bien que sa mère lui reprocherait cette dépense indue et le fait qu'elle n'ait pas tenu parole.

Dès qu'elle avait franchi les portes de l'établissement, Ariane avait été invitée par son titulaire de diction à se rendre au même bureau où elle avait auditionné pour le film. C'est avec un frémissement heureux qu'elle avait reconnu l'élégant monsieur au complet marron qui s'était montré si prévenant à son endroit. L'apercevant, il avait fait mine de s'occuper d'un document. Elle avait remarqué sa réaction, mais continué d'avancer. Une fois à sa hauteur, elle l'avait salué avec calme et assurance.

— Bonjour, je m'appelle Ariane Calvino. On m'a dit que je devais me présenter ici.

— La petite robe noire… oui…

Flattée qu'il se souvienne d'elle, elle n'avait pu empêcher une rougeur de monter à ses joues, puis avait souri en s'efforçant de cacher ses dents abîmées. Ce qu'il avait pris pour de la timidité lui plaisait. Il avait souri aussi. Loin de s'en effrayer, la jeune fille se sentait exaltée et heureuse ; elle respirait le parfum de sa conquête.

— Vous avez été remarquées, vous et cinq autres élèves du Conservatoire. Toutefois, c'est moi qui ai le dernier mot pour la sélection finale. Vous faites partie de mes premiers choix. Alors, si vous voulez toujours obtenir un rôle de figuration et que nos conditions vous conviennent… voici votre contrat.

Cette annonce était la première bonne nouvelle qu'elle recevait depuis son arrivée en sol français. Ses longs mois de dur labeur apportaient enfin leurs fruits.

— Mais bien sûr, ce sera un honneur ! Une fois que je l'aurai lu, il me fera plaisir de le signer, avait-elle répondu avec aplomb.

Il lui avait tendu la main, l'avait félicitée. Après avoir enchaîné les politesses d'usage, elle l'avait salué et était repartie. Au cabinet d'aisances, elle s'était assise en retrait et avait fermé les yeux pour savourer sa petite victoire en silence. À peine avait-elle eu le temps de se réjouir que, dans sa tête, les pensées s'étaient bousculées : comment ferait-elle, avec les filles à surveiller et tante Jeanne ? Il lui était impossible de décliner une telle proposition, quelles que soient les embûches. On ne refusait pas une première chance.

— Votre présence est requise sur les lieux du tournage dès demain et pour toute la semaine. Prévoyez vous libérer de l'aube jusqu'à la nuit. Les cachets sont en conséquence. Gérard Boutin, pour vous servir, lui avait révélé l'homme, en effectuant un salut empreint de déférence.

Ses doutes s'étaient dissipés lorsqu'elle avait lu l'entente contractuelle dépliée sur ses genoux. Le cachet offert pour à peine quatre jours de travail était supérieur à ce qu'elle aurait gagné en un mois complet chez Eaton ! Sa vie parisienne, enfin, lui lançait un signe encourageant qu'elle entendait honorer !

— Quelle naïve tu fais ! S'il s'est organisé pour que tu obtiennes le rôle, c'est qu'il y a une raison ! Tu n'es pas la première débutante à qui ça arrive ! Toutes les starlettes y passent ! avait décrété Agathe sur un ton péremptoire en apprenant la nouvelle de sa sœur. Tu devrais te méfier !

La voix de sa cadette résonnait encore dans la salle à manger tandis que tante Jeanne, stimulée par les éclats de voix, applaudissait et hurlait des bravos. La pauvre Amélie peinait à tempérer les propos d'Agathe pour y ajouter une note plus nuancée et plus encourageante. *Tant pis*, s'était dit Ariane, *qu'Agathe ait raison ou pas, je ferai cette figuration ! Et puis, que peut-il y avoir à craindre ? Agathe souffre du même mal que notre mère, celui de n'avoir confiance en personne. Tant pis pour elles !*

Ariane avait feint d'ignorer les mises en garde de sa sœur et avait desservi la table avec des gestes brusques. Puis, en dépit de l'heure avancée, elle s'était engagée dans le couloir jusque chez la logeuse. Elle l'avait embauchée sur-le-champ, haussant ses gages, qu'elle paierait de sa propre poche. La concierge la remplacerait à la maison. Et rien ne l'empêcherait de tenir son premier rôle au cinéma.

À l'aube, elle s'était rendue sur le plateau qui grouillait de gens affairés. Le film *À nous la liberté* relatait l'histoire de deux bagnards qui réussissaient à s'échapper de prison et finissaient par se retrouver dans une autre forme de captivité, celle du travail et de la conformité. La lecture du scénario avait bouleversé la jeune Calvino. Le thème de l'emprisonnement l'interpellait, de même que celui de la révolte et de la remise en question. Et puis cette œuvre, qui comptait parmi les premiers films parlants du cinéma français, amenait un changement dans les façons de faire et de jouer, évoquait par son essence même une forme de réévaluation. Ariane était fière de faire partie de l'aventure.

En apercevant la jeune fille, Gérard Boutin était venu l'accueillir. Il l'avait dirigée avec d'autres à la salle des costumes et des maquillages, où des paravents faisaient office de loges individuelles. Le travail allait rondement, comme dans une ruche où chacun s'exécute. La maquilleuse était venue, puis la costumière. Ariane, tout de suite, avait adoré la fébrilité de l'atmosphère.

Une fois sur le plateau, le réalisateur lui avait donné des indications précises. Il savait exactement ce qu'il attendait d'elle. Et elle se soumettait aux consignes. D'une prise à une autre, Ariane disposait de tout son temps pour observer le maître, dont la minutie et la patience impressionnaient. En dépit de sa jeunesse, René Clair en imposait par son sens de la dérision, sa culture et son intelligence. Le film proposait une réflexion sur l'importance de l'autonomie, celle qu'il faut prendre. Il inspirait la jeune débutante. Sur le plateau, elle avait peu à faire, mais elle s'exécutait avec conviction et professionnalisme. Elle se sentait à sa place, sentiment qu'elle n'avait pas connu depuis fort longtemps.

Gérard Boutin voyait à ce que le tournage se déroule sans perte de temps. Auprès de la jeune Calvino, comme avec les autres, il se montrait aussi délicat et attentionné sur le plan personnel que directif sur le plan professionnel. Il veillait au travail à faire et s'organisait pour qu'il soit accompli. Les figurantes partageaient une loge immense que M. Boutin surveillait et protégeait. Avec lui, on se sentait en sécurité. Il faisait en sorte que les comédiennes, les novices surtout, concentraient leur attention sur leur rôle.

Sans pouvoir s'expliquer pourquoi, Ariane multipliait les gestes susceptibles d'attirer l'attention de Gérard, comme il demandait qu'on l'appelle. De sentir son regard posé sur elle la grisait. D'un naturel peu expansif, elle se surprenait à s'exprimer plus fort que d'habitude pour le simple plaisir de le voir se tourner dans sa direction. Elle remarquait qu'elle seule avait ce pouvoir et elle s'en enivrait.

Revenant, galvanisée, le plus tard possible à la maison, elle se sentait emportée par une force puissante. Les soucis familiaux, les responsabilités, les bobos à guérir, les chagrins à soulager ne lui appartenaient plus. Elle n'avait plus qu'une préoccupation, celle de plaire à cet homme, de séduire, de conquérir cet inconnu qui l'attirait un peu plus chaque jour. Aussi, la courte semaine de tournage arrivait à sa fin beaucoup trop tôt au goût de la comédienne en herbe. Craignant que Gérard ne redevienne à jamais M. Boutin, elle avait osé risquer le tout pour le tout.

— J'aimerais visiter l'exposition coloniale internationale, mais je ne trouve personne pour m'y conduire. Accepteriez-vous de me rendre ce service ?

Soufflé par l'audace de cette jeunette, l'homme avait hésité un instant sur l'attitude à adopter quant à la proposition. Agirait-il comme un collègue étonné par la demande déplacée d'une adolescente dont les dix-sept ans excusaient l'inconscience ? Ou déclinerait-il plutôt sèchement une invitation incongrue et maladroite, de façon à décourager toute nouvelle initiative ? Il tergiversait. La naïveté et la sincérité de la jeunesse l'avaient toujours ému, mais il avait appris à s'en méfier, repoussant les contacts avec les ingénues trop entreprenantes ou audacieuses.

— Qu'est-ce qui vous laisse penser que je sois l'homme désigné ?

— Vous répondez à ma question par une question ? Manqueriez-vous de courage ?

— Eh bien, soit, mademoiselle, si c'est un cavalier qu'il vous faut, je puis certainement vous en suggérer plusieurs parmi mes amis. Ils sauront vous accompagner galamment et vous distraire assurément mieux que moi, qui suis en ce moment fort occupé.

Humiliée par la réplique claire de son interlocuteur, Ariane n'avait rien trouvé à répondre. Pour éviter de s'effondrer publiquement, elle avait tourné les talons et s'était enfuie d'un pas rapide, quittant la loge sans saluer personne. Son cœur cognait dans sa poitrine et s'affolait. Elle aurait voulu sentir les bras de son père lui entourer les épaules.

Elle s'était engagée droit devant, se perdant dans la ville, comme pour épuiser ce corps avide d'amour et de tendresse. Honteuse d'avoir exposé la partie vulnérable de son âme, d'avoir révélé son attirance, elle s'en voulait à mort. L'envie de sangloter ne manquait pas, mais sans la bienveillance des autres, pleurer ne sert à rien. Perdue au milieu de cette foule d'étrangers, elle ne voyait pas à qui s'accrocher. Elle regrettait intensément sœur Monique, Eugène, ses amis des Beaux-Arts, ses collègues du magasin, la famille réunie, la maison chaude, les chiens, les chats, les poules. Elle revoyait la petite cour intérieure, partagée avec les voisins, où les comptines des filles se répercutaient, joyeuses, naïves, sans inquiétude. Montréal lui manquait douloureusement: le centre de la ville avec ses magasins, la rue Sherbrooke, qu'elle se plaisait à parcourir, le parc La Fontaine, le soir, tout près de l'appartement de la rue Saint-Hubert, l'épicerie du coin. Elle aurait tout donné pour apercevoir Claudio, là, au détour de la rue, pour entendre sa belle voix, calme, posée et grave lui murmurer quelques mots. *Ne te décourage pas,* se serait-il contenté de lui souffler, *un jour, tu trouveras celui qu'il te faut pour emplir ta vie,* aurait-il ajouté, tout en passant affectueusement la main dans ses cheveux. Plongée dans sa peine, elle ne se souciait ni des passants, ni des voitures, ni du chemin à prendre, ni du temps. Quiconque lui aurait porté attention aurait remarqué son profond désespoir. Mais dans cette grande ville, on n'a rien à craindre: la peine et la misère se faufilent sans problème, en tout anonymat. Ainsi donc elle s'était laissée berner, l'homme s'était joué d'elle en la faisant tomber sous son charme. Sa chère Agathe avait encore une fois eu raison !

Ariane avait choisi un banc en retrait. Assise, les mains sur les yeux, elle s'était abandonnée à sa peine durant de longues minutes. Le mal du pays qui lui broyait le cœur avait fini par passer. Elle s'était détendue et avait laissé son regard suivre le cours de la Seine. Les dialogues répétés au Conservatoire lui revenaient par bribes, ceux de la pièce *Les Jumeaux vénitiens*, qui raconte l'histoire de deux êtres identiques, séparés à la naissance. Comme le hasard réunit souvent ceux qui sont faits pour se rencontrer, les personnages se croisent de nouveau, semblables physiquement, mais totalement différents en ce qui concerne l'esprit et l'éducation. L'un, spirituel et raffiné, s'oppose totalement à l'autre, rustaud et grossier.

De la même manière, Ariane, au théâtre, se savait intimidée, gauche et sans grandes qualités; elle n'avait rien des vertus de l'interprète et ne se faisait aucune illusion sur ses capacités. Pour réussir comme comédienne, il faudrait un miracle et tellement de travail ! Elle était tout le contraire de sa sœur Agathe, tellement expressive et naturellement douée. À l'étude du piano, elle nageait comme un poisson dans l'eau, récoltant un prix après l'autre, brillant autant par son habileté technique, par son aisance à l'interprétation que par son charme indéniable. Les deux sœurs avaient quitté le Canada sur le même bateau pour se rendre à Paris, l'une pour son plus grand malheur et l'autre pour rencontrer le succès !

Voilà quelle était l'ironie de son sort: quoi qu'Ariane dise ou fasse, Agathe l'emportait toujours sur elle.

Ariane Calvino se souvient encore de ce moment d'infini désespoir. De cet instant où elle avait été tentée de tout abandonner. Puis de celui où elle avait redressé l'échine, replacé une couette de ses cheveux et décidé de poursuivre son combat. *Assez gémi, assez pleuré !* s'était-elle dit. S'il lui fallait remonter un courant houleux, se battre plus fort pour trouver son bonheur, elle le ferait avec courage.

Quand elle avait regagné l'appartement de tante Jeanne, il faisait nuit noire. Elle avait perçu, à travers la porte fermée, la voix d'Alice, revenue de Provence. En dépit de la rancœur qu'elle entretenait envers sa mère et ses lubies, la savoir à la maison la rassurait, lui apportait une paix d'esprit. Elle avait été accueillie par Amélie qui s'apprêtait à sortir les chiens.

— Tu es là ! Enfin ! J'ai menti à maman, je lui ai dit que tu avais une répétition ce soir. Mais j'étais morte d'inquiétude.

Glissant la main dans une des poches de sa veste, elle lui avait tendu une enveloppe :

— Un monsieur est venu. Il a laissé une lettre. Je n'ai rien dit de sa visite. C'est mieux comme ça.

— Merci, avait murmuré Ariane, tandis que, dans sa poitrine, son cœur se remettait à battre la chamade.

— Il a l'air très gentil... Il s'inquiétait beaucoup pour toi.

Ariane avait posé un baiser tendre sur le front de sa benjamine et s'était engagée dans l'entrée. Les filles étaient attablées dans la salle à manger. Elle était bien étonnée d'y découvrir la table couverte de nourriture à une heure aussi tardive. Alice avait rapporté des victuailles de la Provence. Cette dernière s'efforçait de sourire et d'avoir l'air gai, mais Ariane la connaissait trop pour se laisser tromper. Sa mère avait de la tristesse dans le regard. La jeune fille avait dissimulé sa précieuse enveloppe dans son dos, la coinçant sous la ceinture de son pantalon.

— Eh bien ! Te voilà ! Ta sœur m'a dit que tu avais décroché un rôle dans un film ! Bravo ! Je te félicite !

Les encouragements d'Alice semblaient sincères. Elle avait relaté rapidement son voyage, répondu évasivement aux questions de sa grande, puis ajouté qu'elle ne s'était pas rendue là-bas en vain puisque son aïeul avait laissé de l'argent pour elle.

— Assez pour régler toutes nos dettes et pour payer la traversée à Claudio ! Il viendra nous rejoindre pour les vacances d'été !

Folle de joie, Ariane avait sauté au cou de sa mère. Son sentiment de vide s'estompait doublement. Son père traverserait enfin ! Réjouie, Ariane s'était ensuite prêtée de bonne grâce aux interrogations de sa mère et avait raconté à son tour comment elle avait obtenu son premier contrat professionnel, en taisant bien sûr l'attrait éprouvé pour Gérard Boutin et cette lettre qui lui brûlait le dos. La soirée s'achevait dans une plénitude vaporeuse. L'avenir s'annonçait plus rassurant. L'argent de l'héritage permettrait de voir venir. Et cette nouvelle sonnait comme de la musique aux oreilles.

Une fois la nuit avancée et tout le monde couché, Ariane, allongée dans son lit, avait glissé une main sous le matelas et récupéré l'enveloppe. Avec un style fort élégant, Gérard s'excusait pour sa réaction à sa demande, qui l'avait pris par surprise. Il n'avait pas voulu la blesser. Et, si elle le souhaitait toujours, il l'accompagnerait à l'exposition. Cette victoire inattendue venait donner à sa journée une tournure de rêve. Elle s'était endormie en remerciant la vie de tenir parfois ses promesses.

***

Trois jours plus tard, accompagnée par Gérard Boutin, Ariane se rendait au bois de Vincennes. Lui, au volant d'une rutilante Renaud, et elle, à ses côtés, le sourire fendu jusqu'aux oreilles. L'exposition, qui avait cours depuis le mois de mai, promettait rien de moins qu'un tour du monde et constituait une sorte d'hommage à la grandeur de l'Empire français, aux bienfaits du commerce colonial. En cette période où l'économie ralentissait et où le chômage gagnait du terrain, il était revigorant pour la France de rappeler aux siens son hégémonie passée sur ses protectorats. Un pavillon soulignait le raffinement asiatique, un autre rappelait le caractère primitif du Noir et de l'Africain. Reconnaissant des éléments du costume et des mœurs de l'Indien d'Amérique, Ariane avait été surprise puisque, lui semblait-il, la France n'avait aucune colonie en sol américain ou en sol canadien. La réflexion de la jeune fille avait étonné Gérard.

— Vous me semblez bien jeune pour connaître autant de choses.

— Je n'ai pas de mérite dans ce cas-ci puisque, étant canadienne, je connais l'histoire du pays.

— Justement, c'est précisément pour cette raison que j'ai accepté de vous accompagner aujourd'hui. En toute amitié, je tiens à le dire, parce que j'ai été touché par votre grand isolement, en tant que nouvelle arrivante...

La réplique était tombée comme une tonne de briques entre les deux visiteurs.

— Mais il ne faut rien espérer de plus de ma part, mademoiselle Calvino, que de l'amitié.

— Je vous remercie de votre franchise, monsieur Boutin. Et moi qui me faisais des scrupules à sortir avec vous !

Elle avait ri de bon cœur, soulagée. Plus détendue, elle lui avait confié à quel point elle s'ennuyait de Claudio et avait ajouté que, en l'invitant, elle avait peut-être cherché à combler son besoin d'une présence masculine.

— Votre père vous manque et c'est bien normal. Sans le remplacer, je puis, si vous le souhaitez, veiller sur vous d'une manière bienveillante et fraternelle.

— C'est très gentil et ça me touche beaucoup. J'accepte votre offre avec plaisir.

En disant cela, elle passait devant lui pour remonter dans la voiture et n'avait pu réprimer un frisson de désir, une attirance puissante qu'elle reconnaissait pour l'avoir déjà éprouvée envers Louis-Marie Dubé. Amoureuse, voilà ce qu'elle était ! Et d'un homme qui ne lui offrait que son amitié ! De quoi la laisser perplexe. Eugène lui aurait dit de s'éloigner. Et elle ne l'aurait pas écouté !

***

Pendant plusieurs semaines, elle s'était contentée de repasser en boucle chaque instant de cet après-midi passé au bois de

Vincennes. Elle ne demandait rien de plus à la vie que de rêver tout son soûl et de profiter à plein de cette occasion d'alléger son existence. Au Conservatoire, personne ne faisait attention au changement qui s'opérait en elle, qui la rendait plus souriante, plus liante. Elle ne ressentait pas le besoin de revoir Gérard ou d'entrer en contact avec lui. Son souvenir suffisait à remplir son cœur. Elle travaillait mieux, respirait avec plus d'aisance, se sentait belle. Mais son fragile équilibre pouvait s'écrouler au moindre imprévu. C'est ce qui s'était produit lorsque Alice, désolée, avait transmis à ses filles la nouvelle qu'elle venait de recevoir par télégramme :

— Votre père annule sa venue à Paris ! Il a décroché un rôle, il ne peut pas...

Le reste de sa phrase s'était perdu dans le brouhaha familial. Les filles, chagrines, poussaient les hauts cris.

Ainsi, Ariane ne verrait pas Claudio. Il passerait l'été tout seul à Montréal. Et ça, en raison d'un contrat. Comment avait-il pu accepter un tel engagement ? Comment pourrait-il chanter ? Il ne s'ennuyait donc pas ? Elle ne lui manquait pas ? À ses yeux, rien n'aurait dû l'empêcher de traverser l'océan : aucune obligation, aucune question d'argent. Rien ! Rien ! Rien !

En colère, Ariane n'avait pas hésité et était sortie, sans annoncer où elle allait.

Elle avait filé tout droit jusqu'aux bureaux de Frank Clifford, de la Société des Films sonores Tobis, où elle avait demandé une rencontre avec M. Boutin. La secrétaire lui avait d'abord refusé l'accès au bureau, mais avait fini par céder devant l'insistance de la jeune femme.

Une fois seule avec Gérard, Ariane s'était jetée dans ses bras. Silencieuse, elle s'était blottie contre le torse de l'homme. Désemparé, il caressait ses cheveux, ses épaules, son dos. Tandis qu'elle s'abandonnait, il hésitait à repousser ce corps qu'il désirait. Il craignait de blesser cette jeune femme éplorée et trop passionnée.

Ariane avait senti quelque chose de dur se dresser. Totalement ignorante en matière de morphologie masculine et encore plus des mécanismes du désir, elle n'avait aucune idée de ce qu'elle provoquait. Elle perdait l'esprit, voilà tout ce qu'elle savait. Il avait déboutonné son chemisier et embrassé sa poitrine. Elle respirait par saccades, follement excitée. La main appuyée sur le bas de son dos, Gérard l'avait attirée vers lui, reculant de quelques pas pour bloquer le loquet de la serrure. Il continuait de la dévêtir. Elle se laissait faire avec délectation, gardant les yeux rivés aux siens. Il avait descendu ses doigts vers cette partie intime de son corps, connue d'elle seule. Elle avait hésité un peu, puis s'était offerte tout entière.

Elle prenait son plaisir pleinement, l'acceptant sans remords, le savourant. La jouissance s'était intensifiée lorsqu'elle avait senti se glisser en elle une forme épousant la sienne. Cette fusion l'avait plongée dans une volupté inconnue, inouïe. Gérard bougeait doucement des hanches, tandis qu'Ariane mordait dans le col de sa chemise pour ne pas crier.

***

Depuis qu'elle avait quitté Montréal, l'aînée des Calvino avait laissé ses amis et collègues sans nouvelles. Elle n'avait pas écrit, n'avait donné aucun signe de vie. Seul Eugène, qui avait obtenu son adresse par Claudio, avait persévéré, en dépit de ses silences, à lui écrire à Paris, mais elle l'avait laissé trop souvent sans réponse. Elle revient maintenant vers le Canada avec l'impression de ne plus y connaître personne. La route, celle qu'elle reprend en sens inverse, la mène vers un monde où elle n'a plus de repères. Par moments, un puissant sentiment d'angoisse et de solitude, au milieu de cette étendue d'eau entre l'Europe et l'Amérique, la terrasse. Elle doit se faire violence pour détacher son regard de l'infini et retourner vers sa cabine afin de trouver la force de passer le temps et de s'occuper, tantôt à lire, tantôt à esquisser des croquis. Elle n'a pour seul point d'ancrage ses sœurs, sa ribambelle de petites protégées qu'elle aime profondément et qui la retiennent du côté de l'espoir.

Chapitre 5

L'incendie de *L'Atlantique*, suivi de son naufrage le 4 janvier 1933, était encore frais dans la mémoire de bien des gens. Ce paquebot avait fait sa réputation par son opulence et par le délire sans limites de sa construction. Véritable ville flottante, il avait à son bord une galerie marchande sur une allée bordée d'une quarantaine de boutiques de luxe. Les journalistes avaient décrit longuement cette apothéose du faste, ne lésinant pas sur les superlatifs. En dépit des mesures de sécurité exceptionnelles dans la construction du navire, un feu s'était déclaré à bord au beau milieu de la nuit alors que le bateau naviguait sur les côtes de la France. La surprise avait été totale. Dix-huit personnes, essentiellement des membres de l'équipage, avaient péri. Heureusement sans passagers lors de cette traversée, le navire avait disparu, englouti par les eaux, sans avoir jamais rejoint Le Havre, sa destination.

Ariane n'a rien oublié des détails de ce naufrage relaté dans tous les journaux. Elle a beau se répéter qu'il n'y a rien à redouter de ces navires d'exception, que les tragédies maritimes restent plutôt rares, elle ne peut s'empêcher de craindre que sa série noire française ne se boucle par un sinistre incident en mer. Périr dans les eaux glacées de l'océan Atlantique, voilà une finale qui correspondrait bien à celle de sa relation avec Gérard Boutin.

Cet homme, elle l'a aimé à s'en croire folle. Il a pourtant mis fin à leur histoire abruptement, sans grandes émotions ni explications. Il a évoqué les termes très clairs qu'il disait avoir tenus dès le début alors qu'elle-même avait prétendu pouvoir se contenter d'une aventure sans lendemain.

De retour chez elle, après cette première fois où il l'avait prise dans son bureau, au risque qu'on les surprenne, elle avait eu la conviction que le cours de sa vie amorçait un tournant. Dans son corps, quelque chose s'était passé ; une chaleur s'était répandue et avait modifié sa sensibilité, ses perceptions, sa façon d'exister et d'être au monde.

Ensuite, elle avait désiré poursuivre la relation avec son amant. Coûte que coûte, elle renouerait avec cette extase qu'il lui avait fait découvrir. L'ivresse de l'amour, le contact du corps d'un homme et la jouissance intense ; rien n'importait plus que de les savourer encore et encore.

***

Submergée par son sentiment amoureux, Ariane se laissait porter. Son travail en art dramatique perdait de son importance. Mais elle le poursuivait tout de même. Le fait d'être étudiante au Conservatoire lui donnait un accès privilégié aux auditions pour des films qui se tournaient dans la capitale. Et lui donnait l'occasion de croiser l'élu de son cœur. Aussi s'appliquait-elle et se montrait-elle bonne élève. Elle rectifiait ses tenues trop masculines au goût de ses professeurs. Plus coquette et plus féminine dans son allure générale, elle se consacrait plus sérieusement à la mémorisation de ses textes et à son élocution, ses grands points faibles. Chaque fois qu'elle en avait la possibilité, elle s'inscrivait sur les listes de personnes qui désiraient faire de la figuration.

Gérard Boutin, de son côté, faisait tout en son pouvoir pour éviter la jeune ingénue, dont il devinait la force de caractère. Il craignait de s'embourber dans une relation trop intense et trop exigeante. Il avait beau se faire remplacer chaque fois que possible lors des entrevues de sélection, l'entêtement d'Ariane était venu à bout de ses résistances. Il l'avait retrouvée sur le plateau de *Quatorze juillet*, dirigé encore une fois par René Clair. Celui-ci avait remarqué la midinette et son style particulier, très italien et typé, correspondant à ce qu'il recherchait. Clair avait embauché Ariane sur-le-champ et sans consultation.

Ironiquement, le film brossait l'histoire de deux amants d'un soir qui se séparaient puis se revoyaient par la suite. Pour la jeune femme, les dialogues écrits par le réalisateur lui-même ne pouvaient mieux évoquer ses sentiments. La voix de Lys Gauty se confondait intérieurement à la sienne pour entonner la magnifique chanson dont le début l'émouvait particulièrement :

> À Paris dans chaque faubourg
> Le soleil de chaque journée
> Fait en quelques destinées
> Éclore un rêve d'amour
> Parmi la foule un amour se pose
> Sur une âme de vingt ans
> Pour elle tout se métamorphose
> Tout est couleur de printemps
> À Paris quand le jour se lève
> À Paris dans chaque faubourg
> À vingt ans on fait des rêves
> Tout en couleur d'amour

Ariane usait de toutes les astuces dans le but de se trouver à nouveau seule avec Gérard dans ce bureau couvert de photographies d'artistes, cet antre où sa vie s'était transformée. Mais Gérard se montrait aussi fin renard et, se sachant traqué, il parvenait à s'esquiver au moment opportun. Ignorant tout du rôle qu'il tenait lui-même dans cette passion naissante, René Clair, après des problèmes techniques, avait invité la jeune Calvino à le suivre au bureau de Boutin. Il souhaitait que celui-ci fasse en sorte que son contrat soit prolongé de quelques jours.

— Voyez à ça, Gérard. Les séquences sont à reprendre et j'ai besoin de mademoiselle, avait-il décrété avec autorité.

Interpellé par l'un de ses assistants, Clair avait quitté le bureau à la course, laissant les deux autres en plan. Ariane s'était avancée de quelques pas. Sa chevelure ondulait sur le côté de son visage. Le rouge de ses lèvres, ses longs cils et ses yeux de biche avaient envoûté Gérard, qui était retombé sous le charme. La chemise de cotonnade de la jeune femme, entrouverte, l'invitait comme un ciel d'été. Il s'était approché, attiré, devinant les formes, imaginant sa poitrine ferme et duveteuse. Il savait ses résolutions oubliées. Il l'avait embrassée fougueusement et elle avait répondu à son emportement. Il lui avait fait l'amour avec une ferveur accrue. À partir de ce deuxième échange, leur attirance ne pouvait plus être circonstancielle.

— C'est que… je suis marié, lui avait-il chuchoté, alors qu'elle se remettait à peine de son extase.

— Et alors ? avait-elle répliqué, prête à toutes les concessions pour garder l'homme qu'elle aimait.

***

Par la suite, ils s'étaient vus presque tous les jours, passant du bureau à la chambre d'hôtel, volant au travail des moments interdits. S'il se donnait complètement à sa maîtresse, Gérard la mettait souvent en garde.

— Je ne quitterai ma femme pour quiconque. Ne l'oublie jamais, Ariane. Tu es absolument charmante. Je cède volontiers à tes avances. Mais un jour viendra où nos échanges connaîtront leur fin.

— Tu ne peux aimer quelqu'un d'autre que moi. Je te l'interdis.

— Petite frondeuse. Tu me tiens solidement, il me faut l'admettre. Mais si je te cause du chagrin un jour, rappelle-toi que je t'en aurai prévenue.

Après un haussement d'épaules, elle s'était détournée de lui. Sa vie d'homme marié lui appartenait. Il en protégeait jalousement les secrets. Il refusait de s'aventurer sur le terrain miné des émotions avec une maîtresse trop jeune de toute façon pour comprendre les motivations d'un homme qui s'était sorti de la misère en épousant une fille riche.

À la maison, Ariane taisait tout de son aventure auprès de sa mère ou même de ses sœurs. Elle ne voulait rien laisser transparaître de ce qui ne regardait qu'elle. Ses figurations au cinéma se multipliaient, grâce aux intercessions de Boutin auprès des divers réalisateurs. Dupe, Alice voyait là un début de reconnaissance et de succès pour sa fille, dont elle s'enorgueillissait. Si elle ne détrompait personne au sujet de sa carrière, Ariane ne se leurrait pas sur les raisons de ses réussites : sans Gérard pour veiller sur elle, le destin aurait été plus impitoyable. Agathe était la seule des filles Calvino à posséder un talent d'exception, digne d'y placer quelque espoir. D'ailleurs, elle recevait de plus en plus d'offres professionnelles, souvent jumelées aux prix qu'elle remportait. Tranquillement, mais sûrement, la pianiste grimpait les échelons d'une carrière de virtuose.

Au nom de sa favorite, Alice repoussait systématiquement les engagements trop exigeants. La jeune prodige devait d'abord terminer sa formation. Agathe semblait se plier de bonne grâce aux décisions que prenait sa mère, s'emmurant dans une soumission passive qui mettait son aînée en colère.

— Maman ne te demande même pas ton avis ! Tu n'as pas de tonus ! lançait Ariane.

— Et toi ? Tu ne sais que faire la guerre dans la maison ! L'air devient irrespirable par moments ! répondait Agathe, blessée.

Plus les sœurs Calvino vieillissaient, plus leurs différences s'accentuaient, rendant la cohabitation difficile. Souvent à couteaux tirés, les jeunes femmes abordaient la vie de manière totalement opposée et s'en faisaient le reproche. L'harmonie familiale s'en ressentait, la smala se divisant en deux clans, celui d'Ariane et celui d'Agathe. Consciente du climat de tension causé par la rivalité, Alice s'en désolait, mais ne savait que faire.

Si Claudio avait été là, Ariane aurait trouvé un répondant auprès de qui se défouler de ses frustrations. Mais son père avait à peine le temps de lui rédiger des missives, qui se faisaient de plus en plus laconiques et espacées. Et personne n'évoquait la question de son arrivée à Paris. Il avait abandonné l'idée.

***

Pour les avoir déjà explorés, Gérard savait dans quels sables mouvants il risquait de s'enliser. Pour lui, la difficulté de mettre fin à une relation variait de façon inversement proportionnelle à sa durée dans le temps, une règle mathématique maintes fois validée. Aussi avait-il établi comme ligne de conduite de ne jamais laisser ses escapades extraconjugales excéder la demi-année de longévité. Une fois ce délai fatidique expiré, il fallait qu'il s'éclipse afin de rompre, sans possibilité de prolongation. Voilà le principe, expliqué éloquemment, auquel Ariane avait dû faire face.

— C'est impossible, Gérard. Absolument. Tu ne peux pas te débarrasser de moi. Je n'ai que toi ici !

— Dès le début, cette issue a été convenue. Je ne reculerai pas. Si dans mon union certains écarts de conduite sont tolérés, la règle des six mois ne supporte aucune exception. J'ai joué franc jeu avec toi. D'ici peu, nos rencontres cesseront.

Elle avait réussi à gagner un sursis de quelques mois encore, jusqu'à ce qu'il revienne sur la fin inévitable de leur relation. En plus de se faire imposer une rupture, Ariane avait dû subir la douleur d'apprendre qu'elle n'était ni la première maîtresse, ni l'unique, ni la dernière dans la vie de celui qu'elle croyait chevaleresque. Ce qui aurait dû la faire fuir l'aimantait de plus belle. Par amour pour elle, Gérard changerait d'avis, se répétait-elle avec conviction. Et elle repoussait très loin dans un coin de son esprit la ferme résolution de son amant. Au point où, au jour de l'incontournable rupture, elle avait bêtement cru qu'il lui jouait la comédie.

Il l'avait pourtant quittée. Restée seule dans le petit hôtel discret situé un peu en dehors de la ville, celui qu'elle préférait parce qu'on fleurissait les chambres de roses fraîchement coupées et que les draps exhalaient la lavande, elle entendait encore les mots qu'il avait prononcés, qui la déchiraient. Il la laissait comme il l'avait annoncé.

— Même si j'étais un homme libre, je ne t'épouserais pas. Je ne donnerai jamais mon cœur qu'à une femme fortunée. Il ne peut en être autrement.

— Fortunée ? avait-elle répété pour s'assurer qu'elle avait bien compris.

— Oui. Il m'importe de ne jamais manquer de rien, d'échapper à la crasse et au chômage, de m'habiller chez les grands couturiers. Plus jeune, j'ai trop manqué de tout.

Les bras ballants, sidérée, elle n'avait même pas eu le ressort de pleurer: ses rêves s'écroulaient par grands pans. Ainsi donc, aux sentiments, il préférait l'argent ! Il l'admettait en toute franchise ! Quelle pitié ! Et quelle incommensurable déception ! La colère avait pris le pas sur la peine. Elle avait quitté l'hôtel en se jurant de ne plus jamais adresser la parole à un homme.

Gérard ne lui laissait que rage au cœur. Pour se venger, elle avait songé à aller le dénoncer auprès des responsables chez Films sonores Tobis, la compagnie qui l'avait embauchée. Elle avait pensé tout dévoiler à l'épouse légitime. Elle avait aussi eu envie d'étrangler le monstre de ses propres mains... Elle avait reporté chacun de ses diaboliques projets: toujours amoureuse, elle ne pouvait s'empêcher d'espérer qu'un revirement heureux surviendrait, que son amant recouvrerait la raison et reviendrait vers elle.

Avait suivi une période léthargique dont elle avait émergé en retournant sur les plateaux. Pour travailler, mais aussi pour le revoir. Du jour au lendemain, celui à qui elle s'était dévoilée, corps et âme, se comportait comme un pur étranger. Elle croyait devenir folle et devait supporter cette impression de flotter au-dessus du réel.

L'idée de se donner la mort, comme dans tant de tragédies, lui avait effleuré l'esprit. Comme elle détestait sa jeunesse ! Elle cumulait les échecs, les erreurs, les mauvaises interprétations. Trouverait-elle un jour un allié qui la comprendrait ? Un être qui pourrait, à l'image du couple uni et harmonieux formé par ses parents, compléter et remplir son existence ? Seul le désespoir semblait lui répondre.

Pour ravaler la rancune et l'aigreur, Ariane canalisait sa colère en travaillant davantage ses rôles, qu'elle rendait avec une intensité nouvelle. Cela lui valait des compliments de la part de ses maîtres. L'un d'entre eux en particulier avait noté le changement et l'avait invitée à approfondir sa démarche.

— Vous devez habiter la scène pour qu'elle devienne réelle. L'acteur ne fait pas semblant, il devient son personnage. Depuis quelques semaines, vous penchez vers cette façon d'exister. Le progrès me semble notable. Félicitations, poursuivez.

Ces mots d'encouragement avaient couvert d'un baume sa peine immense. Après tant de résistance, de refus, elle se laissait couler dans le théâtre et guérir par lui.

Un soir, alors qu'Ariane répétait, enfermée dans la chambre la plus isolée de l'appartement, Agathe était venue la trouver.

— C'est moi qui ai terminé la première !

— Comme d'habitude… Tu rafles toujours tout. Tu veux me donner la réplique ?

— J'ai été sélectionnée pour faire une tournée de vingt villes ; en France, mais d'abord en Italie et en Suisse si tout va bien. Cette fois, je veux accepter.

— Bravo. Ton talent te fera faire le tour du monde.

— Maman ne sera pas d'accord. Elle refusera que je quitte Paris sans elle.

— Allons donc ! Tu n'as qu'à lui annoncer cette nouvelle victoire, elle se lancera à tes pieds pour les baiser. Elle est ta plus grande admiratrice.

— Elle exigera de venir avec moi.

— Quel serait le problème ? Elle t'a toujours accompagnée.

— Je suis amoureuse, Ariane. Je veux faire la tournée avec lui.

— Ah… Amoureuse ? Est-ce bien prudent de partir, dans ce cas ? Toi qui m'as tant de fois prévenue des dangers du monde extérieur ? Voilà que tu te jettes dans la gueule du loup !

— Aide-moi, je ne veux pas vivre si je ne pars pas avec lui… Je ne sais pas comment affronter maman. J'en suis incapable. Tu dis vrai, je suis trop molle. Tu es la seule qui puisse lui faire entendre raison.

Ainsi donc, sa cadette portait aussi des secrets. Ariane allait-elle aider sa rivale de toujours à vivre sa passion, au moment même où la sienne s'enlisait dans la boue ? La vie pousserait-elle l'ironie jusque-là ?

Elle avait pris quelques jours pour réfléchir. Agathe lui tendait la main. Faire preuve de grandeur d'âme lui semblait une sorte de victoire sur elle-même et sur ses malheurs. Ariane avait donc fini par promettre à sa sœur d'intercéder en sa faveur.

La colère accumulée contre Gérard lui avait servi. Elle s'était montrée envers sa mère d'une dureté impitoyable qui lui faisait presque honte aujourd'hui.

— À quoi cela sert-il de préparer Agathe à une carrière de virtuose si c'est pour lui refuser ensuite de se donner en spectacle ? C'est absurde et cruel ! Elle a terminé première après toutes ces années de préparation. On lui propose une tournée. Voilà une suite logique. Tu ne peux pas lui refuser une telle occasion ! À moins que tu ne penses qu'à toi ! Et que tu ne nous aies fait traverser jusqu'ici et tout laisser juste pour satisfaire ton rêve ! Ce serait bien possible !

Devant sa fille en furie, Alice avait éclaté en pleurs. On l'accusait d'égoïsme ? Elle qui s'était battue comme une louve pour qu'Annabelle touche elle aussi sa part d'héritage à titre d'arrière-petite-fille de Jean-Jacques Martin ! Et qui avait agi de façon anonyme, utilisant le nom de Jeanne plutôt que le sien, par amour pour son enfant ! Elle lui avait ainsi épargné le choc d'apprendre que sa mère naturelle était toujours vivante et que son père lui avait menti. Elle qui, pendant des mois, n'avait pensé qu'au bien de sa première enfant essuyait tous les reproches de la part de la suivante ? Quelle dérision ! Piquée au vif, la mère avait répondu avec la même vigueur aux paroles cinglantes d'Ariane. Les filles, alignées dans la cuisine, suivaient le débat, décontenancées et attristées. Les plus jeunes pleuraient. Consciente que les choses allaient trop loin et se sentant coupable d'avoir tout déclenché, Agathe avait tenté de s'interposer entre sa mère et sa sœur.

Le calme, une fois revenu, avait laissé place au doute. Prise d'un sentiment de lassitude et forcée de reconnaître une part de vérité dans les propos de sa grande, Alice entrevoyait l'échec de cette entreprise dans laquelle elle avait entraîné ses filles. Seule Agathe offrait des promesses de réussite. Or le succès la poussait hors du giron familial.

— Tu as raison, Ariane, ta sœur doit accepter cette tournée. Elle doit apprendre à se débrouiller sans moi. Il me faut penser à vous, à votre père. Le temps est venu de rentrer à Montréal. Rien de plus n'est à espérer ici.

Les filles s'étaient tues quelques secondes pour assimiler l'annonce. Tante Jeanne, surprise par le silence subit, s'était mise à poser question sur question, cherchant à cerner la cause du désarroi collectif. Désormais âgée de soixante ans, la pauvre femme vieillissait très mal. Le moindre dérangement la plongeait dans des états de panique. Elle avait tant perdu de ses facultés, et si vite ! Alice s'était approchée de sa parente, avait calmement pris le temps de la rassurer, de lui expliquer de quoi il retournait. Spontanément, la vieille dame avait refusé fermement l'idée de s'embarquer pour le Canada. Une position qu'elle avait toujours maintenue par la suite.

— Je veux mourir en France, avait-elle réitéré en levant le poing chaque fois qu'on évoquait devant elle une possible traversée.

Il avait donc fallu l'installer dans une maison de santé. Alice s'était chargée de tout. Une amie de confiance rendrait visite à sa protégée régulièrement et lui donnerait de ses nouvelles fréquemment.

Plus le moment du départ approchait et plus Ariane devinait combien il était difficile pour sa mère de respecter le choix de son aïeule. Une complicité hors du commun unissait les deux femmes. Jeanne avait toujours été là pour Alice et pour ses filles, les gâtant et les protégeant au mieux. Attachante et aimée en dépit de sa dégénérescence, elle faisait partie de leur vie.

Lorsque vint le moment des adieux, la smala Calvino au complet pleurait à chaudes larmes.

***

La mer est calme et sans mouvement, comme un lac infini. Le mois de juillet a attiré les touristes et les vacanciers, nombreux à s'étendre sur les chaises longues au soleil sur le devant du navire. Les femmes Calvino rentrent à Montréal, Ariane peine encore à y croire en scrutant l'océan... Quand elle pénètre dans l'une des cabines des filles cet après-midi-là, une partie de Landlord's game a cours. L'apercevant dans l'encadrement de la porte, Amélie l'invite à se joindre à elles. Habituellement peu joueuse, Ariane accepte. Elle brasse les dés quand un violent mal de tête la force soudainement à s'interrompre. Elle fait mine de rien, ouvre la main. Se levant pour avancer son pion, elle laisse échapper un cri de douleur. Une crampe intestinale la plie en deux. Subitement secouée d'un spasme, elle tremble comme une feuille, assaillie par une bouffée de chaleur. Pour ne pas inquiéter son petit monde, déjà passablement perturbé par le voyage, elle doit fournir un effort titanesque pour poursuivre la partie comme si de rien n'était. Elle surmonte les pulsations à ses tempes qui la paralysent à intervalles réguliers. Quand l'heure du souper sonne, elle prétexte un manque d'appétit, puis rejoint sa couchette pour se dénuder et s'allonger. En détachant sa camisole blanche, elle aperçoit une série de taches rosacées sur son torse. Comme elle n'éprouve ni picotement ni douleur, elle enfile sa chemise de nuit, sans prêter plus d'attention aux rougeurs. Elle tombe comme une roche, s'endort d'un sommeil lourd, profond. Lorsque la famille, de retour de la salle à manger, s'installe pour la nuit, elle ne se réveille pas. Comme d'habitude, Annie et Angèle se chamaillent et font dégringoler une pile de livres, non sans fracas. Ariane, tournée vers le mur, n'a aucune réaction.

Très occupée à ce moment turbulent de la journée, Alice prépare les gamines pour la nuit, les incitant à faire leur toilette, à tresser leurs cheveux et à se laver les mains et le visage. Elle borde les fillettes dans leur couchette et leur raconte une histoire. C'est seulement une fois la nuit bien avancée qu'elle peut enfin revenir vers Ariane. *On ne l'a pas vue de la soirée, elle n'a adressé la parole à personne. Est-ce une nouvelle façon de me faire des reproches ?* pense-t-elle, craignant un peu les réactions de sa fille qu'elle comprend si mal.

— Est-ce que tu vas bien, ma chérie ?

Doucement, elle porte sa main sur le front de sa grande et sursaute tant il est brûlant ! Elle en a pourtant touché, des enfants fiévreux ! Cette fois, elle perçoit quelque chose de critique dans cette absence totale de tonus, cette torpeur générale. À cela s'ajoute une odeur nauséabonde se dégageant des couvertures : sa fille baigne dans des diarrhées malodorantes. Résistant à la panique, Alice effectue chaque geste calmement, allant quérir une grande serviette, une débarbouillette, remplissant une bassine d'eau, puis nettoyant le corps de son enfant devenue femme. Ariane délire, semble faire des cauchemars éveillés et a perdu tout contact avec le réel. Une fois sa fille propre, Alice quitte la chambre pour se diriger vers l'avant du bateau, là où un médecin et une infirmière veillent en permanence, à la disposition des passagers.

— Ma pauvre dame, ce que vous me décrivez ressemble à la typhoïde, lance la garde, affairée à ramasser son matériel médical pour se diriger au pas de course vers la chambre de la malade.

L'infirmière ne met pas longtemps à confirmer son diagnostic. La maladie étant très contagieuse, il vaut mieux que tous les occupants quittent la chambre sur-le-champ. La malade doit être mise en quarantaine.

Bouleversées, Alice et ses filles changent de cabine, abandonnant Ariane à son sort. Aussi meurtrière que le choléra, la fièvre typhoïde peut se répandre de façon fulgurante. Et elle tue souvent. Ça, tout le monde le sait.

***

Folle d'inquiétude, Alice fait de son mieux pour éviter de communiquer son désarroi à ses enfants. Elle seule a la permission de se rendre au chevet de sa fille pour lui adresser quelques mots, pour la réconforter en lui tenant la main. Une infirmière veille la malade et lui assure des soins constants. D'une heure à l'autre, l'état d'Ariane se détériore. Le médecin multiplie ses visites, ne pouvant que confirmer l'accentuation rapide des symptômes de détresse physique.

— Il faut imposer les mesures d'urgence. Le capitaine détournera la trajectoire du paquebot et nous ferons escale à New York demain. Votre fille sera conduite à l'hôpital le plus rapidement possible. Vous devez interrompre vos allées et venues dans la chambre. Elles ne sont d'aucun secours et mettent votre vie en péril de même que celle des membres de votre famille et des autres passagers.

***

Ariane, si robuste, si forte, si rarement malade, semble tomber tout d'un coup. Jamais Alice n'aurait imaginé qu'entre toutes ses filles ce soit celle-là qu'une mort précoce pourrait menacer. En pleine fleur de l'âge, encore moins ! Elle vient tout juste de célébrer ses dix-neuf ans ! Alice implore le pardon pour avoir mal aimé son enfant, l'avoir mal comprise, pour lui avoir refusé sa juste place. Elle voudrait recommencer, tout reprendre à zéro. Elle pense à Claudio, qui a chéri cette petite plus que toutes les autres, et s'interdit d'imaginer le pire. Pas plus qu'elle il ne se remettrait de la perte de cette chère Ari.

Amélie, Jeanne et Annie se montrent particulièrement affectées par la maladie de celle qui les appelle avec une tendresse maternelle ses « filles ». Pour conjurer le mauvais sort, elles rédigent des mots d'amour et d'espoir à leur grande sœur et les lancent dans la mer en interpellant Hygie, la déesse grecque de la santé. Elles tressent aussi des porte-bonheur qu'elles nouent à leur cou, espérant faire tourner la chance.

La traversée qui, pour une fois, se déroulait sans anicroche sur un océan complètement calme bifurque à New York. L'immense navire amarre au port dans les canicules de juillet 1933. Alice n'éprouve aucunement l'ivresse qu'elle ressent d'habitude lorsque, après un si long voyage, elle anticipe le moment où elle posera le pied sur la terre ferme.

Au milieu de la cohue, elle distingue vite un véhicule de pompier, garé sur le quai. Autour, des gens s'affairent à disperser la foule pour disposer d'un espace suffisant au débarquement des malades. En effet, depuis que la typhoïde a été déclarée sur le paquebot, quatre autres cas se sont ajoutés, augmentant les risques de propagation. Constatant l'ampleur des mesures, Alice est secouée.

Les brancardiers montent à bord, rapidement accueillis par le service médical. Tous agissent prestement en un ballet bien orchestré. Ariane, délirante et semi-consciente, est la première prise en charge. Amélie reste avec ses sœurs sur le navire, tandis que leur mère, affolée, suit sa grande dans le véhicule d'urgence, qui sillonne ensuite les rues de Manhattan, jusqu'à la Première Avenue, où il s'arrête au Bellevue Hospital Center, une institution d'État.

Sans délai, la malade est conduite dans une aile spéciale et isolée. Percevant par bribes les échanges entre les infirmières, Alice est à même de se faire une idée de la situation. Parce qu'elle est française, on ne fait pas attention à ce qu'on dit devant elle. Sa fille se meurt et les membres du corps médical nourrissent peu d'espoir. Ayant avisé Claudio par télégramme, elle prie pour qu'il arrive rapidement et puisse voir une dernière fois son Ari encore vivante.

***

Je me sens emplie d'une immense paix ! Cessez de vous affairer autour de mon corps ! Je n'éprouve aucun mal. Ariane aperçoit, de haut, comme si elle était hissée sur une échelle, le mouvement de ces inconnus autour d'elle. Elle voit qu'on tente de la soulager, humectant ses lèvres, changeant ses linges. Elle lit l'inquiétude sur les visages, alors qu'elle flotte doucement.

Puis la vision disparaît. Plongée dans un noir total, elle a l'impression de s'envoler, accompagnée par un son étrange qui va en s'intensifiant et en se répétant. Elle voit la lumière. Elle franchit le tunnel, rejoignant une lueur de plus en plus intense.

L'infirmière a retiré les chaussettes de la jeune femme. Elle tient une chandelle, dont elle approche la flamme de la plante des pieds. La malade ne manifeste aucune réaction, ni frémissement ni réflexe. Il faut appeler le révérend pour que la pauvre reçoive les derniers sacrements. *Quel dommage de mourir en pleine beauté !* songe la garde. Elle se signe, souffle la bougie et s'en va quérir l'homme d'Église.

— Ne me laisse pas, murmure une voix à l'oreille d'Ariane.

Le visage d'Eugène lui apparaît. Puis il s'efface. Elle sent une force qui la ramène vers cette voix. Dans un effort, Ariane a l'impression de donner un coup et de faire demi-tour.

— Elle a bougé les doigts ! Garde !

La voix de Claudio résonne dans la chambre puis dans le corridor. Sa fille refait surface, revenant du monde des morts. Le sérum, administré à l'arrivée, semble enfin faire effet !

***

— Nous avons eu beaucoup de chance ! *It's a miracle, doctor. Thank you…*

Fou de joie, Claudio secoue vigoureusement la main de l'homme en blouse blanche. Après le cauchemar qu'il a traversé, il éprouve le besoin d'exprimer fébrilement sa joie, son soulagement. Il se retient toutefois d'aviser son épouse par téléphone tant qu'on ne lui aura pas donné la certitude qu'Ariane est complètement hors de danger. Alice a dû prendre la direction de Montréal avec les filles, la famille n'ayant pas les moyens de loger dans la ville américaine. Plus tard, accroché à un appareil téléphonique de l'hôpital new-yorkais, Claudio pleure de joie en même temps que son amoureuse, enfin rassurée, au bout du fil.

***

Ariane a perdu une vingtaine de livres et beaucoup de tonus musculaire. Maigre à en faire peur, elle ne parvient pas à marcher normalement. Son état requiert une réadaptation supervisée de plusieurs semaines. Son père étant, bien malgré lui, forcé de rentrer pour finir une série de concerts à la radio, il organise sa convalescence. La jeune femme demeurera dans une maison spécialisée tenue par des religieuses. Claudio s'assure même que l'une d'entre elles parle français. Il repart au Canada l'esprit en paix.

Encore fragile et vidée de ses forces, Ariane devra apprivoiser l'isolement, la véritable solitude. Elle a dix-neuf ans, se remet d'une terrible maladie et se retrouve seule dans une ville dont elle a oublié la langue. En effet, en plus de l'avoir affaiblie, la typhoïde a altéré une partie de sa mémoire. L'anglais devra lui être à nouveau enseigné...

Une fois les premiers moments d'angoisse passés, elle constate que sa situation ne lui déplaît pas autant qu'elle l'aurait cru. Après avoir échappé à la mort, elle se sent curieuse et avide de tout. Même la solitude lui est agréable. Elle suit les bruits de la ville qui lui parviennent par la fenêtre. Elle prend le temps de rêver du jour où, enfin guérie, elle pourra à son tour courir et s'affairer.

Dans une des pièces communes, on a installé un poste de radio pour les malades. Ariane renoue avec ce compagnon qui fait de plus en plus d'adeptes dans les foyers américains. Les nouvelles d'Allemagne, fréquentes, la passionnent. Adolf Hitler, à la tête du gouvernement depuis le début de l'année, impose des mesures extrêmes telles que la peine de mort à ceux qui n'adhèrent pas à l'ordre nazi. Cet autoritarisme sans merci a de quoi éveiller les pires inquiétudes. Fritz Lang, le célèbre cinéaste, a préféré fuir son pays plutôt que de mettre son talent au service d'un gouvernement qui emprisonne les communistes, les fonctionnaires membres du parti social-démocrate et tous ceux qui n'épousent pas la cause ultranationaliste.

À Londres, la population juive invite au boycott des produits allemands en signe d'appui à ses compatriotes persécutés. Après avoir coupé les moyens d'action aux syndicats et brûlé les livres interdits sur la place publique, le nouveau chancelier dissout le dernier parti opposé à la doctrine nazie, décrétant son parti comme étant le seul autorisé. La dictature s'installe. Et en cette fin du mois de juillet, on annonce l'adoption d'une loi sur la stérilisation des gens atteints de certaines maladies mentales ou d'infirmité physique. Bouleversée, révoltée, Ariane ne peut s'empêcher de penser que, selon une telle loi, Jeanne, sa petite sœur si fragile à cause de ses poumons, aurait pu se trouver ciblée.

La puissance de la radio comme outil de communication utilisé à des fins politiques devient évidente. À la fin du mois d'août 1933, sous l'impulsion du ministère de la Propagande allemande, un poste de radio fabriqué selon des normes strictes serait lancé sur le marché germanique et vendu à bas prix. Tous les sujets auraient ainsi accès à la doctrine du Reich. En deux jours, cent mille récepteurs trouveraient preneurs. Fascinée par les méthodes avec lesquelles Hitler impose son idéologie, Ariane Calvino, elle-même privée de sa liberté de mouvement, se sent très proche de tous ceux qu'on emprisonne pour des raisons d'opposition idéologique. Elle s'inquiète. Quand, après plusieurs semaines de convalescence, elle peut enfin effectuer ses premières sorties, elle se réjouit de se trouver en terre de liberté de parole et de pensée.

***

Ariane recouvre peu à peu sa santé qui, jusque-là, ne lui avait jamais fait défaut. Dès qu'elle se sent remise, elle entreprend la découverte de cette grande ville nerveuse et effrénée, où tant de rêves venus de partout dans le monde prennent forme. Elle pourrait rentrer à Montréal pour rejoindre sa famille, mais elle a pris goût à son indépendance et à cette nouvelle autonomie acquise non sans peine. Si ses sœurs lui manquent – Amélie, Annie et Jeanne, ses préférées –, se libérer de la promiscuité lui procure un sentiment de délivrance. Les années passées avec sa mère en France lui ont pesé. Pouvoir respirer un air plus frais lui procure un bien fou.

Elle décide donc de rester à New York dans une maison de chambres pour jeunes filles, recommandée par l'un des nombreux amis de Claudio. Quoique déçu de voir son aînée reporter son retour, son père ne s'est pas objecté à sa décision.

Si la mort a fait peur à Ariane, elle lui a, en revanche, permis de reconsidérer sa carrière. *Les rêves, c'est fini pour moi. Je ne veux pas d'une vie d'artiste.* La résolution s'impose, évidente : elle tourne le dos aux chimères que ses parents échafaudent pour elle. Il est temps de passer à l'action.

***

— Je me suis trouvé du travail ! Chez RCA Victor ! Tu sais, la compagnie qui fabrique les disques ?

Tandis qu'Ariane apprend la nouvelle à son père au téléphone, elle se réjouit d'entendre la belle voix de ténor lui dire sa fierté. Elle s'adresse à lui et se demande comment elle fera pour persister dans ce mensonge qui, sans être impardonnable, ne pourra que la mettre dans l'embarras. Elle veut épargner à ses parents des inquiétudes à son sujet. De plus, elle espère qu'une telle annonce lui donnera le courage de se rendre encore une fois à la station du Red Network de la National Broadcasting Company à partir de laquelle les voix des plus grands chanteurs sont diffusées. Et même si elle a franchi les portes du magnifique gratte-ciel à maintes reprises et offert ses services à chaque visite, la vérité est qu'on n'a jamais donné suite à ses démarches. Ariane aurait plutôt dû annoncer à Claudio qu'on venait de l'embaucher comme *cigarette girl* dans un cabaret de Manhattan. Depuis l'abrogation de la loi sur la prohibition, ces établissements font des affaires au grand jour.

Ses parents désapprouveraient assurément cette existence de nuit menée par une jeune femme seule, naïve et à la santé encore chancelante. Toutefois, Ariane a accepté l'emploi sans hésiter. Pendant les premiers mois, son autonomie financière s'accompagne d'un sentiment euphorique de liberté. Aussi, au début, elle aime sentir le regard admiratif des hommes s'attardant sur ses jambes révélées sous sa jupe courte. Sur la scène au fond de l'établissement sont présentés des revues et des spectacles, musicaux pour la plupart, dans une atmosphère festive. Le charme et la force de sa jeunesse retrouvée opèrent. Ses compagnes de travail se montrent gentilles avec elle. Et elle gagne l'amitié du chanteur attitré du club, un homosexuel discret qui se fait passer pour son amant, de manière à ce que les clients la laissent en paix.

Puis le temps passant, elle en vient à découvrir l'autre facette de la vie de nuit : l'alcool consommé à outrance, les femmes démaquillées aux cheveux maculés de vomissures. Son travail, bien payé, lui permet de s'offrir une vie décente, mais l'amène tranquillement à s'habituer au glauque, au décadent et à l'obscur. À l'occasion, elle accepte même qu'un client lui offre un verre.

Alors qu'Ariane se laisse sombrer dans les méandres souterrains de la vie de nuit, les rares nouvelles qu'elle a de sa sœur Agathe indiquent le mouvement opposé. La carrière de sa cadette ne cesse de progresser et d'aller vers la lumière, accentuant la honte qu'éprouve l'aînée quant à son travail de serveuse.

Au bout de plusieurs mois de ce régime, Ariane ne sait plus comment elle parviendra à cacher encore longtemps son emploi à ses parents, à qui elle rend visite aussi souvent que possible pour qu'eux ne viennent pas la voir. Elle s'est enlisée, engluée, égarée. Elle se lève le matin, fourbue, et se couche le soir faussement réjouie par les verres d'alcool qu'on lui a offerts et qu'elle a bus. Plus que tout, elle désire une autre tournure à son destin.

***

— Ariane ? Je suis de passage dans la ville. Ton père m'a dit que tu travaillais chez RCA Victor. Je me suis rendu là-bas, j'ai posé quelques questions. Et puis j'ai fini par comprendre…

Égal à lui-même au téléphone, son cher ami s'étonne.

— Je… Eugène, je vais t'expliquer. Il ne faut rien dire à mes parents.

— Tu as ma parole. Où puis-je te rejoindre ?

Dans le sourire qu'il lui adresse en la voyant peu après, son complice de toujours ne laisse transpirer aucune condamnation. Il l'a retrouvée et c'est tout ce qui importe. Elle pose son plateau, marche vers lui et se blottit dans ses bras.

Chapitre 6

Ariane Calvino se rend au 485, Madison Avenue. Une fois par semaine, parfois plus, elle vient vérifier, encore, si la station n'aurait pas besoin d'une jeune femme comme elle, prête à tout pour travailler à la Columbia Broadcasting System, l'un des plus grands réseaux de radio des États-Unis. Le soleil de ce début de printemps 1934 réchauffe les rues, et la détresse et la pauvreté disparaissent dans ce quartier où l'argent ne semble pas manquer.

Eugène n'a fait qu'un bref arrêt à New York. Il a pu rencontrer plusieurs propriétaires de galeries. Sans s'enflammer d'enthousiasme, les galeristes américains ont quand même manifesté plus d'intérêt pour son travail que les Canadiens anglais de Montréal. À force d'insister, Eugène a pu laisser quelques toiles en consigne, espérant faire quelques ventes dans les mois à venir. Auprès de son amie, il n'a émis aucun reproche sur leur brouille épistolaire. Il s'est contenté de retrouver leur amitié intacte. Ensemble, bras dessus, bras dessous comme jadis à Montréal, ils ont sillonné la ville, discourant sur la vie et sur l'avenir.

— Tu sais, mon travail au club, c'est temporaire. Je vais finir par me trouver un job, un vrai et qui paye bien.

— Et le théâtre ?

— Terminé pour moi, le théâtre. Je ne veux pas d'une vie de misère, de bohème. Pour les artistes, il n'y a que ça. En Europe, comme en Amérique.

Pour toute réponse, Eugène avait allongé le pas. Il ne souhaitait pas assombrir leurs retrouvailles. À quoi bon se lancer dans un débat avec elle ? Il avait serré plus fort son bras contre lui et l'avait entraînée.

— Allez, entends-tu ce que j'entends ? La statue de la liberté nous appelle ! s'était-il exclamé, en mettant de la gaieté dans sa voix.

C'est revigorée par la visite de son complice de toujours qu'Ariane s'est remise à la chasse à l'espoir. Les trois mois de convalescence qu'elle avait passés l'année précédente à écouter les émissions de tous genres diffusées à la radio l'avaient déjà convaincue du pouvoir que peuvent avoir les ondes. Aussi, après s'être éloignée de son but en travaillant comme serveuse, elle est désormais déterminée à obtenir un poste dans une station de radio. Les emplois y sont intéressants, bien payés et la créativité y est recherchée.

À la CBS, William S. Paley, le jeune propriétaire de l'entreprise, a mis sur pied un système qui offre à certaines compagnies de commanditer des émissions diffusées sur l'une ou l'autre de ses nombreuses stations afin de publiciser leur nom. Old Dutch Cleanser, par exemple, a fait connaître ses savons à lessive et ses produits nettoyants auprès des femmes. La compagnie commandite des séries dramatiques divertissantes et assume une partie des coûts de la production. Ces feuilletons, très populaires, permettent aux auditrices de rêver un peu et d'oublier les privations qu'a entraînées la dépression économique. Tantôt, l'héroïne s'extasie devant ses vêtements étincelants de propreté, tantôt elle admire combien son produit de nettoyage fait briller les carrelages de la maison. En quelques heures, les ventes des produits cités ont augmenté. Tout le monde y trouve son compte ; les investisseurs s'enrichissent pendant que les ménagères se réjouissent de nettoyer leur maison avec ce qu'utilise leur vedette et modèle. De plus en plus, les entreprises voient les avantages à investir dans la radio.

En plus de son emploi du soir au Stork Club, Ariane s'intéresse à fond à la programmation journalière de CBS, qui remporte beaucoup de succès auprès de la gent féminine. Dès qu'elle dispose d'une minute, la jeune femme syntonise les séries *Just Plain Bill*, commanditée par Anacin, *Clara, Lu, and Em*, appuyée par Colgate-Palmolive, et *Pepper Young's Family*, avec Burgess Meredith dans le rôle principal. Ces émissions cartonnent. Auditrice plus avertie, vu ses solides bases en art dramatique, Ariane analyse ces *soap operas* légers et accessibles. Le jeu des comédiens à la radio n'est pas le même que pour le théâtre. Sur une scène, il faut projeter la voix, alors qu'avec un micro pour l'amplifier on doit plutôt jouer de nuances. Elle remarque l'importance des bruitages pour soutenir le récit et suggérer le contexte. Ariane s'imagine déjà contribuer à cette aventure moderne et tellement prometteuse.

— S'il existe un secteur d'avenir dans le monde, c'est bien celui de la radio ! mentionne-t-elle parfois à ses clients éméchés, qui se fichent pas mal de ce qu'elle leur raconte.

Et c'est en avril 1934 que s'ouvrent enfin les portes de ses espérances ! La veille, une dame à la voix nasillarde a appelé chez elle pour la convoquer à la station. Elle connaît le trajet par cœur et s'y rend au pas de course. On lui offre une place d'assistante au réalisateur dans le cadre des enregistrements d'une nouvelle comédie dramatique signée Norman Corwin, l'auteur à succès. Folle de joie, Ariane accepte la proposition sur-le-champ. Sur le chemin du retour, elle a le cœur en liesse.

Soulagée de quitter un milieu déprimant qui ne lui convient pas, la jeune femme s'empresse d'annoncer son départ du cabaret. Elle ignore encore le salaire qu'elle gagnera chez CBS. Tout ce qu'elle sait, c'est combien il lui tarde de recommencer à se lever à l'heure des poules pour retrouver un rythme de vie normal. Fini les clientes soûles vomissant sur leurs robes à paillettes ! Fini les hommes qui lui pincent les fesses en lui faisant des propositions gênantes. Fini la vie de nuit et ses approximations. Elle retourne à la lumière.

Eugène est le premier à être avisé de la nouvelle. S'il est heureux pour Ariane, il est chagriné pour lui. Il s'en veut de ne pas avoir insisté davantage pour la convaincre de revenir à Montréal lorsqu'il se trouvait avec elle. Les quelques jours passés ensemble à Manhattan lui avaient pourtant offert l'occasion parfaite. Avec l'aide de son père, elle aurait pu facilement décrocher un emploi à CKAC. Mais il s'était gardé une réserve, évoquant avec une fausse indifférence l'éventualité de son retour.

— Quand je reviendrai à Montréal, c'est que j'aurai de quoi être fière et que j'aurai réussi quelque chose en mon nom, avait-elle précisé, comme lisant dans ses pensées.

Le fantôme d'Agathe, pianiste reconnue jusqu'en Amérique du Sud, où elle a signé de nouveaux engagements, plane toujours. Plus que tout, Ariane veut faire ses preuves, montrer qu'elle peut réussir et se bâtir, elle aussi, une carrière. Son nouvel emploi répond enfin à ses objectifs.

L'aînée des Calvino vient d'obtenir une raison de rester en sol américain. *Maintenant*, se dit Eugène, *il est trop tard pour lui faire changer sa trajectoire !* Devant le bonheur de son amie, il ne peut que se réjouir et cacher sa déception mêlée de grandes inquiétudes. Chez CBS, une femme aussi intelligente qu'elle risque de croiser des hommes qui lui feront la cour. Un jour ou l'autre, elle finira par tomber amoureuse. Et lui ne s'en remettra pas. L'imaginer dans les bras d'un autre le rend malade.

Eugène se fait tous les reproches. Il n'a que lui à blâmer pour son inaction. Peu expérimenté auprès des femmes et trop timide pour dévoiler ses sentiments réels, il n'a pas voulu brusquer les choses. Il lui faut maintenant assumer les douloureuses conséquences de son mutisme.

Il doit oublier son séjour à Greenwich Village, alors qu'Ariane jouait les interprètes et défendait avec ferveur son talent et ses intérêts puis parvenait en fin de compte à lui obtenir deux ou trois fois le prix du marché pour ses œuvres les plus réussies. Il ne la raccompagnera plus à la maison de chambres où elle loge ni ne rêvera plus de monter avec elle. Bientôt, elle se désintéressera de son vieil ami Eugène, car elle sera amoureuse de l'un de ses collègues new-yorkais.

— Je n'ai pas le luxe d'être jeune, a-t-elle laissé échapper un jour, en croisant un couple enlacé. Je n'ai de temps que pour gagner ma vie et tenter de la réussir.

L'embauche d'Ariane à la CBS met un cœur transi d'amour sur la glace et brise tous ses espoirs.

***

Passionnée par son nouveau job, Ariane ne compte pas les heures, s'enracinant dans les studios pour pouvoir assimiler leur fonctionnement. Le fait de gagner un salaire régulier et assuré lui procure un sentiment de sécurité immense. Plus jamais elle ne s'en privera, elle s'en fait la promesse. Le poste qu'elle occupe fait appel à son intelligence et à ses connaissances. Comme elle relaie les décisions du réalisateur, la découverte du pouvoir qu'elle a sur bien des gens la grise. Comédiens et techniciens se plient à ses directives. Elle doit coordonner les horaires, planifier les répétitions, puis les enregistrements. Rien ne doit lui échapper. Et elle y parvient avec brio. Tout est réglé comme du papier à musique de sorte que les pertes de temps et d'argent se trouvent réduites au minimum.

Ariane a su se rendre indispensable auprès de son patron, *mister* Jack Gilbert, au point où d'autres réalisateurs demandent fréquemment à ce que ce soit *miss* Calvino expressément qui les assiste dans leurs tâches. Dans ses échanges épistolaires avec Eugène, où elle relate ses succès, la jeune femme ne tarit pas d'éloges au sujet de tous ces gens brillants de son entourage qui l'impressionnent tant. Elle dit se sentir comme un poisson dans l'eau. Si sa famille ne lui manquait pas autant, son bonheur serait complet.

Jamais elle n'évoque de complicité particulière en ce qui a trait à l'un de ses collègues ni laisse transparaître un penchant plus prononcé pour quiconque. Elle n'accole le mot « passion » qu'à son travail. Cette attitude incite son ami à rester patient et à persister dans ses sentiments en dépit du temps qui s'écoule.

— Tu vas dire que j'ai perdu l'esprit et que je vise trop haut, mais j'aimerais faire de la réalisation. Il m'arrive à l'occasion de remplacer Mr. Gilbert. J'adore ça ! Et chaque fois, l'équipe me complimente. Mon salaire doublerait pour les mêmes heures de travail.

Le combiné à la main, Eugène regrette déjà d'avoir pris l'initiative de lui téléphoner. Il met quelques secondes à exprimer son accord enthousiaste à ses propos. Elle interprète son hésitation comme une désapprobation.

— Je possède les qualités que le métier demande. J'en suis convaincue. Tu penses que les « créatures » ne peuvent être aussi intelligentes que les hommes ? C'est faux, je mets toutes mes forces à en faire la preuve jour après jour.

Eugène s'empresse de s'excuser. Il se lance dans les encouragements pour dissimuler une pointe de jalousie envers cet homme, le premier qu'elle évoque de façon beaucoup trop positive à son goût. Ulcéré, il accuse le coup, en se maudissant pour cette pudeur qui le retient toujours.

— Je ne suis pas la seule à espérer pratiquer la profession, tu sais. Quelques femmes travaillent comme réalisatrices à CBS, ajoute-t-elle, espérant le convaincre du bien-fondé de ses aspirations. La guerre leur a ouvert les portes et elles sont restées en poste depuis.

— Tes ambitions t'honorent. Je suis le premier à dire que rien n'est trop grand pour toi.

Les sentiments ne sont pas toujours réciproques. Et plus on les force, plus ils s'effacent. Si je ne parviens pas à me dévoiler, c'est peut-être simplement parce que je sens que l'attirance n'est pas mutuelle. Dans ce cas, je ne dois plus revenir à New York, où elle veut faire sa vie. Je dois cesser de l'appeler et de chercher à obtenir des détails à son sujet. Perclus de chagrin, et le cœur noué, Eugène est torturé par ces pensées tandis qu'il s'applique à renchérir sur le grand potentiel de sa jeune amie. Profitant de leur conversation, et comme pour répondre à un coup par un autre, il annonce tout de go qu'il est possible qu'il parte pour un long voyage autour du monde. Il croit avoir trouvé un mécène, un riche Canadien qui compte acheter certaines de ses toiles... Il entreprend alors de décrire avec un engouement exagéré ce projet qui, prétendument, l'attend, mais qu'il invente au fil de leur entretien. Après avoir raccroché, Eugène se met à pleurer comme un enfant. Il ne peut pas se sentir plus seul, plus stupide, plus impuissant.

***

Eugène n'appelle plus qu'occasionnellement. Il n'écrit plus non plus, se disant trop pris par ses préparatifs. Bien que fort occupée, Ariane se sent abandonnée et ne s'explique pas la volte-face de son complice de toujours. Elle multiplie les heures supplémentaires au boulot pour éviter de se retrouver seule dans sa chambre à peine meublée. Sur le sol, appuyée contre la table de nuit, elle sirote parfois une bière quand elle ne parvient pas à trouver le sommeil. Il y a tant de monde à New York qu'il est difficile de croire que, certains soirs, elle puisse être aussi seule !

***

À la CBS, elle a ajouté la transmission d'opérettes à son actif en remplaçant à pied levé un assistant. Ses connaissances de la musique et de la scène ont joué en sa faveur et mis les artistes à l'aise. Ses expériences s'accumulent et se diversifient. En studio, elle se sent de plus en plus à sa place et gagne l'estime de tous par son professionnalisme irréprochable.

Un peu partout sur le territoire américain, on inaugure de nouvelles stations, les vedettes les plus prestigieuses s'y présentent. Le nombre d'enregistrements s'accroît. Autour de la diffusion des ondes radio se bâtit une industrie dynamique et vigoureuse. Les projets, comme les idées, se bousculent tandis que la population se procure fébrilement ces postes, donnant accès à ce divertissement aussi peu coûteux que varié et efficace.

Ariane aime participer à ce mouvement d'effervescence sociale. Elle ne ménage pas ses efforts, ne rentrant chez elle que pour manger une bouchée, se laver, dormir et se changer pour mieux repartir. Dans ses temps libres, elle voit tout ce qu'elle peut de films, de comédies musicales et de concerts. Elle court sans cesse. L'absence de ses sœurs lui pèse, certes, mais pas autant que celle d'Eugène, le seul à qui elle se permet de tout dire. Avec le recul, elle réalise combien son ami lui a manqué alors qu'elle se trouvait en France et combien il lui manque de nouveau maintenant qu'elle est aux États-Unis. Souvent, elle aimerait l'appeler ou, mieux, qu'il prenne un train pour New York. Mais il se montre chaque fois plus distant d'une conversation à l'autre, et elle se sent blessée par ses sautes d'humeur. Pourquoi repousse-t-il ainsi son amitié ? Elle n'a commis aucune maladresse ni faux pas. Ne doit-on pas pouvoir compter sur ses camarades ? Seul Eugène lui apporte le réconfort d'une présence masculine. Elle qui ne veut ni mari ni enfants n'alimente pas les flirts et se tient éloignée des relations qui peuvent porter à l'ambiguïté. Plus elle persiste dans le célibat, plus elle apprécie cette liberté. Elle refuse de la sacrifier pour quiconque. La présence d'Eugène lui est d'autant plus essentielle. Or, il semble vouloir couper les ponts, espacer leurs échanges. Est-il tombé amoureux de quelqu'un ? Chaque fois qu'elle lui pose la question, il répond par la négative. Lui cache-t-il quelque chose ? Pourquoi cette attitude ? Elle ne s'explique pas la froideur de celui qu'elle considère comme un frère.

Lorsque son cher confident cesse complètement de lui donner signe de vie, Ariane sent que sa vie américaine s'affadit. Elle tente de se distraire. En vain. Si bien que, après presque deux années complètes aux États-Unis, elle est assaillie par le mal du pays. Une puissante envie de rentrer à la maison la prend. Elle a besoin de se réchauffer auprès des siens. Les vacances d'été s'annonçant, elle décide de se procurer un billet de train en direction de Montréal. Elle reverra ses proches et pourra aussi en avoir le cœur net au sujet du comportement étrange d'Eugène.

***

Ariane éprouve tout un choc en ce début d'été 1935. Montréal, qu'elle n'a fréquentée que sporadiquement depuis son retour en Amérique, a énormément changé. Sur le plan de la croissance démographique, beaucoup de choses ont évolué. Mais les plus grandes transformations se sont produites sur le plan social. Avec la dépression, les syndicats et les groupes de gauche se sont développés. Deux Juifs anglophones, Fred Rose, figure importante du parti communiste, et Joseph Schubert, du côté des socialistes, mènent un combat contre la répression des mouvements fascistes et bourgeois. D'autres sympathisants d'origine britannique les suivent et les soutiennent, critiquant les inégalités omniprésentes. Si les Canadiens français ne grossissent pas leurs rangs, c'est principalement à cause de la barrière de la langue.

— Les communistes, c'est pas du monde comme nous autres ! explique une voisine à Ariane.

— Mais ils travaillent pour vous ! Ils exigent de meilleures conditions pour les Canadiens français autant que pour les autres !

— Non, on les aime pas. On les comprend pas.

Parfaitement bilingue, Ariane mesure sa chance. L'isolement de ces gens, au milieu d'une mer qui leur semble hostile, lui apparaît plus évident après toutes ses années d'exil.

Ce qui la frappe aussi, c'est le courage de ces femmes, cousant, rapiéçant, cuisinant, budgétant et s'ingéniant pour parvenir à joindre les deux bouts. Un certain nombre d'entre elles travaillent en plus à l'extérieur, doublant leurs heures d'ouvrage afin de compléter le salaire de leur mari. Et comme elles accueillent un enfant de plus chaque année, elles font preuve d'une force héroïque. En arrière-fond sonore, la sympathique Bolduc chante ses airs populaires et amusants, insufflant espoir et patience dans le cœur des femmes fatiguées et de leurs maris appauvris.

Pour ces mères, ces épouses et ces filles, Ariane se sent un devoir de se joindre à celles qui réclament les mêmes conditions de travail entre les sexes et revendiquent de parler en leur nom. Car bien qu'elles touchent des salaires moindres que ceux des hommes dans les usines, ce sont les femmes que l'on remercie quand vient le temps de couper des postes. Après s'être éloignée si longtemps, Ariane sent que son attachement à son pays et à son peuple lui revient, plus vif que jamais.

***

Le retour au bercail se prolonge pour la jeune femme, qui repousse sans cesse son départ. La vie collective lui a manqué, les fous rires avec ses sœurs, la complicité, le réconfort qu'offre une famille. Avec son père, elle discute désormais d'égale à égal. Sa mère se montre plus avenante. Désillusionnée après sa dernière expérience française, Alice est plus critique quant aux mérites de l'Europe, qui lui a pris tout son héritage familial en frais de subsistance. De plus, sa chère Agathe, qui n'a pas donné de ses nouvelles depuis plusieurs mois, l'a grandement déçue par son silence. La gentillesse maternelle adoucit le cœur de l'aînée. Son vingt et unième anniversaire, que sa famille célèbre avec beaucoup d'amour et de petites attentions, vient lui confirmer à quel point sa famille est comblée de la retrouver.

Quelques jours auparavant, les fêtes de la Saint-Jean-Baptiste qui se préparaient avaient plongé Ariane dans une gaieté enfantine. Spontanément, elle s'était rendue aux ateliers pour retrouver ses anciens compagnons, ceux avec lesquels elle peignait jadis les chars allégoriques pour la parade. Les hommes s'affairaient sur les immenses maquettes, y apposant des couleurs vives et joyeuses, comme pour compenser les difficultés du moment. Ils l'avaient reconnue et accueillie avec chaleur. Les craintes de la jeune femme s'étaient confirmées : Eugène ne se trouvait pas dans le feu de l'action comme autrefois à se démener et à donner ses consignes, dirigeant les équipes avec tact.

— Il fait le tour du monde, qu'il nous a dit ! avait lancé un des manœuvres.

La nostalgie l'avait submergée. Elle se remémorait ces moments où il l'emmenait marcher, l'enserrant de ses grands bras pour se balader en ville, discuter de peinture, d'architecture ou de voyages. Elle mesurait mieux ce qu'elle avait perdu. La vie sans son cher ami devenait plus fade. Elle se demandait si, au fond, ce qu'elle ressentait ne ressemblerait pas à de l'amour…

❊❊❊

Un jour, à tout hasard, Ariane se rend à la station CKAC, où l'on diffuse beaucoup de concerts et de radiothéâtres s'inspirant des méthodes d'enregistrement qu'elle connaît bien pour les avoir expérimentées aux États-Unis. Une jeune réceptionniste qui a pris des cours de chant avec Claudio la reçoit, pleine de prévenances. Elle émet des « mademoiselle Calvino » par-ci et par-là dans une surenchère amusante.

— Vous avez manqué votre père d'une demi-heure, mademoiselle Calvino. Il a terminé tôt aujourd'hui.

— Est-ce que le directeur de la station se trouve ici ? Vous croyez que je pourrais lui dire un mot ?

— C'est que M. Dupont a une grosse journée…

— Je n'en aurai pas pour longtemps. Vous seriez gentille de m'aider.

— Asseyez-vous. Je vais voir ce que je peux faire.

Après quelques minutes d'attente, Ariane est conduite au bureau du directeur de la programmation.

— Je suis Ariane Calvino. J'aimerais travailler pour vous.

L'homme est du genre batailleur. Les personnes qui ont de l'aplomb lui plaisent. Son interlocutrice n'en manque pas. Elle lui fait part de son expérience à CBS, mentionne les réalisateurs et acteurs avec qui elle a collaboré lors de son séjour américain. Elle cite les émissions prestigieuses sur lesquelles elle a travaillé. M. Dupont saisit la balle au bond et fait une offre à la jeune femme. Il lui propose de l'embaucher comme assistante à la réalisation d'une série de radiothéâtres signés par une équipe de jeunes auteurs. Une chance inouïe !

— J'accepte le défi, répond-elle sans hésiter.

— Vous êtes allée à la bonne école. Et nous serons ravis de profiter de votre expérience avec les plus grands de la radio…

Ariane serre la main d'Arthur Dupont pour conclure l'entente. Il lui offre un poste équivalent à celui qu'elle occupait au sein de la CBS, mais parle déjà de ses possibilités d'avancement. Ici, tout est encore à faire, alors qu'aux États-Unis la compétition est féroce et déjà bien installée. Encore sonnée par l'ampleur du changement qu'elle s'apprête à vivre, Ariane remercie cet homme sympathique et inspirant. Elle entend lui montrer qu'il ne s'est pas trompé en misant sur elle. Son cœur bat fort dans sa poitrine. Elle rentre à pied à la maison, fière comme un paon. Elle ébauche déjà un plan sur la façon dont elle procédera aux prises de son afin d'améliorer le rendu des enregistrements. Son esprit vif fonctionne à cent à l'heure…

***

Chez les Calvino, on célèbre l'heureux événement autour d'un repas pour lequel sa mère s'est surpassée. Les filles, ravies d'apprendre le retour définitif de leur grande sœur, applaudissent. D'un commun accord, on alloue la chambre du fond à l'aînée, lui assurant son intimité. Elle pourra aller et venir à sa guise, la pièce donnant directement sur la cour arrière. Touchée de cette attention, Ariane embrasse les uns et les autres en les serrant contre elle. En catimini, une fois la soirée bien entamée, elle va trouver Claudio pour lui faire part des montants qu'elle versera désormais en guise de pension.

— Rien ne me réjouit plus que ton retour, mon Ari. Tu n'as pas à me payer quoi que ce soit.

— Tes épaules se sont voûtées et tu as perdu ton sourire. J'aimerais te rendre un peu de légèreté. Accorde-moi ce plaisir, je t'en prie.

— Tu m'as tant manqué. J'ai été le plus seul des hommes lorsque j'ai eu peur de te perdre, ma chérie.

Se retrouvant enfin après avoir été séparés tant d'années, le père et la fille restent longtemps enlacés.

***

Les semaines suivantes, qu'Ariane consacre au déménagement de ses effets et à la préparation de ses premiers enregistrements, filent comme des flèches. Sa vie prend tout un virage.

Avec les chaleurs de l'été, et après bien des hésitations, Ariane décide que cette soirée de juillet sera la bonne pour retrouver les copains des Beaux-Arts Chez Gina, où ils se réunissent ce dimanche-là. Secrètement, elle espère qu'on lui donnera des nouvelles fraîches d'Eugène. Mais des amis de ses parents contrecarrent ses plans lorsqu'ils passent sans prévenir à la maison pour inviter la famille à se joindre à eux pour une grande fête champêtre organisée sur les rives de la rivière des Mille Îles.

— Il y a un jeune homme que j'aimerais te présenter. Il te plaira, j'en suis certaine, affirme la fille de l'hôtesse.

Quelques minutes plus tard, Arthur Dupont téléphone à la maison, s'excusant pour son appel de dernière minute. En ce dernier dimanche de juillet, il célèbre son anniversaire chez lui et invite tous les membres du personnel de la station. C'est une tradition dont il a oublié d'aviser Ariane, mais il pense que ce serait dommage qu'elle ne soit pas des leurs. L'occasion lui permettrait de faire plus ample connaissance avec tout le monde.

— … Dont un jeune homme en particulier, ajoute-t-il, un sourire dans la voix.

Son entourage semble tenir à lui présenter un cavalier, et cela fait tiquer la jeune femme. Elle donne préséance à l'invitation de son patron et annule ses autres engagements. La vie montréalaise compensera peut-être l'absence de son ami globe-trotter, qui sait ? Sur sa dernière carte postale, Eugène a dessiné un profil d'homme aux traits négroïdes. Rien de plus. Bien que l'esquisse soit magnifique, Ariane aurait espéré un mot gentil de sa part. Attristée, elle fait contre mauvaise fortune bon cœur et va se préparer pour sa sortie.

Elle se présente élégamment vêtue à la porte de la demeure opulente de son patron, située dans l'ouest de la ville. Délaissant le pantalon, qu'elle se plaît à porter au travail à la manière toute parisienne de Coco Chanel, Ariane a opté pour une robe lilas ceinturée à la taille par un ruban écru avec une large boucle sur le devant et au col échancré sur la poitrine. Ouvrant lui-même la porte, M. Dupont l'accueille avec sa chaleur et sa simplicité coutumières. Il la prend doucement par le coude et l'entraîne dans le salon pour la présenter. Surprise de voir autant de gens, elle est incapable de se souvenir des noms de tous ses nouveaux collègues qui la saluent.

— Et voici celui que je tenais à vous faire rencontrer : mon complice et ami. Le seul et unique, Marcel Lepage.

L'homme devant elle souffle toutes ses questions sur l'amour. Voilà le bon, le vrai, celui qu'elle aimera pour toujours. Elle en a la certitude. Vêtu d'un pantalon large et d'un veston assorti sur une chemise blanche étincelante, il porte un canotier bien coupé tombant sur son front. Il est d'un chic ! Auquel s'ajoute une vivacité d'esprit hors du commun ! Marcel lui fait un sourire irrésistible. Subjuguée, elle se laisse charmer.

Dans le cœur d'Ariane, Eugène s'efface aussitôt, de même que Gérard et Louis-Marie. Il n'y a plus que lui, cet être exceptionnel et original qui se dévoile avec facilité.

Marcel Lepage raconte qu'il a dû interrompre ses études en droit cinq ans plus tôt pour intégrer le monde du travail. Esprit éclectique, il s'intéresse autant aux arts qu'à la politique ; il nourrit de grandes inquiétudes à l'égard de l'Europe, car après la Première Guerre mondiale l'Allemagne, mise à genoux par les Alliés et complètement appauvrie, menace de s'armer de nouveau. À son avis, cette guerre n'est pas terminée.

À vingt-trois ans, Marcel rêve de devenir un soldat de l'esprit, actif et mobilisé contre le totalitarisme. La lecture d'André Malraux, romancier auquel il s'identifie, l'a profondément marqué. Le roman *La Condition humaine*, publié en 1933 et gagnant du Goncourt, a fini de le convaincre : à sa manière et comme son idole, il combattra le fascisme.

Il a fait le choix des affaires avec des Américains. À CKAC, il travaille à titre de publicitaire, embauché par une firme de New York qui a ses bureaux à Montréal. Il agit comme représentant des compagnies commanditaires et assiste aux tournages afin de s'assurer de leur conformité aux attentes de ses clients. Originaire de la région d'Ottawa, élevé par une mère anglophone et un père ayant jadis été député, il est doté d'un sens aiguisé des relations publiques, détient un réseau imposant de fréquentations et possède un instinct politique sûr.

Pressé de réussir dans un monde à son sens perturbé, Lepage s'applique à servir une clientèle exigeante et avide quant aux retours sur leurs mises de fonds. Impitoyable dans la négociation de ses ententes contractuelles, il fournit à ses clients un service cinq étoiles : il doit gagner gros pour subvenir aux besoins de sa mère et de ses deux frères encore mineurs.

Il dort à peine quelques heures par nuit et consacre le reste de son temps à se bâtir une réputation avec l'objectif avoué de faire fortune. *Quand on manque d'argent, il n'y a que deux solutions: dépenser moins ou gagner plus*. Auprès des femmes, il ne recherche ni l'engagement ni une relation sérieuse.

— Le mariage n'est pas dans mes moyens, s'amuse-t-il à lancer à la volée.

Il a de grandes attentes et est prêt à tous les sacrifices. Lui qui a toujours prétendu qu'il deviendrait millionnaire avant l'âge de trente ans et qu'il mènerait une vie de célibataire sent fondre ses résolutions.

Dans les jours qui suivent sa rencontre avec le charmant Marcel Lepage, Ariane se trouve fort amusée d'apprendre qu'il est celui-là même que les amis de ses parents comptaient lui présenter. Ainsi, s'ils ne s'étaient pas rencontrés chez leur patron, ils auraient fait connaissance plus tard en soirée grâce à leurs relations communes. Le destin semble indiquer à Ariane une voie à prendre, elle qui craint pourtant d'être blessée par ses élans du cœur, jusque-là par trop décevants.

***

Le loyer déjà exorbitant augmente encore. Ne pouvant assumer de charges supplémentaires, la famille Calvino se prépare en ce mois d'août 1935 à un nouveau déménagement. Il y en a eu tant qu'Ariane ne les compte plus. Remplir des boîtes lui donne la nausée. Plutôt que de regimber, elle aide sa mère et ses sœurs à classer les objets s'empilant dans les couloirs. Un jour, elle gagnera suffisamment pour protéger sa famille du besoin et de cette fuite continuelle pour s'éloigner de la misère. Elle ne pense qu'à ça, travaille chaque jour avec cet objectif en tête. Le déménagement s'annonce pour le début de septembre. En attendant, il faut que tout soit empaqueté et prêt pour le jour J.

Dans les studios de la station, Ariane croise Marcel Lepage à maintes reprises, et chaque fois elle le trouve plus beau, plus intelligent, plus cultivé. Il lui fait une cour assidue.

Étant donné sa réputation de tombeur, elle sent qu'il vaut mieux le faire attendre. À quelques reprises, elle décline ses invitations. Pour patienter d'ici un premier rendez-vous, elle concentre ses ardeurs dans l'organisation de ses fonctions d'assistante-réalisatrice et dans celle du nouveau déménagement des siens.

***

Le 30 août 1935 marque le destin de la famille Calvino d'une croix. Le matin ensoleillé ne présage rien du drame à venir. Claudio a loué un camion, que les filles, en rang d'oignons entre la maison et le véhicule, chargent à bon rythme. Alice, fatiguée, pour avoir passé la nuit à achever les préparatifs, guide la circulation des uns et des autres.

Quand vient le moment de déplacer le piano, Claudio va quérir deux de leurs voisins les plus costauds, comme cela a été entendu la veille, pour l'aider à soulever la bête, moyennant une rétribution. Le père Calvino a fait cela cent fois et il laisse glisser les câbles, confiant, au-dessus de ses épaules. Il a oublié toutefois à quel point ces dernières années l'ont usé.

— Un, deux, trois, *GO* ! lance l'un des colosses, pressé d'en finir.

Les hommes soufflent ensemble tout en élevant lentement la masse. Il ne faut que quelques secondes pour qu'Ariane remarque une rupture subite du mouvement. Son père, dont les jambes s'affaissent sous lui, s'écroule en poussant un cri de douleur. L'un des jeunes voisins repousse l'instrument de justesse pour l'empêcher d'écraser Claudio contre le mur.

Alice se précipite aux côtés de son mari, tandis que les deux voisins stoppent le dangereux balancement du piano. Ils peinent à reposer l'instrument sur ses pattes. Ariane s'empresse de rejoindre son père, dont les traits figés trahissent une souffrance extrême. Assis à même le sol, le bras droit replié entre les jambes, il se tient l'aine en se mordant la lèvre pour ne plus crier. Ariane n'hésite pas: elle court jusqu'à la rue Sherbrooke et hèle des policiers qui passent en voiture. Les filles rejoignent Claudio, alarmées, et poussent des cris de panique. Les agents décident de conduire eux-mêmes le blessé. Ils agrippent le chanteur à bras-le-corps, l'assoient dans la voiture et partent en direction de l'hôpital.

Toute la smala se rend à l'Hôtel-Dieu de Montréal, rue Saint-Urbain. Après une courte attente, une infirmière vient quérir Mme Calvino pour l'entraîner dans une pièce en retrait, une sorte de petit cabinet des mauvaises nouvelles... D'une voix nasillarde, la religieuse apprend à Alice que son époux souffre d'une hernie étranglée qu'il faut opérer d'urgence.

Alice est la seule autorisée à adresser quelques mots à Claudio avant sa chirurgie. Elle tente de l'encourager. Le pauvre homme, livide, incapable de parler, serre la main de sa bien-aimée, l'approche de son visage dans un moment doux, tendre, infini, tel un geste d'adieu.

Alice revient vers ses filles sans retenir ses sanglots. Ariane réconforte sa mère du mieux qu'elle peut, la prenant dans ses bras comme elle le ferait avec une enfant. Les Calvino affrontent l'attente avec courage. L'espoir, c'est comme le soleil qui se lève et qui inonde à nouveau les fenêtres.

***

Claudio malheureusement ne supportera pas la chirurgie. Quelques minutes à peine après l'anesthésie, il rend l'âme sur la table d'opération. Tous les efforts ont été tentés pour le réanimer. En vain. Le grand baryton, épuisé par un travail continu et acharné, s'est échappé.

Claudio laisse derrière lui une famille inconsolable, tant d'élèves qu'il a su inspirer, des amis qu'il a aimés, des collègues, des complices, des amateurs et des amoureux de la musique. Il s'est éteint dans ce pays d'accueil qu'il avait choisi pour sien.

Amélie reste à l'hôpital en compagnie de sa mère pour se charger des formalités d'usage, tandis qu'Ariane rentre à la maison avec Jeanne, Angèle, Annie et Adeline.

L'aînée trouve la force de faire souper les jeunes, assommées par les événements et exténuées d'avoir tant pleuré, puis elle les aide à se mettre au lit. Le camion de déménagement à moitié chargé les attend. Le piano, lui, gît, abandonné comme une âme en peine, seul dans la maison. La jeune femme ne dit mot, parvenant tout juste à effectuer les gestes maternels et rassurants qui s'imposent. Tout son corps lui paraît douloureux, alourdi par le poids du chagrin.

— Est-ce qu'on va déménager ? Même si papa n'est pas là…

— Chhhhhhutt ! lance Ariane dans une réaction vive. Ne dis pas ça.

Tellement sensible, Jeanne se love sous sa couverture sur le matelas qu'elles ont déroulé en vitesse et installé à même le sol. Pour toute excuse, sa grande sœur pose un baiser furtif sur la joue de la fillette. C'est le mieux qu'elle peut faire.

Une fois les gamines endormies, terrassées par cette journée terrible, Ariane sort de la maison pour rentrer une à une les boîtes empilées sur le perron. Quelques voisins aperçoivent la jeune femme qui pleure en silence tout en déplaçant les caisses, et viennent gentiment lui apporter aide et réconfort. Tentant de rester digne, Ariane les remercie du bout des lèvres, sous l'emprise d'un profond désarroi.

Une fois seule, Ariane s'assoit pour attendre sa mère et sa sœur dans le studio vide de son père, où la semaine dernière encore il faisait travailler ses élèves. Quelques partitions oubliées jonchent le sol. La jeune femme les ramasse avec respect et les range dans une boîte entrouverte. Claudio les a touchées de son index, en a suivi le rythme, a ralenti aux passages les plus difficiles pour ensuite les reprendre. Fermant les yeux, elle le sent là, tout près ; il pose une main sur son épaule et lui murmure avec tendresse : « Te voilà, mon Ari, qui va me succéder. Je te passe le flambeau de ma vie. N'aie pas peur, je suis là, je t'aime. »

Lorsque Alice revient enfin au milieu de la soirée, raccompagnée par l'une de ses amies pianiste et son mari violoniste, sa déroute totale fait pitié à voir. Elle ne s'était pas préparée à un tel coup. En plus de son chagrin, elle doit composer avec la nouvelle qu'on vient de lui apprendre, sans trop de ménagement d'ailleurs, du montant à payer pour couvrir les frais de l'opération. Et c'est sans compter les funérailles à planifier et le déménagement à terminer puisque, dès le lendemain, d'autres locataires réclameront le logis.

La réalité frappe Ariane de plein fouet : les charges s'accumulent sur ses frêles épaules, car elle est désormais soutien de famille. Cette nuit-là, elle dort peu, s'affairant à organiser la suite des choses avec l'aide d'Amélie, sa seule alliée. Leur mère, totalement K.O., n'arrive pas à reprendre contact avec le réel et reste incapable de suivre une conversation ou d'agir concrètement.

Le lendemain, dès l'aube, avec l'aide d'amis et de nombreux voisins, Ariane et Amélie achèvent le déménagement avec beaucoup de courage. Un des élèves de Claudio conduit le camion et veille à ce que le piano trouve sa place dans la nouvelle demeure de la rue Laval.

***

À peine a-t-elle déballé les boîtes à toute vitesse qu'Ariane prend le chemin de CKAC. Elle doit participer à son premier enregistrement à titre d'assistante et s'assurer que tout le matériel est bien en place. Pas question pour elle de risquer de perdre son emploi en se faisant remplacer. Aussi se comporte-t-elle de façon inattaquable, remplissant sa tâche avec sérieux, dirigeant avec précision le travail des autres. On la félicite pour l'organisation magistralement réussie, qui constitue en fait son premier bon coup.

Sa peine, elle la garde pour elle et l'enfouit dans ses entrailles. Elle n'a pas le luxe de pleurer ou de ressentir son chagrin. Il lui faut vivre et assurer l'avenir des siens. Dans ce contexte, l'amour et les rêveries romantiques deviennent complètement dérisoires.

Lorsqu'il apprend la mort de Claudio Calvino, Marcel Lepage tente à maintes reprises d'offrir son aide à celle qui lui a tant plu lors de leur première rencontre. Mais l'heure n'est plus à la séduction ni à la fête dans la vie de la jeune femme. Elle n'a pas à le lui signifier ni à s'expliquer. Lorsqu'il trouve enfin une occasion de lui adresser la parole, il a cette impression étrange de ne pas la reconnaître. La jeune beauté s'est tout simplement métamorphosée.

Chapitre 7

Embêtée par ses inconfortables talons hauts et une ampoule à vif qui la fait souffrir à chacun de ses déplacements, la comédienne tente de ne rien laisser paraître. Jouer les ingénues la sort complètement de son quotidien et lui fait oublier ses soucis. Elle se concentre du mieux qu'elle le peut et entre sur la scène du théâtre Stella. Ariane Calvino se plonge dans son personnage sans ménager les effets de drôlerie. Distraite un instant par un éclat de rire trop appuyé d'un homme bedonnant assis au premier rang, elle pense à la facture du laitier à régler dès l'aube. Cela suffit à la faire décrocher. Son cerveau fatigué est en panne. Le trou de mémoire survient comme un cratère au-dessus duquel elle se laisse flotter. Son silence se prolonge, un malaise se répand dans la salle. La réplique, essentielle à ce moment précis, ne lui vient pas. Henri, son partenaire de jeu et ami, rattrape le coup. Dans une répartie bien tournée, il remet la pièce sur ses rails, permettant à la jeune femme de retrouver contenance et de reprendre le fil de l'action dramatique. Les spectateurs, rassurés, croient la bourde voulue et se délectent du récit amusant des mésaventures d'un homme volage, menteur et maladroit aux prises avec une suivante trop curieuse. Ariane se remet dans la peau de la soubrette, renoue avec la légèreté et termine la pièce avec brio.

Une fois de retour dans leur loge, les acteurs blaguent amicalement au sujet de l'incident. Ariane se confond en excuses et remercie ses camarades de leur soutien. Vannée et pressée de rentrer chez elle pour dormir au plus vite, elle salue l'équipe et quitte le théâtre de la rue Saint-Denis, encore un peu penaude d'avoir nui à la représentation.

Tandis qu'elle parcourt les quelques rues qui la séparent de la maison, elle mesure la chance qu'elle a de travailler avec tous ces compagnons, dont la gentillesse et la générosité ne se démentent pas. Elle avait déjà pu le constater après le décès de son père, d'ailleurs. En effet, la nouvelle de la mort de Claudio, survenue deux ans plus tôt, avait bouleversé la colonie artistique: tous s'étaient mobilisés. Une collecte avait permis d'offrir au chanteur une cérémonie d'adieu touchante ainsi qu'une sépulture à la mesure du dévouement de l'homme pour la musique et le chant. Cette manifestation de solidarité avait contribué à adoucir un peu la douleur du deuil d'Alice et de ses filles.

Retenue par sa tournée sud-américaine, Agathe n'avait pas été en mesure d'assister à la mise en terre de son père. Elle avait fait envoyer une gerbe de fleurs magnifiques et réglé une partie des frais hospitaliers. Tandis que sa mère se démenait comme un diable pour trouver des justifications à l'absence de sa grande musicienne, Ariane se sentait trahie et profondément blessée par l'outrage, qui lui semblait inexcusable. La faille entre l'aînée de la famille et les deux complices de toujours se creusait pour devenir infranchissable.

Ariane avait travaillé la veille, le jour même et le lendemain de l'enterrement de son père. Elle avait revu avec le plus grand soin ses mises en place et réglé tous les détails techniques des enregistrements auxquels elle procéderait comme assistante. Elle avait rassuré M. Dupont quant à ses capacités à exécuter son boulot comme prévu, et avait fait preuve d'un courage qui allait laisser une forte impression sur le directeur.

Ensuite, le travail n'avait plus lâché. Elle avait approfondi son métier et développé ses compétences, multipliant les expériences et les émissions. Sur *L'Heure provinciale,* commanditée par le gouvernement de la province, on présentait de tout : des extraits de pièces, des œuvres musicales, des causeries.

Touchés par son attitude et par sa fierté, de nombreux collègues lui offraient de l'aide. Comédiens comme techniciens s'efforçaient de lui faciliter la tâche. Nouvelle parmi eux, elle bénéficiait, bien involontairement, d'une indulgence de son entourage quant à d'inévitables erreurs. La dignité qu'elle affichait malgré son épreuve attirait à la jeune Calvino l'estime et l'affection de la colonie artistique. Rapidement, elle s'était taillé une place dans le cœur de tous. Elle faisait tant et si bien qu'un an à peine après ses débuts à CKAC elle avait accédé au statut de réalisatrice.

— Vous êtes prête, avait décrété le directeur de la boîte.

Tandis qu'elle parcourt la rue Saint-Denis vers le sud lui reviennent en mémoire la joie et le soulagement éprouvés après son premier enregistrement, de même que la satisfaction du devoir accompli. C'est avec toute l'élégance et tout le respect dus qu'elle voulait faire son entrée dans le salon des gens, leur apporter un peu de répit et leur ouvrir une porte sur l'inconnu. Le plaisir de communiquer en rejoignant un large public l'animait et la galvanisait. Dans son travail, Ariane se sentait utile et heureuse. Cela lui permettait de se remettre tranquillement de la perte de son principal soutien, son cher Claudio.

Au détour de la rue Laval, elle aperçoit l'appartement familial au deuxième étage d'une bâtisse en pierres de taille. La lumière d'une lampe qu'Alice a laissée allumée au salon scintille dans la fenêtre. Sa mère a beau faire de grands efforts pour tenter de remonter la pente, elle reste drapée dans une langueur et une tristesse paralysantes. La pauvre en a conscience : elle ne parvient pas à retrouver son moral et ses forces d'antan, et traîne comme une âme en peine dans les couloirs sombre de l'appartement, éprouvée par la perte de son grand amour. Sans la patience et le soutien indéfectibles de ses enfants, Alice aurait coulé à pic. D'autant plus que, pour les questions d'argent et de transactions courantes, elle nageait dans la plus complète ignorance, n'ayant jamais signé un chèque de sa vie. Ariane et Amélie avaient donc dû se débrouiller pour comprendre l'état des finances de la famille et prendre la gestion en main. Il avait bien fallu trouver des solutions pour les plus jeunes des filles: Adeline, huit ans, Annie, dix ans et Angèle, quinze ans. Encore une fois, les religieuses du couvent Marie-Rose, à la mémoire de leur professeur de chant, avaient offert de secourir la famille et de prendre en charge l'éducation des jeunes filles. Le parrain d'Angèle, un ami de Claudio qu'Ariane avait sollicité, avait accepté d'assumer une partie des frais scolaires de sa filleule, tandis que la vente de trois meubles rapportés de France avait pu couvrir les dépenses pour Annie. Finalement, l'établissement religieux, sous l'insistance de sœur Monique, avait admis Adeline gratuitement. Jeanne, handicapée par un souffle au cœur et fragile depuis toujours, resterait à la maison pour tenir compagnie à Alice tandis qu'Amélie poursuivrait des cours de secrétariat par correspondance. Elle travaillerait une fois sa formation terminée.

Principal soutien d'une grosse famille, Ariane – loin du découragement – avait eu l'impression que ses forces se décuplaient et qu'il n'existait plus d'autre priorité dans son existence que celle de gagner toujours plus d'argent. Elle avait fait savoir aux comédiens de la station qu'elle était disponible, le soir, pour jouer de petits rôles au théâtre, une fois son quart de travail terminé.

— Je te vois tout à fait là-dedans. Les sketches sont écrits le dimanche. On a le lundi pour les apprendre et les répéter. Les dialogues sont drôles et les histoires sont faites pour chasser les idées noires. Ça ne paye pas des masses, mais c'est un engagement de plusieurs mois qui te permettra de te joindre à la troupe !

Voilà ce que Rita Bellerive, toujours le cœur sur la main, lui avait proposé un jour. Ariane avait aussitôt accepté. Le soir même, elle annonçait la bonne nouvelle à sa mère. Pour un temps, ce supplément assurerait ces luxes qu'il avait fallu couper.

Durant ses pauses, Ariane mémorisait ses textes et, soir après soir, elle quittait CKAC à la course et s'empressait de se rendre au théâtre Stella, rue Saint-Denis, fréquenté par une clientèle fidèle et avide de se distraire, s'amusant sans façon et discutant souvent à voix haute pendant les spectacles, rendant le travail des comédiens plus difficile. Ariane se réjouissait d'avoir autant de pain sur la planche au moment où une majorité de personnes tiraient le diable par la queue. En plus, la jeune femme qui se croyait tellement timide se surprenait à jouer devant un public et à prendre plaisir à faire des blagues et des pitreries.

***

— J'ai cuisiné un ragoût aujourd'hui, déclare fièrement sa mère, en lui tendant une assiette fumante.

— Mmm... Il y a longtemps que tu n'en as pas fait. J'ai eu un trou encore ce soir, ajoute la jeune femme, qui savoure son seul repas chaud de la journée.

— C'est l'épuisement. Avec tout ce que tu accomplis dans une journée, il y a de quoi perdre la tête. Si tu n'étais pas là...

— Mais je suis là, maman, murmure Ariane, en posant un regard attendri sur cette femme brisée qui a perdu ses repères.

— Je vais vendre mon piano. Il ne me sert plus à rien. Et tu pourras prendre congé du théâtre.

— Allons donc, si tu t'en défais, tu ne pourras plus en jouer !

— Et alors ? Je n'ai pas touché à un clavier depuis que ton père est parti.

— Les musiciens de l'Orchestre symphonique de Montréal préparent un nouveau concert. Ils ont besoin d'une répétitrice. Tu leur serais fort utile.

La lassitude se lit sur les traits de la veuve de quarante-sept ans. Le défi lui paraît être une montagne.

— J'ai la mémoire qui flanche et la larme à l'œil.

— Ces gens ont tous connu papa, vous les avez fréquentés, fais-leur confiance. Ce sont eux qui m'ont demandé de te parler. Ils ne souhaitent que t'aider. Va les voir, on ne sait jamais. Et puis, même si nous ne manquons pas d'argent, en disposer d'un peu plus te permettrait quelques dépenses pour t'habiller, te coiffer. Tu es encore bien belle, maman.

Touchée dans sa coquetterie, Alice jette un regard sur un foulard de soie, resté accroché à la poignée du bahut. Claudio le lui avait donné. Elle ferme les yeux un instant, puis elle acquiesce mollement.

— Peut-être as-tu raison... Je vais y réfléchir.

Ariane interprète cette réponse comme un signe encourageant. Après deux années de torpeur, sa mère envisage enfin de se remettre à son instrument, son cher piano, son confident.

***

Tandis que l'orchestre de Ray Ventura et ses Collégiens fait un tabac avec sa chanson *Tout va très bien, madame la marquise*, un air que tous fredonnent hardiment, Ariane tente de déjouer l'extrême isolement dans lequel elle s'est elle-même confinée depuis la mort de son père. Certains soirs, la nostalgie l'emporte, rappelant Marcel à son souvenir. Bien qu'il travaille dans la même station qu'elle, en deux ans ils ne se sont retrouvés seul à seule qu'une fois ou deux. Chaque fois, elle n'a pu supporter cette intimité bien longtemps et s'est échappée.

Marcel a respecté l'inaccessibilité d'Ariane et son refus d'entrer en relation avec lui. Cette situation faisait même un peu son affaire. Occupé à transiger avec New York et Washington, qui abritent ses plus gros clients, et Montréal, où on tourne les publicités, il travaille comme un fou et a lui-même peu de temps à consacrer à ses amours.

***

Les traductions américaines faites à la sauvette par des gens qui ne parlent pas un mot de français se révèlent presque invariablement inadéquates, voire loufoques. Les comédiens éclatent de rire dans les studios en lançant les répliques. Léopold Houlé, qui a compilé et critiqué dans le journal *Radiomonde* les anglicismes et les formulations directement copiées de l'anglais, dénonce l'indifférence patente et choquante des commanditaires quant à la situation. Lepage a la conviction que, à long terme, ce manque de respect pour l'auditoire risque de nuire aux ventes et à l'ensemble de cette industrie publicitaire naissante. Avec fermeté et détermination, il se bat pour obtenir de la qualité dans les traductions. Pour la diffusion, il n'accepte que des textes justes dans une langue impeccable.

— *We owe it to the audience,* réplique-t-il aux clients trop empressés.

Le directeur de la station appuie les positions du publicitaire et sa volonté de créer une radio qui répond aux besoins et aux attentes particulières des Canadiens français. D'un côté, la publicité américaine ne correspond pas aux mœurs, et de l'autre, les pièces importées de France ne décrivent pas mieux les sentiments et les valeurs des Canadiens français. De plus, les nouvelles, en provenance d'Ottawa, s'avèrent trop souvent sans grand intérêt pour les auditeurs du Québec. La radio doit adapter les contenus pour offrir aux gens de la province une programmation qui leur ressemble, et qu'ils auront envie d'écouter. Établir un bulletin d'informations plus locales peut, en ce sens, offrir un bon début. On veut capter et conserver l'attention des auditeurs en glissant quelques nouvelles d'intérêt plus régional dans les bulletins à contenu canadien livrés à toutes les heures de la journée. Lepage doit travailler fort pour convaincre les compagnies américaines, qui se soucient peu de la culture locale et doutent du bien-fondé de son point de vue. Dans un combat incessant, le publicitaire doit à la fois garder la confiance de ses clients tout en modifiant les messages et faire en sorte qu'ils plaisent au public. Il faut user d'astuce, car le marché du Canada français est peu payant pour des firmes dont l'apport financier est essentiel. Il fait donc fréquemment l'aller-retour entre New York et Montréal.

De temps à autre, Ariane le croise dans un couloir, le salue poliment. Incapable de revenir à la magie de leurs premières rencontres, elle cache ses sentiments et son attirance pour lui en adoptant un ton distant, qu'il prend lui-même en retour. Quand elle le voit arriver à la station, de jolies filles à son bras, son cœur saigne. Mais comment peut-elle lui reprocher de profiter de sa liberté alors que c'est elle-même qui l'y a poussé ? Elle n'a jamais laissé transparaître la moindre petite émotion, émis le moindre signal d'intérêt en la présence du jeune homme ! Faut-il qu'elle s'étonne de son indifférence aujourd'hui ? Deux ans ont passé depuis leur rencontre chez Arthur Dupont. Elle n'espérait tout de même pas qu'il lui resterait fidèle ! Et pourtant, un jour, elle ne peut s'empêcher de lui faire la remarque :

— Moi qui croyais que vous ne vous intéressiez qu'aux affaires.

— Vous n'avez pas tort.

— J'ai cru constater que les jolies femmes retiennent aussi votre attention.

— Ne vous fiez pas aux apparences. Ni aux ragots. Dans ma vie, il n'y a que vous, lui lance-t-il sur un ton empreint d'ironie, avec un sourire en coin.

Sa réponse la laisse songeuse, car les rumeurs de liaisons prêtées à Marcel se multiplient dans les couloirs des studios, ce qui pousse Ariane à s'éloigner encore davantage de lui, dans l'espoir que le temps lui permette d'oublier ce bellâtre tellement séduisant.

La tâche n'est pas facile. L'époque n'est pas des plus encourageantes aux yeux de la jeune femme. Maurice Duplessis, élu premier ministre l'année précédente, a mis fin à trente-neuf années de règne libéral. Ariane ne voit pas d'un bon œil l'entrée en scène de ce gouvernement proche de l'Église aux valeurs conservatrices. Le parti a même moussé sa proximité avec le pouvoir religieux en faisant paraître le *Catéchisme des électeurs*. Dans ce livre, identique au *Petit catéchisme* catholique, ouvrage fort répandu dans la province du Québec, le programme du parti est élaboré à la manière des consignes religieuses. Distribué partout, le cahier gris de l'Union nationale est rapidement connu de tous. À la demande du « Chef », le crucifix est accroché à l'Assemblée nationale.

À l'intégrisme religieux du parti s'ajoute un nationalisme valorisant la défense des « vrais Canadiens français ». Ariane ne met pas longtemps à craindre les effets de cette idéologie sur son propre travail. Duplessis, défenseur farouche des intérêts de sa province devant le gouvernement central, alimente aussi une méfiance à l'égard des immigrants et des étrangers : des miséreux et des voleurs d'emplois.

Les appréhensions d'Ariane s'intensifient d'autant plus avec la montée des mouvements fascistes partout dans le monde, qui vient nourrir les peurs. En Italie, Mussolini semble s'aligner sur la politique des Allemands. Le gouvernement canadien se méfie du Duce et de ses rapprochements avec Hitler. En conséquence, à Montréal, il n'est pas recommandé d'afficher ses origines italiennes. Pour se mettre à l'abri, étant donné son nom qui circule avec les nombreuses émissions qu'elle réalise, Ariane prend la décision de signer désormais « Ariane Martin » plutôt que « Calvino ».

— Heureusement que ton père est mort ! lance Alice dans une de ses répliques théâtrales.

— Il m'appuierait. J'en suis absolument certaine. Nous n'avons pas le luxe de déplaire, chère petite maman. En tout cas, moi, je ne l'ai pas. Autant montrer patte blanche.

La discussion se boucle ainsi. Ariane a désormais acquis une assurance qui en impose à sa mère. Si elle s'en montre parfois froissée, Alice en retire néanmoins un sentiment de sécurité comme si, par sa fille, l'autorité de Claudio s'exprimait...

***

Ainsi, après deux années de travail acharné, Ariane Martin sait maintenant tout faire et est devenue indispensable à la station. En signe de reconnaissance pour son professionnalisme et son dévouement, CKAC lui offre un poste de réalisatrice pour un radioroman de quinze minutes, une adaptation d'un texte américain diffusé quotidiennement.

— Pourquoi on dit un « roman savon » ? lui demande Annie au moment de célébrer la nouvelle.

— Parce que les commanditaires sont souvent des compagnies qui vendent du savon, voilà tout !

Ariane savoure ce nouveau succès personnel, tout en s'efforçant de rester humble, évitant soigneusement de porter ombrage aux autres réalisateurs qui travaillent avec elle, aux auteurs, aux comédiens qui jouent leurs textes et à toute l'équipe technique, tous ces gens qui rendent la diffusion possible. Cette délicatesse doublée d'un grand amour de la radio et de son public font sa force. Les directeurs de la station ne peuvent que se féliciter des accomplissements de leur recrue qui, bien qu'elle soit femme, affiche une capacité de travail, une ambition et une rigueur dignes des meilleurs candidats masculins.

À sa sœur Amélie, prise d'angoisse et venue la trouver un soir dans sa chambre, Ari jure qu'elle ne quittera jamais l'appartement familial, qu'elle ne se mariera pas non plus et que, de toute façon, elle a élevé assez d'enfants dans sa vie pour ne pas en désirer. L'aînée dit en partie la vérité. Si la maternité ne l'attire pas, le sentiment amoureux, les hommes et leurs caresses lui manquent.

***

Les radios américaines prennent une place croissante sur le territoire canadien. Leur influence est étudiée et confirmée. C'est pour contrer le phénomène qu'un an plus tôt, en novembre 1936, le gouvernement fédéral, par l'entremise de la Loi sur la radiodiffusion canadienne, a créé une société publique afin d'avoir son radiodiffuseur national : Radio-Canada/CBC, dont une grosse part de la programmation est constituée d'émissions proprement canadiennes. Il faudra attendre le mois de décembre 1937 pour qu'on procède aux premières diffusions en français et en anglais.

Un jour, Ariane apprend que CBF, la station francophone de Radio-Canada à Montréal, cherche des candidats expérimentés pour vendre du temps de publicité. Elle craint que Lepage n'y soit embauché. Affolée par cette seule idée, elle rédige une missive au jeune homme. « Si vous vous laissez recruter par Radio-Canada, je pars avec vous. Vous êtes prévenu. » Poussée par la peur de le perdre, elle s'empresse d'aller glisser sa lettre sous sa porte, geste qu'elle regrette aussitôt. Pour la première fois depuis la mort de son père, elle cède à son attirance. Elle déteste déjà l'attente qui ne manquera pas de s'ensuivre. Marcel prendra-t-il son temps pour lui répondre ? La fera-t-il languir ? Ou pire, se montrera-t-il indifférent, amical ou froid ? Elle obtient sa réponse un jour où elle se trouve dans la salle des employés de la station, en train de manger en vitesse. Lepage se pointe, chapeau à large bord incliné sur le côté de la tête, il s'avance vers elle et, sans se soucier de l'étonnement des gens autour d'eux, il lui glisse à l'oreille :

— Merci pour les menaces : elles m'ont convaincu.

Le baiser léger qu'il pose dans son cou n'échappe à personne. Elle frissonne et passe près de lui rendre son embrassade au nez de ses collègues. Elle se retient difficilement. Les deux tourtereaux savent qu'ils ont désormais rendez-vous…

***

Dès le lendemain, après un enregistrement particulièrement long et compliqué, Ariane découvre Marcel qui l'attend à la sortie de la station.

— Aimez-vous le jazz, mademoiselle Calvino ?

— Je n'en ai aucune idée, monsieur Lepage.

— Je vous invite, alors... J'ai rendez-vous avec des amis. Ils vous plairont, vous verrez.

Dépitée d'apprendre qu'ils ne seront pas seuls, elle hésite un instant, se demandant si elle saura encore rire, s'amuser avec légèreté et faire la connaissance d'inconnus. Quand il pose sa main au creux de sa taille, elle ne peut plus refuser et se laisse entraîner par son ténébreux cavalier. Il faut bien qu'un jour l'amour reprenne ses droits.

— Je vous suis à une seule condition : vous cessez de me vouvoyer...

— Entendu.

Tandis qu'il hèle une voiture, Ariane remarque sa grâce et son aisance, qui lui apparaissent encore plus frappantes. Il porte le complet avec une élégance qui met son physique athlétique en valeur et le place parmi les plus beaux hommes qu'il lui ait été donné de rencontrer. De plus, il a ce chic européen, cette galanterie qu'on ne trouve pas beaucoup chez les Canadiens français de souche.

— Au Rockhead's Paradise, s'il vous plaît.

Elle monte dans la voiture et s'assied sur la banquette arrière. Les deux passagers se trouvent très proches l'un de l'autre, dans une intimité qui brusque quelque peu la jeune femme. Leurs cuisses se touchent. Elle se méfie du désir qui s'enflamme. Elle émerge d'un deuil douloureux et reste encore fragile. Elle ne veut pas courir le risque d'être seulement une femme de plus dans le cahier des conquêtes du populaire publicitaire.

La boîte de nuit étant bien connue, le chauffeur les conduit sans hésiter à la rue de la Montagne, tout près de la rue Craig. Avec les années de prohibition aux États-Unis, toute une industrie liée à la consommation d'alcool s'est développée à Montréal : boîtes de nuit, clubs et cabarets pullulent désormais dans la ville. La prostitution fleurit aussi, révélant ces femmes sans pudeur qui offrent leurs sensuels services.

Alors que Marcel s'agite à l'idée de rejoindre ce monde bouillonnant, Ariane doit surmonter son envie de descendre de la voiture pour rentrer à pied chez elle. Son expérience new-yorkaise de la vie dans les clubs lui revient en mémoire et l'angoisse. Elle doit faire un gros effort pour s'abandonner à l'aventure.

Inconscient du trouble dans lequel sa compagne se débat, Lepage savoure ce moment précieux, l'exaltation du sentiment de la conquête. Cette femme tellement différente des autres, déterminée, forte, brillante et qu'il a tenté d'oublier sans succès, voilà qu'elle l'accompagne enfin ! Il veut tout partager avec elle : sa musique, ses amis, son monde...

L'accueil qu'on leur fait au Rockhead's est très cordial. Rufus Rockhead, propriétaire de l'endroit, traite Marcel comme un frère. Il remet avec beaucoup de politesse et de déférence un œillet blanc à celle qui l'accompagne. Sur la défensive, Ariane reste près de son cavalier, intimidée devant ces gens de couleur avec lesquels ils partageront une table. De son séjour en sol américain lui reste une crainte des Afro-Américains, que l'on évitait le plus possible là-bas. Étonné par son attitude craintive, Marcel fait tout pour la mettre en confiance, la présentant aux uns et aux autres, ne la quittant pas. La jeune femme apprécie ses égards à son endroit. Elle qui a tant protégé les autres s'en remet pour une fois à la présence rassurante de son compagnon. Lepage a de l'argent et en dépense beaucoup. Il aime montrer son aisance. La soirée avance et Ariane se détend. Elle découvre en Marcel un mélomane, fin connaisseur de cette musique entraînante et sophistiquée ; le jazz et ses artistes, qu'il fréquente avec assiduité. Pour elle, c'est une révélation. Le spectacle auquel elle assiste la subjugue : six virtuoses dans des uniformes élégants, vestons cintrés et pantalons droits, jouent des airs enlevants aux arrangements ingénieux. Ils offrent une prestation unique en son genre. Les mélodies comme les interprétations s'avèrent d'une qualité artistique indéniable. Ainsi donc, ces Noirs qui ont fui le racisme des États-Unis pour rejoindre le Canada et Montréal et qui sont massivement installés dans le quartier de la Petite-Bourgogne dévoilent leur talent et leur richesse.

Travaillant le jour sur les chemins de fer, ils font de la musique la nuit ! Ariane se prend à échanger avec eux, de plus en plus à l'aise à mesure que la soirée avance. Quand la musique s'arrête, elle reprend contact avec la réalité, se sentant plus riche de nouveaux amis : Anita, Dwayne, Mary et d'autres, avec qui elle a eu du plaisir et qu'elle promet de revoir. Le spectacle qu'elle a regardé l'a ravie. Et puis, dans cette ivresse, dans cette avidité de vivre et de profiter de la musique, elle a été à même de constater combien tout cela ressemble à Marcel ! Cette facette de lui si vivante fait que, en sa compagnie, on ne s'ennuie jamais.

— On se rejoint tous au Terminal ! Pour *l'after hours* !

Elle se contente de faire non de la tête. Catégoriquement. C'est sans appel : elle a besoin de dormir. Elle travaille tôt le lendemain et n'a plus aucune endurance. Marcel, de son côté, peut passer une nuit blanche et entrer à la station au matin, frais comme une rose même sans avoir fermé l'œil de la nuit.

— Vas-y, toi. Je peux très bien rentrer seule.

Il insiste pour la reconduire. Il salue ses amis musiciens et promet qu'il les rejoindra bientôt. Il couvre sa belle de son veston et l'enlace, tel un protecteur doux et fort. Ils marchent plus d'une heure avant d'atteindre la rue Laval. Ils se retrouvent comme au premier jour, effaçant ces deux années où ils se sont perdus de vue. Le jour commence à poindre, et le soleil, comme une boule orange, inonde l'aube.

Au moment de le remercier de sa galanterie, elle se tourne vers lui. Dans son regard, elle lit tellement de désir qu'elle le craint. Elle est tentée de reculer de quelques pas pour se dégager de son emprise. Devinant ses réserves, Marcel s'écarte d'elle, lui rendant sa liberté de mouvement. Elle reste une seconde immobile, puis s'avance vers lui en ne le lâchant pas des yeux. Elle pose ses lèvres sur les siennes. Dans un baiser langoureux, les deux amoureux se perdent. Ils restent longtemps enlacés, s'embrassant encore et résistant à l'appel éperdu de leurs corps avides. Quand ils se quittent, ils ont tous deux la conviction que rien ne pourra plus les éloigner l'un de l'autre.

***

Lorsque sa fille se lève, Alice comprend au premier regard qu'un changement est survenu. Ariane, toujours tellement organisée et à son affaire, semble perdue, désemparée, mal lunée. Son aînée, celle qui prend les décisions, qui protège et qui résout tous les problèmes a été touchée par la foudre... La mère ne pose pas de questions. Elle a toujours su qu'un jour ou l'autre le grand amour frapperait. Et Alice se sent maintenant prête à reprendre son rôle de chef de famille.

— Tu es amoureuse, ma belle grande.

— Je manque surtout de sommeil, répond mollement Ariane, avant de refermer la porte sur elle. Mais oui, je suis follement amoureuse.

Cette affirmation aurait plongé Alice dans l'angoisse quelque temps auparavant. Mais après deux années de torpeur, elle s'est ressaisie. Elle a trouvé du travail à l'Orchestre symphonique comme répétitrice. Elle a repris goût à l'existence; si bien que, dans cet appartement trop étroit, mais néanmoins aménagé, meublé et décoré joliment, elle est désormais capable d'assumer de nouveau ses responsabilités, de laisser son aînée suivre le cours normal de sa vie. Elle a retrouvé des forces et pourra dorénavant subvenir en grande partie aux besoins de ses enfants. Elle n'aura pas eu recours aux pensions pour mères nécessiteuses, instaurées par le gouvernement de l'Union nationale, et elle s'en fait une fierté. Quand elle avait su que les femmes qui désiraient obtenir cette aide devaient faire la preuve de leurs bonnes mœurs en allant quérir un certificat signé de la main du prêtre de leur paroisse, par orgueil, elle s'était juré qu'elle s'en passerait.

— Mieux vaut manger ses souliers que quêter sa pitance à un curé ! répète-t-elle souvent quand elle rentre fatiguée de ses longues heures de répétition au piano.

Qu'elle s'exprime ainsi, tranchante et libre d'esprit comme elle l'a toujours été, apparaît comme un signe de sa remise sur pied. Avec ses filles qui prennent de l'âge, elle n'a plus peur qu'elles souffrent d'un manque d'argent. Après avoir élevé ses sept enfants, elle peut enfin souffler un peu. Et si elle n'a pas de grands moyens financiers, elle préserve encore son droit à la dissidence et à la protestation à l'égard de l'église catholique et des humiliations qu'elle impose aux femmes.

— Ce Maurice Duplessis, il devrait porter la soutane !

Sur ce point, Ariane donne raison à sa mère, cette personne clairvoyante et forte, qui n'a jamais accepté de courber l'échine pour se conformer.

***

La grève des midinettes qui a éclaté au cours de cet été 1937 dans les usines de la Dominion Textile, le plus gros employeur manufacturier de la province, a offert au chef d'État l'occasion d'affirmer son opposition aux mouvements syndicaux. Les cinq mille femmes grévistes exigeaient une réduction de leur semaine de travail et une reconnaissance de leur syndicat. Sans grande conviction, Maurice Duplessis s'est impliqué à titre de médiateur lorsqu'il a vu que le conflit semblait vouloir perdurer. La Dominion Textile entendait faire peu de concessions à ses ouvrières affamées par vingt-cinq jours de grève.

La radio a permis aux grévistes de s'informer sur l'état des négociations et de rester mobilisées. Grâce à leur solidarité et leur courage, les midinettes ont eu gain de cause : la semaine de travail a été abaissée à cinquante heures, les salaires de misère sont passés de onze à seize dollars par semaine et les machines s'arrêtent désormais à l'heure des repas.

Non sans fierté, Ariane constate à quel point le travail d'information effectué par la radio constitue la voix et les yeux du peuple. Et même si Marcel est plutôt associé au capital et à l'argent, il est de ceux qui applaudissent la victoire des femmes.

— Si tu veux de bons employés, homme autant que femme, paye-les bien, voilà ce que je pense.

Trop heureuse de l'entendre énoncer ce principe, Ariane n'admire qu'encore plus cet être qui lui devient chaque jour un peu plus essentiel.

Ariane Martin et Marcel Lepage sont désormais inséparables. À la station, ils profitent de chaque occasion pour se retrouver. Ils discutent, s'échangent des livres, vont au cinéma. Il la raccompagne chez elle, galamment, en la tenant par la main puis l'embrasse de plus en plus fougueusement sur le pas de la porte. Lui qui a toujours eu de l'audace avec les femmes se sent décontenancé devant celle qui l'attire plus que toute autre. Le temps passe, et le couple se fréquente depuis maintenant près d'un an. Ariane n'ose aborder la question de son attirance pour lui, qui s'amplifie au point de devenir par moments difficile à supporter. Elle a vingt-quatre ans, lui, vingt-six, et ils s'aiment…

— Je n'ai rien contre le mariage, mais pour l'instant je ne gagne pas assez pour en prendre plus à ma charge.

— Qui parle de prendre quiconque à sa charge ?

— Je ne voudrais pas que tu penses que je refuse mes responsabilités. Je veux t'épouser, mais ce n'est pas encore à ma portée. Ma mère est malade, mes frères sont encore jeunes.

— Je comprends, Marcel. Tout à fait. Car je me trouve dans la même situation que toi.

— Et j'espère que tu devines aussi combien la situation est difficile ? Un peu plus à chacune de nos rencontres… avoue-t-il, la voix tremblante d'émotion.

Après avoir assisté à un spectacle d'après-midi au Mountain Playhouse, ils ont sillonné la montagne de long en large. Et voilà que, sans trop s'en rendre compte, ils sont parvenus dans un coin en retrait, caché sous les arbres. Ariane se prend à le désirer avec une intensité féroce. Du regard, ils se signifient leur accord. Ils s'enlacent sans la réserve qu'ils ont maintenue jusqu'alors. Quand Marcel déboutonne sa veste et l'étend sur le sol, Ariane acquiesce et détache le col de sa chemise. Tous deux s'allongent et disparaissent complètement dans les taillis. Il glisse sa main dans son chemisier. Elle perd la notion du temps. Ils font l'amour au milieu du bois et des chants d'oiseaux, assouvissant enfin les feux brûlants de leur passion allumés depuis si longtemps.

***

— C'est le dix-huitième anniversaire de ma sœur Angèle. Bientôt, ce sera au tour d'Annie puis d'Adeline, et je serai libérée.

— Quelques années encore, et moi aussi j'aurai accompli mon devoir, et mes frères seront à peu près tirés d'affaire.

Ariane le sait maintenant : Marcel n'est pas le genre d'homme à rester longtemps en place. Il profite de tout, veut tout voir, tout entendre, tout connaître. Dès qu'il dispose d'une minute à lui, il lit ; les classiques russes comme Dostoïevski, son favori, autant que les auteurs français, surtout Stendhal pour la leçon d'écriture. Il connaît les auteurs contemporains : Céline et Bernanos. Avide d'informations, il suit aussi l'actualité, s'inquiète de la guerre civile espagnole autant que de la montée du nazisme en Allemagne. Jamais posé, jamais indifférent, il diversifie sa clientèle en développant le marché effervescent de Toronto. Il fait gagner beaucoup d'argent à la compagnie de publicité qui l'a embauché. Souvent, il s'imagine posséder sa propre boîte et lutter contre les publicitaires américains qui ne comprennent pas le marché canadien.

— Seuls les hommes d'affaires s'enrichissent dans ce pays ! Les employés sont condamnés à le rester !

Pour suivre un tel homme, il faut s'armer d'une bonne dose d'énergie et d'endurance physique. Sans compter qu'il a des amis partout dans les milieux les plus diversifiés. Rien ne lui plaît plus que de faire la connaissance de quelqu'un et de se laisser entraîner dans un nouvel univers. Alors, pour le simple plaisir de la découverte, il peut laisser tomber ce qu'il est en train de faire pour aller prendre un verre dans un cabaret qu'il ne connaît pas et discuter avec d'autres. Chaque nouvelle rencontre lui inspire un projet, un client à approcher, un message à rédiger. Son intelligence, sa sensibilité et son esprit d'entreprise l'emportent comme le tourbillon d'une rivière, le faisant tournoyer d'un rapide à un autre. Il est intarissable.

À ses côtés, Ariane pétille tel du champagne frais. Ses vingt-quatre ans lui confèrent l'insouciance et le désir de changer le monde propres à la jeunesse. Au contact de cet être tellement vivant à qui tout semble possible, elle sent son existence s'alléger. Elle qui s'était promis de ne plus jamais embarquer sur un navire de sa vie envisage même de voyager de nouveau pour suivre son homme dans les équipées auxquelles il rêve. Marcel, de temps en temps, sent l'appel d'outre-mer et de ces mondes lointains à explorer.

Sur le plan professionnel, les amoureux traversent une période tout aussi enivrante. À la station, on a implanté un radiojournal, *Les Nouvelles de chez nous*, en diffusion tous les jours à dix-huit heures quarante-cinq. Lepage a eu gain de cause et rédige des publicités directement en français, sans passer par la traduction américaine. Ariane, quant à elle, en plus de la réalisation du radioroman, est responsable du volet français de la présentation d'une série de concerts, diffusés originalement par CBS. Ce défi supplémentaire l'enchante parce qu'il offre aux Canadiens français un accès aux plus grands musiciens et chanteurs du monde.

Chaque fois que Marcel doit séjourner à New York pour ses affaires, Ariane s'organise discrètement pour le rejoindre. Ils passent du temps ensemble. Leurs sensuels ébats rythment leurs rencontres ; leurs corps autant que leurs âmes s'émeuvent à l'unisson.

Par moments, Ariane sent monter l'angoisse lorsqu'elle songe au récit de ces filles-mères abandonnées pour avoir commis le péché de la chair. Mais lui aurait-il été possible de demeurer chaste ?

— Et si je tombe enceinte, Marcel ?

— Alors on se mariera. N'aie pas d'inquiétudes.

Cette réponse la rassure, du moins en partie. Elle préférerait qu'il lui dise que c'est impossible, que pour venir au monde les enfants doivent avoir été désirés. Pas qu'elle craigne de brûler dans les feux de l'enfer pour avoir commis l'acte avant le mariage, mais parce que l'idée d'une vie grossissant en elle ne lui procure aucune joie. De plus, elle a l'impression que Marcel ne veut pas d'enfants non plus. Le sort de sa mère, qui en a porté plusieurs, n'évoque pour elle que le poids des responsabilités. Si Alice avait été un homme, elle serait devenue pianiste de concert. Elle avait le talent, et les maternités le lui ont volé. La réussite aurait dû lui revenir. Mais Alice ne l'obtiendra que par Agathe, sa fille tant adorée parce qu'elle existe à sa place. *Je me refuse à ce destin-là.* Ariane garde ses volontés secrètes, ne les partageant même pas avec Marcel, mais celles-ci réapparaissent chaque fois qu'ils font l'amour.

***

Le 3 septembre 1939, la France et l'Angleterre déclarent la guerre à l'Allemagne, qui vient d'envahir la Pologne. Le 10 septembre, non sans une certaine hésitation au sein de la population, dont une partie prône la neutralité, le Canada suit les Alliés et s'engage avec eux dans le conflit. William Lyon Mackenzie King, premier ministre du Canada, annonce sa décision à la radio et invite les Canadiens à soutenir l'effort de guerre. Une lourdeur dans sa voix indique à quel point l'heure est grave.

Le fantôme de la conscription de 1914 vient hanter les esprits. Au cours de la Première Guerre mondiale, les Canadiens français y avaient fortement résisté, peu enclins à défendre les intérêts britanniques. Maurice Duplessis voit dans ce nouveau conflit en Europe une occasion pour lui d'être reporté au pouvoir en se présentant comme le seul chef capable de faire valoir les revendications de son peuple. Il annonce le 25 septembre 1939 la tenue d'élections un mois plus tard, et fait de la question de la conscription l'enjeu principal de la campagne. Son opposant, Adélard Godbout, adopte une position plus nuancée quant à la participation des Québécois à la guerre, et obtient en plus l'appui de ministres fédéraux, qui menacent de quitter leur poste si l'Union nationale est réélue au Québec. Craignant de se retrouver sans voix à Ottawa, les Québécois votent pour le Parti libéral, présageant la mobilisation générale.

Marcel Lepage, comme bien d'autres de son âge, risque donc d'être appelé aux armes. Il a vingt-sept ans. Les hommes célibataires et sans attaches sont les premiers envoyés au front. Plus pour échapper à la misère que par conviction patriotique, certains s'enrôlent déjà, envoyant leurs gages à leur famille. La mort, cette ombre aux ailes noires, plane tel un rapace au-dessus de tous.

— Ce qui me semblerait infiniment triste, ce serait de quitter le monde sans avoir épousé la femme de ma vie. Je ne m'en remettrais pas, j'en ai pris conscience la nuit dernière, tandis que je m'imaginais partir au combat, déclare un jour Marcel.

Pour toute réponse, Ariane lui sourit.

— Ne fais pas d'ironie, ça porte malheur : il n'est pas question que tu quittes le monde.

— Je ne suis pas ironique, je suis amoureux. Je veux t'épouser. Avant de partir à la guerre, je souhaite te donner mon nom et avoir vécu avec toi quelque part. Nos familles ont moins besoin de nous, on pourrait s'installer ensemble, et ne plus vivre séparés.

— Commençons par nous fiancer, qu'en dis-tu ?

Quand Ariane annonce la nouvelle de ses fiançailles à sa mère, celle-ci se réjouit. Marcel Lepage ne déplaît pas à Alice. Il a du charme et de l'ascendant. Il parle avec un accent canadien, mais sa passion pour le jazz le rachète aux yeux de sa future belle-mère, car à Paris la musique noire est très à la page. La dame approuve donc l'union.

Tout va pour le mieux jusqu'à ce qu'Alice, sans crier gare, laisse échapper ces quelques mots maladroits :

— Ta sœur, elle, aura au moins l'intelligence d'épouser un Français.

Ariane ne réplique pas à la remarque, qui la refroidit. Faisant mine de devoir retourner à ses occupations, elle s'engage dans le couloir pour se diriger à sa chambre, blessée. Quelque chose chez elle rebute sa mère, invariablement. Il lui faut accepter cette tare qu'Alice voit en elle, avec laquelle elle est née et qu'elle traînera jusqu'à sa mort. Malgré tout ce qu'elle a fait, jamais l'auteure de ses jours ne lui accordera l'estime qu'elle a pour Agathe. Sa fille adorée qui, pourtant, lui écrit une fois tous les six mois quelques nouvelles brèves de ses succès restera à jamais sa préférée. Ariane doit renoncer à espérer un changement. Elle avancera tout de même vers sa réussite et son bonheur.

Chapitre 8

À cause de la guerre, les hommes partent, laissant aux femmes les tâches du quotidien, la fabrication d'armes, de bombes, d'uniformes et d'une foule de produits destinés au combat. Le chômage s'estompe, au grand soulagement des familles montréalaises, qui ont plus souvent qu'à leur tour craint de mourir de faim au cours des années précédentes.

— Moi aussi, je vais gagner de l'argent ! s'exclame Jeanne, heureuse de cet emploi décroché dans une usine de confection de vêtements.

Sa mère a beau s'objecter, sa fille reste sur ses positions. En dépit de sa santé fragile, la jeune femme apportera sa contribution financière comme les autres. Les salaires des trois aînées, ajoutés aux gains d'Alice comme pianiste, assurent à la famille Calvino un train de vie raisonnable. Dans l'appartement peuplé de filles, toutes plus belles les unes que les autres, on respire mieux.

À ceux que la crise a réduits à l'inactivité, l'option de partir outre-mer offre une solution ultime. Mais il reste que les gens de la province du Québec, plutôt hostiles à l'idée de risquer leur vie pour défendre la couronne d'Angleterre, ne s'enrôlent qu'à contrecœur. Les Canadiens français ont peu de rapports avec les « maudits Anglais », les riches, associés au capital et à l'exploitation, et partent peu convaincus. La ville se vide tranquillement de ses hommes, qui laissent derrière eux des usines dépeuplées, aux prises avec une pénurie de travailleurs. Les femmes, appelées à soutenir l'effort de guerre, suppléent en masse au manque de bras, ravies de sortir de leur cuisine et de leur isolement.

***

À la station où Ariane et Marcel se côtoient au quotidien, le conflit mondial est omniprésent. C'est à la radio que le premier ministre Mackenzie King a présenté son discours en direct, et incité les Canadiens à participer à l'effort de guerre. Et c'est la radio qui remontera le moral des gens en les tenant au courant et en les invitant à joindre leurs forces à celles des troupes. Il faut maintenir l'unité nationale et insuffler l'esprit patriotique. D'ailleurs, avec Mussolini qui se détourne des Alliés, on craint que les Italo-Canadiens ne nuisent au mouvement. Une sorte de paranoïa généralisée s'ensuit. Alice emboîte le pas à sa fille : le nom Calvino disparaît des bulletins, des livres et des uniformes scolaires, et même des documents plus officiels.

Le Bureau de censure vient d'être créé et surveille tout ce qui est mis en ondes : du bulletin météo en passant par les informations jusqu'aux courriers du cœur.

— S'il faut continuer de divertir, nous devons tous garder présent à l'esprit quel ennemi menace notre pays, répète-t-on dans les bureaux de direction des stations radiophoniques.

Les Allemands ont, les premiers, fait la preuve du pouvoir indéniable de la propagande. Diffusés sans relâche, les messages patriotiques démontrent chaque jour un peu plus à quel point les communications nazies ont un impact sur le peuple et confirment la cohésion qu'une information bien contrôlée peut exercer. De la même façon, la diffusion de l'adaptation de *La Guerre des mondes* par Orson Welles sur les ondes de CBS, aux États-Unis, avait créé une panique réelle autour d'un événement entièrement fictif et témoigné du puissant effet que pouvait avoir un message émis à la radio. Inspirée d'un roman de H. G. Wells, l'émission avait terrorisé les auditeurs en octobre 1938 en faisant croire à un débarquement d'extraterrestres venus détruire le monde. Le réalisateur avait ainsi révélé que, par une utilisation efficace des ondes, on pouvait modifier des perceptions et des comportements. Sensible à cette réalité, le gouvernement canadien exerce dorénavant un contrôle étroit sur les stations publiques et privées de son territoire.

— Mes derniers messages ont tous été refusés par le Bureau de censure. Je ne peux plus rien écrire d'autre que « Vive le Canada » !

— Les radioromans passent aussi sous la loupe.

— En vertu de la Loi sur les mesures de guerre, celle qui nous vient de 14-18, Ottawa a tous les droits, ajoute Marcel.

— Avant, on avait les gens des bonnes mœurs pour nous demander de supprimer tous les divorcés, alors que dans les histoires américaines ils sont légion. Maintenant, tous les personnages doivent encourager l'effort de guerre. Ça n'a pas de sens !

— La radio mise au service du combat !

Encourager et magnifier les actions patriotiques, voilà désormais le mot d'ordre. Se conformant à ces directives, les directeurs de stations voient leurs budgets augmenter et leurs productions se multiplier.

***

Dans la foulée, les amoureux sont occupés plus que jamais. À CKAC, le bulletin de nouvelles quotidien, diffusé en début de soirée, remporte la faveur d'un auditoire canadien-français assidu et donne raison à ceux qui défendent le régionalisme. Tranquillement, les gens s'habituent à obtenir leurs nouvelles par la radio, autant que dans les journaux.

En plus de son travail comme publicitaire, Marcel se fait régulièrement offrir de traduire et d'adapter les sketches achetés à CBS par la direction. Il accepte toutes les propositions, écrit sans arrêt, raffine son style et transpose sans cesse l'écrit au médium parlé. Il se fait valoir et gagne le plus d'argent possible.

Les femmes sont nombreuses dans les stations radiophoniques. Certaines d'entre elles occupent des fonctions importantes, exercent leur pouvoir, prennent des décisions. Parmi elles, Jovette Bernier signe *Quelles nouvelles*, où sketch après sketch la place des femmes est remise en question, toujours de façon humoristique, avec une pointe d'ironie. Ariane Martin réalise cette série et se montre fort sensible au message de celles qui réclament une plus grande justice sociale.

Ariane adhère aux revendications féministes. Le droit de vote et l'égalité des droits lui apparaissent essentiels. La jeune femme appuie, par son travail, le mouvement qui prend forme. L'ensemble de ces femmes, plus de cent mille à Montréal, occupent un emploi, gagnent leur vie, jouissent d'une force dont elles ont conscience. Et la radio leur donne une voix. Elles en profitent pour s'objecter à l'Église et s'unir aux forces syndicales, plus puissantes que jamais étant donné le travail qui ne manque plus.

***

Happés par leurs multiples tâches, les fiancés reportent constamment leur projet de mariage. Ariane s'en inquiète, car avec la France qui menace d'être battue par les Allemands, la pression s'intensifie sur les jeunes d'ici pour qu'ils s'enrôlent dans l'armée canadienne. Elle craint que la conscription ne devienne obligatoire. Quand le gouvernement vote la Loi sur la mobilisation des ressources nationales, en juin 1940, et annonce l'enregistrement des hommes et des femmes de seize ans et plus, elle y voit une confirmation de ses appréhensions. Elle n'est pas la seule à penser que la conscription est imminente. Bientôt, les plus jeunes et les célibataires seront appelés en priorité à faire leur service militaire. Le gouvernement ne leur laissera plus le choix.

D'un naturel plus confiant, Marcel se préoccupe plus de suivre les nombreux big bands qui se produisent en ville, égayant ses nuits, plutôt que de trouver les moyens d'échapper à l'appel du combat. À Montréal, alors que la prospérité est revenue et qu'un gouvernement plus ouvert et permissif est au pouvoir, on s'amuse, on s'enivre, on fête, évitant de penser à ce conflit qui fait rage à des milles et des milles de là, dans les vieux pays.

— Ma chérie, dix orchestres jouent ce soir ! Et je voudrais les entendre tous ! Viens avec nous ! Les copains de la salle de presse m'accompagnent. On part de la station ensemble.

— Tu travailles douze heures par jour et tu passes tes nuits dans les *night-clubs* ! Tu vas te ruiner la santé ! Je suis incapable de te suivre. Je risque de tomber endormie sur ma chaise.

Marcel semble inépuisable. Il peut assister à trois concerts dans une même soirée. Il brûle la chandelle par les deux bouts. En tout, il se comporte avec excès. Au lit, il se montre aussi insatiable, et Ariane ne s'en plaint pas. Si deux ou trois heures de sommeil suffisent à son fiancé pour qu'il recouvre la forme et ses esprits, la jeune femme, pour sa part, a besoin de ses huit heures de sommeil pour récupérer convenablement et accomplir ses journées de travail. Au début de leur relation, elle s'est efforcée de suivre son amoureux dans ses virées nocturnes. Elle se résigne désormais à rentrer chez elle, ne parvenant plus à tenir le rythme. Seule dans son lit, Ariane redoute parfois que celui qu'elle aime se lasse d'elle ou rencontre quelque jolie beauté. Elles sont nombreuses, les chasseresses, en ces temps où les mâles se font rares.

— Cesse de t'en faire pour tout ! Il n'y a rien à craindre, j'aime la musique, la vie est merveilleuse ! Et voilà !

***

Cependant, en juillet 1940, le gouvernement annonce que tous les hommes célibataires seront obligatoirement mobilisés.

Marcel est forcé d'admettre que sa bien-aimée avait raison et qu'ils auraient dû se marier plus tôt. Comme de nombreux autres, le couple décide donc de s'unir officiellement avant le 15 juillet pour échapper à l'enrôlement.

Accompagnée par Amélie, Ariane se précipite dans la rue Saint-Hubert bondée. Elle n'est pas la seule à vouloir dénicher une robe de mariée à bas prix et doit se mettre en file à l'entrée du magasin. Quand arrive finalement son tour, elle doit choisir parmi les robes qu'il reste. Elle achète un modèle deux tailles trop grandes pour elle...

— Jeanne se chargera des retouches. Elle a des doigts de fée.

À la hâte, les sœurs Calvino complètent leurs achats d'un ruban de satin, pour ceindre le front de la mariée, et d'un sac de soirée pailleté blanc cassé. Ariane choisit des souliers fermés de couleur crème munis, sur le dessus du pied, d'une grosse boucle rappelant les chaussures de Judy Garland dans *The Wizard of Oz*, son film favori, sorti l'année précédente. Elles s'empressent de rentrer pour procéder aux ajustements. Toute la famille y participe : l'une découd la robe, l'autre enlève les boucles sur les chaussures et les remplace par des motifs décoratifs plus discrets, une autre improvise une coiffe avec les retailles et y tresse les ganses.

Pendant ce temps, Marcel inscrit sa fiancée et lui à un mariage collectif, qui sera célébré en plein air, au parc Jarry, au cours duquel une centaine d'autres couples uniront leur destinée.

S'il aime son pays, Lepage reste réaliste : peu porté sur les activités sportives ou physiques, sur le front, il ne ferait qu'un bien piètre soldat. D'allure filiforme, il s'essouffle à rien, n'a pas un grand sens de l'orientation et tient les armes en horreur. Plutôt que de mourir en pure perte, il préférerait rester au pays et effectuer au mieux son travail. C'est une question de sagesse plus que de lâcheté, du moins le prétend-il à qui s'indigne de son esquive.

Secrètement, il se demande ce qui, du mariage ou de la guerre, lui fait le plus peur. Il adore Ariane, mais il aime aussi les autres femmes. Et puis, une fois mariées, les beautés s'étiolent et construisent des geôles autour de leur prisonnier…

— Quelle beauté ! J'épouse la plus magnifique, ma parole !

La tenue de la future mariée brille par sa simplicité : une soie crayeuse laisse les épaules dégagées et tombe en V sur le devant comme dans le dos. Sur les hanches, un volant laiteux, noué, s'achève avec une traîne, jusqu'au sol. Un bouquet d'œillets blancs à la main, Ariane sourit du mieux qu'elle le peut, cachant ses incisives noircies par les caries qu'elle n'a toujours pas les moyens de faire réparer.

Marcel lui tend le bras et s'engage avec elle vers l'autel improvisé. Le couple suit, guilleret, les autres couples avant eux. Avec une fleur à la boutonnière, un canotier incliné sur le crâne comme Fred Astaire, une mince cravate noire sur une chemise serrée au cou et une main à la poche de son pantalon impeccablement repassé, Marcel affiche l'air d'un homme comblé. Il salue, à gauche, à droite, lançant un regard complice à tous ces gars dans la force de l'âge qui, comme lui, vont se passer la corde au cou. En dépit des circonstances, sa sincérité ne semble faire aucun doute. Et si Claudio pouvait les voir de là-haut, il leur donnerait certainement son affectueuse approbation.

Marcel enfile au doigt de sa bien-aimée un jonc en argent encerclé d'or blanc, hérité de sa grand-mère et que sa mère, les larmes aux yeux, a retiré de son propre annulaire pour le lui remettre. Au moment de prononcer le « oui » fatidique, il prend le temps de déclamer un bref éloge au sentiment amoureux dans lequel il met toute la ferveur de sa fougueuse et flamboyante personnalité. Les autres nouveaux mariés, une cinquantaine à les avoir précédés, charmés par la joliesse de sa déclaration improvisée, se mettent à applaudir. *Voilà, à n'en pas douter, un mariage tout simple. Romantique à souhait, c'est une cérémonie qui me ressemble*, pense Ariane, en se laissant enfiler l'alliance au doigt. Et tandis qu'elle embrasse son bellâtre, elle ne peut réprimer une pensée pour Eugène, qu'elle aurait aimé avoir à ses côtés en ce jour déterminant. *Dommage qu'on ne se marie qu'une fois. J'aurais rêvé d'un smoking, d'un chauffeur et d'une célébration au Ritz. Mon père aurait honte, comme moi...* songe pour sa part Marcel, un peu gêné et tenant ses pensées secrètes.

Les deux familles, réunies pour la première fois, font connaissance. Les mères, aussi opposées que possible, tentent péniblement de trouver quelques points communs. Comme la mère de Marcel est anglophone, la conversation se déroule en anglais, Alice et Ariane maîtrisant la langue et les filles la comprenant à peu près. Les garçons, droits comme des piquets, les poings serrés dans leurs poches, discutent entre eux, alors que les filles, tout aussi intimidées, ricanent et restent dans leur famille. Au milieu d'eux, les nouveaux mariés sont soulagés d'avoir rendu leur engagement officiel et d'échapper ainsi à une séparation imposée.

Un buffet suit la cérémonie. À l'appartement d'Alice, qui a tenu à recevoir chez elle, le festin, en préparation depuis des jours, s'étale sur la table de la salle à manger exiguë, autour de laquelle on circule difficilement. Les amis des Calvino ont aussi été invités : les parrains des deux plus jeunes, généreux et inconditionnels mécènes, les amis de la famille, les compagnons de Claudio, toujours fidèles à sa mémoire, plusieurs des collègues de l'Orchestre symphonique comme de la radio, les camarades et collaborateurs d'Ariane, du couple et enfin les nombreux complices de Marcel, ceux qui l'accompagnent soir après soir dans les boîtes. À mesure que l'après-midi avance, des invités s'ajoutent au groupe pour venir féliciter les nouveaux mariés. Si bien qu'il finit par y avoir du monde dans toutes les pièces, dans l'escalier à l'avant du triplex, de même que sur le trottoir et dans la rue. Les voisins en viennent même à se joindre à la fête.

Au milieu des uns qui discutent et des autres qui rigolent, une mélodie joyeuse et dansante naît au salon et s'échappe par la porte ouverte de l'appartement. Bientôt, le piano se fait entendre avec la trompette. Une femme se met à chanter.

— Minnie Lester… Son style est unique, murmure-t-on dans l'attroupement.

Le swing égaie la maisonnée, tandis qu'on tape des mains et que, spontanément, on oscille sur un pied puis sur l'autre. Marcel se mêle au groupe. Il ne peut être plus heureux. Les copains dévoilent d'étranges décoctions maison qu'ils mettent en circulation parmi les convives.

Grisés par le jus de pissenlit, portés par la musique folle et réchauffés par un soleil encore présent en cette fin de journée d'été, les invités se laisser aller, desserrant leur col, enlevant leurs souliers et détachant leur tenue ajustée.

Surprise par la tournure des événements, Ariane pense d'abord à rassurer sa mère, qui a tellement travaillé pour offrir à sa fille une réception digne de ce nom et qui tient beaucoup à assurer un certain décorum.

— Les musiciens sont des gens très bien, maman.

— Des gens à la peau noire… Ils touchent à mon piano !

— Prends-le comme un honneur, maminette. Il ne se trouve pas de meilleurs pianistes en ville. Ne fais pas ces yeux-là. Allez, maman, fais-moi plaisir ! Juste aujourd'hui ! Écoute-les. Ce sont des virtuoses.

Tirée par sa fille, Alice consent à s'approcher du band enflammé. Dès les premières notes, elle reconnaît le talent des musiciens regroupés dans le salon. Mais drapée dans son orgueil, gênée d'attirer l'attention de tout le voisinage, elle résiste à se laisser séduire. Il lui faudra quelques heures et deux verres de vin de pissenlit avant qu'elle cède aux rythmes endiablés et que, de temps à autre, un déhanchement discret la trahisse.

La fête se déplacera par la suite au Rockhead's et ne se terminera qu'à l'aube, une fois les plus résistants fêtards exténués. Ariane, à bout de forces, mais comblée, n'a pas quitté son Marcel et est restée blottie contre lui. Leur première nuit en tant que mari et femme sera blanche, sur fond de musique noire. Elle restera inoubliable.

***

Dans les jours suivants, le couple s'installe dans un appartement du nord de la ville, dans un quartier où les loyers sont plus abordables et les logements, plus grands. De plus, la rivière des Mille Îles étant toute proche, les tourtereaux vont pique-niquer sur ses rives et y effectuent des sorties en plein-air. Ariane a l'impression de renouer avec la campagne de son enfance.

— Un jour, nous aussi, nous aurons une maison dans les Laurentides, je te le promets.

Ignorant tout de la vie à deux, Mme Ariane Lepage apprivoise sa nouvelle existence. Elle qui a vécu surtout avec des filles s'adapte aux particularités de la psychologie de son mari. Alors que Claudio se débrouillait très bien avec les tâches du quotidien, Marcel, lui, ne sait pas coudre un bouton, laver un plancher ou même retourner une crêpe. Traité comme un prince par sa mère pour tout ce qui se rapporte à tenir maison, il constitue plus une nuisance qu'une utilité dans sa nouvelle demeure. Comme la plupart des hommes, il délègue la préparation des repas, l'entretien général de la maisonnée et les soins aux femmes de la famille. Lui reviennent la gestion de l'argent et la prise de décisions importantes. Comme Ariane aime que les choses se fassent à son goût et qu'elle déteste les disputes, elle préfère assumer sans débattre les tâches du quotidien afin de préserver la paix dans son ménage. Il faut dire que son mari, peu habile sur le plan des travaux manuels, serait de toute façon incapable de poser une tablette, réparer un escalier, enfoncer un clou. Son époux n'excelle que dans trois domaines : discuter et s'amuser avec les amis, réussir en affaires et faire l'amour. Dans ses spécialités, il s'avère exceptionnel d'inventivité, d'assiduité et de talent.

Un soir, il rentre avec un bouquet d'œillets blancs et un jupon de dentelle.

— Enfile-le, je veux te voir ! Et regarde-moi ! Tu es tellement belle, ma chérie, ne cesse-t-il de lui murmurer, tandis qu'il passe et repasse sa main sur le doux tissu.

Un autre soir, il apporte un parfum qu'il lui demande d'essayer...

— Toute nue ? Tu veux que je me déshabille, maintenant ?

— Qu'est-ce qui l'interdit ? Le parfum t'habillera ! Ne sommes-nous pas mariés ? répond-il, non sans ironie.

Marcel semble insatiable. Il arrive que, en rentrant d'une soirée au club, il réveille Ariane en pleine nuit et la prenne avec douceur pour la laisser alanguie, confuse...

Elle acquiesce à ses demandes, flattée d'inspirer autant de désir. Elle trouve du plaisir dans le fait de se déposséder de son ventre, de ses seins, de son sexe. Les sommets d'excitation qu'il lui fait atteindre la laissent étonnée et conquise. Et la jouissance du corps, décrite comme un péché quasi mortel pour la plupart des femmes, lui apparaît comme la plus essentielle des révélations. Au point de la détourner de son travail, l'amenant à quitter la station plus tôt pour se préparer au retour de son homme et à rêver éveillée de scènes aussi érotiques qu'interdites.

Rapidement, les « capotes anglaises » épaisses, raides et encombrantes qu'il faut commander longtemps d'avance en Angleterre se font oublier dans la commode pour permettre une communion complète, sans contraintes rugueuses ni interruptions frustrantes.

Marcel adore sa vie. S'il continue toujours à envoyer une part de ses paies à sa mère et à ses frères à Ottawa, le poids financier lié à sa famille lui semble moins lourd. Il a enfin l'impression de se sortir la tête de l'eau. Avec Ariane, il élabore des projets d'avenir. Loin de s'opposer à ce que sa femme travaille et touche un très bon salaire, égal au sien parfois, il n'y voit que des avantages. À deux, ils peuvent se permettre un train de vie correct, aider leurs proches et mettre l'argent qui reste de côté. Il est persuadé qu'il a trouvé la perle rare ; une épouse intelligente, économe et ambitieuse. Très douée au lit en plus, elle sait lui donner tout le plaisir qu'un homme attend. Il n'échangerait sa place avec personne au monde, heureux de partager son existence avec une femme évoluée qui croit en lui et qui l'appuie. N'est-il pas vrai que, depuis qu'Adélard Godbout a accordé le droit de vote aux femmes en avril 1940, leur égalité est somme toute confirmée ? La province du Québec a été la dernière à emboîter le pas au reste du Canada. Thérèse Casgrain, comme bien des militantes, a fini par gagner son combat.

Côté travail, Marcel a pris du galon. CKAC diffusant désormais autant en anglais qu'en français, il est nommé responsable de la qualité et de la conformité des messages publicitaires dans les deux langues. Lepage remercie intérieurement son père pour avoir tenu à ce qu'il fasse ses études en anglais. S'il lui en avait voulu à mort jadis de l'avoir mis pensionnaire à l'âge de cinq ans dans un collège où l'on ne parlait pas un traître mot de français, il regrette aujourd'hui de n'avoir pas eu les moyens d'offrir la même chance à ses frères cadets. Maîtriser toutes les subtilités de la langue de Shakespeare lui a donné accès aux concerts, aux opéras, aux revues, aux films, aux vedettes, aux écrivains, aux intellectuels aussi bien qu'aux plus grands comiques et radioromans des États-Unis. L'avenir est là.

Il se rend régulièrement à New York pour prendre le pouls de ce qui s'y fait, visiter le personnel et les bureaux de son employeur. Il considère chacun de ses voyages comme un privilège, une chance inouïe. Il revient chaque fois nourri et ressourcé. *Les Américains, eux, ils n'ont pas peur de faire de l'argent !*

Les échanges toujours riches et animés qu'elle a avec Marcel sur le monde, la politique et les affaires donnent à Ariane de nouvelles audaces. Elle se sent plus Française que lui, mais moins qu'Alice, qui lui reproche souvent de participer à l'assimilation de la langue, à l'américanisation de la culture de ce peuple qu'elle dit tant aimer. Depuis qu'elle n'habite plus sous son toit, la jeune mariée limite les rencontres avec sa mère. Elle ne veut plus revivre ces différends qui lui ont barbouillé l'âme si longtemps. Une fois par semaine, rarement plus, elle se rend à l'appartement de la rue Laval, les bras chargés de gâteries pour les filles. Elle y prend un café noir accompagné d'un morceau de gâteau aux amandes, interroge Alice sur son état et ses besoins, prend des nouvelles de ses sœurs puis embrasse tout le monde et repart vers son nouveau quartier, non sans oublier de laisser dans la huche à pain de quoi régler les factures. La famille mûrit. Adeline, la benjamine, a célébré ses treize ans et affiche fièrement ses formes féminines sous sa chemise, faisant prendre conscience à son aînée du temps qui passe. Ariane pourra bientôt, et sans remords, mener sa vie de femme et prendre ses distances à l'égard de celle qui l'a mise au monde.

❊❊❊

Heureuse et amoureuse, Ariane se laisse aller à une certaine coquetterie, troquant de temps à autre le pantalon qu'elle porte au travail contre une tenue plus féminine et plus osée qu'elle revêt en soirée. Marcel aime la voir en robes cintrées, serrées à la taille, au décolleté plongeant. Quand elle s'avance au bras de son mari, son Clark Gable à elle, et qu'elle perçoit la fierté qu'il éprouve à se pavaner avec elle, Ariane ne souhaite rien d'autre que son bonheur. Rien, sauf peut-être que son époux sans cesse en mouvement s'assagisse un peu.

Plus occupé que jamais entre le travail et la musique, Marcel ne dort plus que trois heures par nuit. Au début, Ariane a tenté de le convaincre de ralentir son rythme effréné, mais les quelques soirées qu'elle a passées à le voir tourner en rond dans la maison comme un lion en cage ont suffi à lui indiquer qu'elle faisait fausse route. Elle a fini par accepter que son hyperactif et mélomane chéri sorte sans elle et ne rentre qu'au petit matin.

— Tu ne croises jamais de jolies femmes ?

— Il n'en existe aucune, à part toi. Je te le jure sur la tête de ma mère.

— Ne jure pas, mais reste fidèle, c'est tout ce qui m'importe.

— Tu n'as rien à craindre.

Elle opte pour la confiance. Elle ne pose plus de questions, et le laisse partir à la rencontre du grand Duke Ellington et son orchestre, ou encore suivre tous ces big bands américains qui font fureur dans les boîtes de la rue Sainte-Catherine.

***

Bien qu'il soit débordé, Marcel offre de se charger lui-même de l'adaptation d'un feuilleton américain qu'il a recommandé à la direction de CKAC. Il change les situations qui ne lui semblent pas plausibles, il ajuste le langage et intègre les messages publicitaires aux intrigues. Par cet apport, la station fait des économies intéressantes et les revenus des publicitaires augmentent. Marcel fait tant et si bien que, sans même qu'il le demande, il obtient la reconnaissance et une prime financière pour son initiative. Grâce à ces gains inattendus, il offre à sa bien-aimée ce qu'elle n'espérait plus.

— Je me suis renseigné pour avoir le nom du meilleur dentiste à Montréal.

— Un dentiste ? Tu es souffrant ?

— Pas du tout. On m'a dit que le Dr Dufresne faisait des miracles, rien de moins. Je suis passé à son bureau la semaine dernière. Je l'ai rencontré et il m'a semblé très bien, encore mieux que tout ce qu'on m'en avait dit. J'ai pris rendez-vous pour toi. Et j'ai réglé d'avance.

Il lui accorde le plus grand des luxes. Pour une fois, Ariane passe avant tout : avant leurs familles respectives, avant le loyer et les autres dépenses. Elle hésite un moment avant d'accepter. Après tout, elle s'est habituée à ces douleurs lancinantes qui lui vrillent les gencives. Elle a aussi mis au point une technique pour sourire sans dévoiler les taches brunâtres sur sa dentition. N'ayant pas l'habitude de cadeaux d'une telle valeur, Ariane se demande si, au fond, Marcel n'essaie pas subtilement de lui dire qu'elle pourrait soigner un peu plus son apparence, qu'elle se néglige et qu'il lui faut corriger la situation. Pourtant, il connaît sa peur bleue de ceux qu'elle appelle les « arracheurs de dents » ; elle aurait aimé avoir voix au chapitre pour le choisir. Bref, elle ne sait pas comment réagir. Son mari perçoit son embarras.

— Mon intention n'est pas de te chagriner, tu sais. J'essaie plutôt de te faire plaisir !

— Il n'est pas question que je porte un dentier !

Il éclate de son grand rire et la prend dans ses bras. Confuse, gênée, elle s'explique du mieux qu'elle le peut.

— Je préfère garder mes caries plutôt que de me faire enlever toutes mes dents.

— Qui te parle de ça ! Ce médecin est réputé ; il a étudié aux États-Unis et connaît toutes les techniques modernes. On parle de lui jusqu'à New York ! Il fait des miracles.

— J'aimerais pouvoir m'en assurer par moi-même.

— Eh bien, va le rencontrer et tu décideras de la suite des choses. Il n'y a pas de mal ! Tout ce que je souhaite, c'est que tes maux de dents cessent et qu'on te redonne un vrai sourire.

Ariane a le sentiment qu'il l'a comprise. Elle est soulagée, et quelque peu honteuse d'avoir regimbé alors qu'il lui offrait un présent. Elle a épousé le plus merveilleux des maris, le plus compréhensif des hommes.

— Tu es un ange. Je t'aime, murmure-t-elle, sur le ton de celle qui s'excuse pour avoir commis une faute.

Les rendez-vous chez le Dr Dufresne se répètent à intervalles réguliers. Peu à peu, les dents sont réparées. La médecine dentaire s'est développée au cours des dix dernières années, et on peut désormais plomber les caries, poser des prothèses partielles plutôt que d'arracher. Ariane regrette amèrement sa première réaction lorsqu'elle découvre à quel point l'homme désigné par son mari est non seulement le plus qualifié des professionnels, mais aussi la plus gentille des personnes. Il lui fait une dentition de vedette en lui rendant toute sa beauté et, surtout, le plaisir de sourire sans contraintes.

— Tu avais raison : ce médecin est de loin le meilleur en ville !

***

Ariane, qui a toujours mené sa barque à sa façon, apprivoise peu à peu son rôle d'épouse, et devra bientôt s'initier... à celui de mère ; elle vient tout juste d'apprendre qu'elle est enceinte.

Pour avoir vu plusieurs jeunes femmes être mises à la porte de la station dès l'instant où elles dévoilaient leur grossesse, Ariane préfère garder son secret aussi longtemps que possible. Les premiers mois, une gaine, de plus en plus serrée contre son ventre, lui permet de dissimuler ses formes, par-dessus lesquelles elle porte chemisiers amples et échancrés. Elle parvient à mystifier son entourage, Marcel compris, jusqu'à ce que Juliette, une collègue réalisatrice, lui fasse une remarque.

— À force de le comprimer comme ça, vous allez finir par le faire remonter à vos oreilles, lui murmure-t-elle avec un sourire en coin.

D'abord saisie, Ariane est ensuite prise d'un fou rire. C'est bon de se laisser aller après ces mois de dissimulation. Juliette pose sa main sur celle de sa complice et lui dit sur un ton empreint d'une grande affection :

— Ce sont les hommes tout autant que les femmes qui font les enfants. Pourquoi serions-nous les seules à en pâtir ?

— Le combat des femmes est noble et les idées, justes, mais je n'ai pas la force de me battre pour elles dans l'état où je me trouve.

— Si nous nous taisons toutes, les choses ne changeront jamais.

— Des gens dépendent de moi. Je ne peux risquer mon emploi ici. Je vous supplie de m'aider et de garder le silence.

— N'ayez crainte, je ne vous trahirai pas. Mais c'est quand même une honte : ils nous mettent enceinte, puis à la porte...

— Une ignominie que je combats à ma façon par les émissions que je réalise.

Une fois assurée de la complicité de sa collègue, Ariane prend soin de régler le renouvellement de son contrat pour l'année à venir. Comme les patrons s'étonnent de son empressement, elle prétexte avoir reçu une offre de CBF, la station de Radio-Canada, et devance la négociation de son salaire. Le coup est risqué, mais sera couronné de succès.

— Au rythme où vos paies augmentent, vous allez pouvoir vous payer un château !

M. Dupont, son patron, ne croit pas si bien dire : plus que tout, Ariane aimerait passer un jour de locataire à propriétaire. Une fois rassurée par une entente salariale signée avec ses patrons, la jeune femme profite d'un souper à la maison, au cours duquel son mari se montre particulièrement joyeux, pour lui faire part de son état.

— Je suis enceinte de bientôt quatre mois. Notre enfant est attendu pour le mois de mai.

— Et tu ne m'as rien dit ? Les chemises de nuit à volants, les caresses avec la lumière éteinte, c'était pour me cacher tes rondeurs ?

Marcel n'en revient pas. Que sa propre épouse ait pu se défier de lui le blesse terriblement.

— Marcel, tu ne sais pas garder un secret ! Tu es le premier à l'admettre. Il valait mieux attendre que tout ait été réglé. Ils ont accepté d'ajouter une clause à mon contrat. J'ai fait en sorte qu'il leur en coûte une fortune s'ils décident de me mettre à la porte.

— Et tu as manigancé ? Sans m'en toucher un traître mot ? Je suis sidéré. Moi qui croyais que j'avais de l'autorité dans ma propre maison.

— Il n'y a que Juliette que j'ai mise au courant à la station, et encore, elle l'avait deviné.

À l'évocation de ce prénom, il éclate. Juliette Gauthier n'en est pas à ses premières attaques contre les hommes. En plus, Marcel se sent menacé et inquiet à l'idée de devenir père. La colère lui monte au nez.

— Tu t'es laissé monter la tête. Comment as-tu pu ? Je te croyais intelligente ! Cette femme brise tous les couples qu'elle fréquente ; il faut t'en méfier ! Tu l'as mise au courant de ta grossesse, tu lui as demandé son avis pour ta négociation, tu as suivi ses conseils, alors que moi, ton mari, j'ai été tenu hors-jeu ! C'est toute une déception !

Ariane ne l'a jamais vu dans un tel état. De chaque côté de son visage, deux veines enflent et se colorent. Elle regrette de l'avoir blessé ainsi. Une femme doit la vérité et l'honnêteté à son mari avant quiconque, elle est d'accord. Mais elle a la conviction profonde que, une fois mis au parfum, Marcel aurait choisi le clan des hommes et l'aurait lui-même trahie.

— Imagine la situation inverse ! Si j'avais comploté avec un ami et organisé tout un plan concernant notre avenir, celui de notre famille ! Comment aurais-tu réagi ?

Ariane garde le silence, se mordant la lèvre jusqu'au sang. Pleurer lui ferait du bien, mais elle se retient, craignant que les larmes n'enveniment les choses. Marcel quitte l'appartement en claquant la porte. Ariane reste seule, avec son ventre, dans la chambre où ils font l'amour si souvent. Assise sur le lit, elle pose ses mains sur ses genoux et demeure immobile. L'angoisse monte en elle. Le rythme des battements de son cœur s'accélère tandis qu'elle peine à respirer. Une telle scène n'a pas sa place dans son couple.

Elle se repasse le film des derniers mois, les questionnements par lesquels elle est passée, se répétant pour se convaincre que son mari finira par comprendre. *Quand il reviendra, je lui expliquerai, je m'excuserai. Il me pardonnera.* Mais les heures passent et Marcel ne rentre pas. À l'aube, elle se réveille. Elle s'était endormie tout habillée sur le lit encore fait.

Fourbue et éreintée, elle téléphone à la station et se déclare malade. Rien de plus faux : elle aurait dû dire détruite, effacée, disparue, hors d'état de fonctionner. Incapable de se changer les idées, elle tourne en rond, à l'affût du moindre bruit qui signalerait le retour de son homme. La journée lui semble une éternité. Les pires reproches lui viennent en tête, des répliques cinglantes lancées par Alice autrefois, comme autant de flèches... *Ah, ces Canadiens, ils ne nous comprennent pas ! Comment veux-tu qu'un homme s'intéresse à toi ? Tu t'habilles en garçon ! Et tu n'en fais toujours qu'à ta tête !*

Marcel revient à la maison à la fin de sa journée de travail. Reconnaissant son pas dans le couloir, Ariane a le cœur noué. Il apparaît à l'entrée de la chambre, un bouquet d'œillets blancs à la main.

— Je suis désolé, ma chérie. Je t'ai inquiétée pour rien. Pardonne-moi pour ma colère. Je n'aurais pas dû te laisser comme ça.

Il lui tend ses fleurs avec, en arrière-plan, son irrésistible sourire.

— Non, non. C'est moi qui ai eu tort. J'ai commis une erreur. J'aurais dû te mettre au courant plus tôt, et avant Juliette, surtout. Tu as raison. Parfaitement.

— N'en parlons plus. Concentrons-nous sur cette bonne nouvelle qui se trouve ici !

Sa main se pose un peu timidement là où l'enfant se love. Ariane perçoit en elle un soubresaut, comme un signe, un premier contact. Son corps se détend, à demi rassuré.

De ce conflit, Ariane retiendra une leçon. À compter de ce jour, elle accordera à son mari un droit à la vérité sur quiconque, famille, amis et collègues. Elle se le tiendra pour dit, tandis que les jours et les semaines défileront.

***

Le climat politique n'est pas des plus réjouissants. Lors des élections municipales de décembre 1940, Camillien Houde brille par sa triste absence; il est alors interné dans un camp de travail ontarien depuis le mois d'août. L'homme s'est publiquement opposé à la conscription obligatoire et a été conduit *manu militari* au camp de Petawawa pour avoir incité ses concitoyens à la désobéissance civile. Adhémar Raynault est élu maire à la place de Houde, laissant les antimilitaristes et les démocrates affligés. Ariane et Marcel sont de ceux qui s'inquiètent pour la démocratie.

Noël approche, et Ariane, gonflée et prise de fréquents maux de cœur, vaque de plus en plus difficilement à ses occupations. Elle tient à offrir à sa mère, qui a passé une partie de l'automne alitée à cause d'une cassure à une jambe, des fêtes réussies. Comme tout le monde, elle cherche à oublier les combats outre-mer et les mauvaises nouvelles qui assombrissent le moral. Rien ne semble pouvoir arrêter les Allemands.

Au prix d'efforts considérables, la jeune femme parvient à surmonter les irritants et les tensions que suscite Alice, rendue maussade par l'oisiveté et par cette guerre qui coupe tous les ponts avec l'Europe.

Un jour, alors qu'elle passe chercher sa mère à l'appartement de la rue Laval pour aller faire des courses, elle est accueillie par un cri tellement intense et aigu qu'elle est persuadée qu'Alice s'est blessée de nouveau. Elle trouve sa mère appuyée sur la table, un télégramme à la main, le regard inondé d'une lumière céleste. Ariane devine qu'il s'agit d'Agathe. Émue, Alice ne parvient pas à articuler une réponse aux questions de son aînée alertée. Elle lui tend un papier bleu, que sa fille parcourt: VAIS BIEN – STOP – RETOUR À MONTRÉAL – STOP – POUR LA FÊTE DES ROIS – STOP.

Ces quelques mots, porteurs d'une bonne nouvelle après sept longues années de séparation, ont de quoi réjouir le cœur d'une maman. L'enthousiasme d'Alice est justifié et n'a rien de répréhensible. Mais il y a une telle allégresse dans le visage de sa mère qu'Ariane sent en elle s'éveiller un monstre, une jalousie restée tapie. Elle pose le document sur la table pour s'empêcher de le déchiqueter en mille miettes et de le faire avaler à sa chère maman. Elle quitte la maison sans fournir de raison et laisse Alice à son immense bonheur.

Chapitre 9

— Il n'y a pas moyen de trouver l'ombre d'un médecin pour remplacer le Dr Landry !

Marcel s'est démené comme un diable. Il a fait appel à tous ses amis, sans succès. Les premières douleurs d'Ariane ont commencé et se sont intensifiées rapidement. Fou d'inquiétude, il ne sait plus à quel saint se vouer. Après sa dernière visite au bureau de consultation médicale, Ariane s'est déclarée prête et rassurée. Si les femmes les plus fortunées préféraient donner naissance à l'hôpital, Ariane Lepage, pour sa part, tenait à accoucher à la maison. Marcel s'est objecté. Mais le Dr Landry, réputé pour sa grande expérience, a apaisé le futur père, lui répétant qu'il serait là au moment opportun et verrait à prodiguer les soins requis.

— Le corps des femmes a tout ce qu'il faut pour faire ce travail ; je vous l'assure, monsieur Lepage, la nature est une merveille !

Ironie du sort, dans les jours suivant le dernier examen d'Ariane, le Dr Landry s'est trouvé en fort mauvaise posture. Frappé par une embolie cérébrale, il a été découvert allongé au beau milieu de son jardin, râteau à la main, inanimé. Hospitalisé, paralysé des cheveux jusqu'aux orteils, il lutte pour sa propre vie depuis.

En ce 8 mai 1941, Marcel maudit le destin. Impuissant, il entend les gémissements d'Ariane et les murmures continus et apaisants de la sage-femme, affairée à empiler des draps propres, dégager les meubles dans la chambre, tirer les stores. *J'ai vu naître six enfants, en plus des chats et des chiens de la maisonnée, je sais très bien de quoi il s'agit.* Voilà les mots de sa bien-aimée qui lui reviennent. Bien entendu, le fait que le docteur ne puisse plus tenir sa promesse d'accourir au moment critique augmente l'angoisse du futur papa. Il regrette de s'être plié aux volontés de sa femme de donner la vie chez elle, au creux de son lit, dans son appartement du nord de la ville, où elle disait se sentir en sécurité. L'enfantement, ce n'est pas son affaire. Depuis les débuts de l'aventure, Lepage se sent exclu. Son épouse lui échappe dans cette relation intime et mystérieuse qui se développe sans lui. La naissance lui semble couronner son exclusion : il est totalement désemparé. Il n'est que gauche et nuisible. La seule idée de cette délivrance, que d'autres lui ont décrite comme dangereuse, douloureuse et traumatisante, le plonge dans un stress insupportable. Il quitte son bureau pour aller faire les cent pas dans le couloir.

— Je vois la tête…

Très calme, la sage-femme soutient la mère dans son formidable travail. L'enfant s'avance, normalement et sans heurt. Ariane ne hurle pas, elle reste concentrée et silencieuse. Au bout d'une période de contractions rapides et intenses, le bébé émerge en une seule poussée, comme un oiseau s'envolant vers le ciel.

— Et vous avez une fille !

À peine agrippe-t-elle le nouveau-né que la sage-femme perçoit une anomalie : à la hauteur des bras, le corps n'a que deux petites ailes minuscules, de petits moignons aux doigts comme des griffes s'agitant étrangement. Le bébé pleure vigoureusement et bouge, bien vivant. Si la forme du visage paraît normale, la bouche, elle, se révèle complètement difforme, comme flétrie et repliée. *Un bec-de-lièvre…* pense l'aidante, qui s'applique à laver le poupon avec une débarbouillette chaude, puis l'enveloppe dans des linges et le pose dans son berceau.

Tandis qu'Ariane se remet de l'effort fourni, la sage-femme revient prestement auprès d'elle et, avec toute la douceur possible, se concentre sur la récupération du placenta, une étape cruciale. Puis, comme à tout accouchement, quelques minutes après avoir recouvré ses esprits, la mère demande à voir sa fille.

Tendant la petite vers sa mère, l'aidante garde un instant le silence. Puis, la gorge serrée, elle fait son annonce.

— Votre fille n'est pas normale.

— Ah bon ? se contente de répondre Ariane, encore ahurie par la puissance de l'événement qu'elle vient de traverser.

La sage-femme lui montre le visage du poupon. Puis, en entrouvrant lentement les cotonnades, elle révèle les affreuses malformations. Le bébé, silencieux comme un condamné, a l'air d'attendre le verdict.

De l'autre côté de la porte, Marcel, inquiété par le silence, se risque à cogner. La voix de son épouse adorée lui parvient, fêlée par l'émotion :

— Elle ne pleure même plus. On dirait qu'elle veut parler...

Ariane, le regard plongé dans celui de son enfant, refuse de voir sa difformité. Elle s'accroche à ce que le bébé a de magnifiques : ses yeux, grands ouverts sur cette existence neuve. En dépit de tout, elle croule d'amour pour cette petite, la sienne, sa fille. Et si un esprit malicieux entrait dans la pièce à ce moment précis pour proposer un échange contre un poupon normal, avec la promesse formelle de garder le transfert secret, la mère déclinerait l'offre. Cette enfant, elle la prend telle quelle.

***

Alice tente de tuer le temps en attendant des nouvelles de l'accouchement d'Ariane. Il lui a fallu faire un effort surhumain pour acquiescer aux désirs de sa fille, qui préférait qu'elle ne se trouve pas à ses côtés pour l'assister. Et puis, n'y tenant plus, elle téléphone chez son aînée. En vain. La ligne semble en dérangement puisque la sonnerie se répète mais que personne ne répond. Elle se demande si elle ne devrait pas carrément prendre le prochain tramway pour se rendre au diable vauvert, où habite désormais Ariane. Obéissant à cette impulsion, en dépit de sa fatigue et de sa crainte de sortir du quartier, elle saisit sa veste. Au moment où elle s'apprête à partir, le téléphone sonne.

Agathe est alertée par le timbre de la sonnerie. Comme toute la famille, elle espère de bonnes nouvelles d'Ariane. Elle perçoit, de loin, les questions posées par sa mère. Les draps, fraîchement accrochés sur la corde à linge, se déploient dans le vent du printemps. La jeune femme se dégage prudemment du coin étroit de la galerie où elle se trouve. Son ventre a tellement grossi dans les derniers mois ! Elle se demande comment elle fera pour gonfler encore malgré tout le temps qu'il lui reste à faire. Avec sa métamorphose physique, d'autres grands changements se sont produits en elle. Depuis son retour à Montréal, elle est revenue habiter auprès de sa mère, avec ses sœurs, comme autrefois. Et il lui arrive de se sentir comme une petite fille, mais une petite fille fautive, qui n'a pas effectué correctement ses devoirs et n'a pas bien rendu ses leçons. Elle exècre ce sentiment.

— Et alors ? Le bébé est né ? s'empresse-t-elle de demander.

— Une petite fille, répond Alice en hochant la tête, mais Marcel prétend qu'on ne peut pas la voir, qu'Ariane est trop fatiguée. Il nous demande de rester chez nous.

— Pour le moment…

— Il se passe quelque chose, c'est certain.

***

Difforme… voilà le qualificatif qu'il emploie pour désigner l'anormalité pour laquelle les médecins ne peuvent fournir aucune explication.

— Une anomalie de la nature. Un accident, comme il en arrive parfois…

Marcel, dévasté, en colère, aurait voulu donner sa nouvelle-née pour l'oublier et la recommencer. Il ne parvient pas à la regarder en face plus de cinq secondes. Sa bouche tordue détruit l'équilibre de son petit visage. Et que dire du reste, ces absences monstrueuses de chaque côté de son corps ! Tout son enthousiasme s'est éteint au spectacle de ces anormalités. Il n'y a aucun réconfort possible. Il n'éprouve que de la honte, de la rage, un sentiment d'échec cuisant. Jamais il ne pourra s'habituer à une laideur et une étrangeté pareilles. Il se sent responsable, damné, monstrueux, immensément seul. Jamais il n'a vu d'enfants affublés de tels moignons griffus. Avant de la voir de ses propres yeux, il n'aurait pas cru une telle chose possible ! Les poupons doivent être roses, parfaits de traits comme de corps. Sa fille est horrible, il faut bien l'avouer ! À la station, il a refusé d'aborder le sujet et a prétendu que son bébé était atteint d'une maladie aussi dangereuse que contagieuse. Devant son attitude, personne ne pose plus de questions. Pour se protéger, Marcel se jette dans le travail.

***

Agathe Calvino, comme chaque matin depuis la naissance de sa nièce, se lève à l'aube, traverse le long couloir pour parvenir à la cuisine, chauffe le lait, revient vers le salon, soulève l'enfant tout en veillant à la langer soigneusement. Elle la nourrit à la bouteille pour permettre à sa sœur de dormir. Il lui faut trouver une position qui soit confortable pour elles deux, car son ventre à elle est de plus en plus imposant. Dans la lumière du petit jour, elle entonne des airs enfantins, ceux qu'elle a appris à ses débuts, au temps où elle posait ses mains sur le clavier d'un piano, gigantesque pour elle. Il lui semble que l'enfant boit mieux lorsqu'elle chante. En prenant soin de sa nièce, elle a l'impression de faire quelque chose pour aider sa sœur dans son épreuve et ça lui fait du bien.

Le jour où la vérité avait enfin été révélée au sujet du bébé, Agathe avait tout de suite offert de venir s'installer chez Ariane pour assurer ses relevailles. Et même si son aînée ne s'était pas montrée particulièrement emballée, elle avait maintenu son offre. Ariane s'était étonnée de son insistance, et en avait parlé avec Amélie.

— Nous n'avons jamais eu grand-chose en commun, elle et moi. En fait, je ne vois pas comment nous pourrions supporter d'habiter dans le même appartement. Il ne serait jamais assez grand pour nous deux !

— Agathe a beaucoup changé en sept ans, avait souligné la conciliante Amélie. Elle-même porte un enfant. Et depuis son retour, elle me paraît plus généreuse, plus fragile. Pense au bien-être de ta fille. Tu préfères engager une inconnue ?

— Elle débarque comme ça après tant d'années d'absence ! Sans m'avoir donné signe de vie, ni même écrit une seule lettre ! Et elle veut que je lui fasse une place chez moi, que je lui offre du travail ? C'est trop facile. Moi, je suis restée ici avec toutes les responsabilités familiales.

— Elle nous a envoyé ce qu'elle a pu. Elle a fui la guerre. Avec sa tournée qui s'est terminée en France, elle n'a plus eu de contrats. C'est normal qu'elle revienne vers nous. Son amoureux est mort à la guerre et elle porte un enfant qu'elle devra élever seule. Elle a besoin de notre aide. D'un autre côté, elle offre de t'assister, et tu devrais accepter. Mets ton orgueil de côté et vois la réalité en face.

— Et toi, si tu venais m'aider plutôt ? On s'est toujours bien entendues.

— Comment le pourrais-je ? Avec mon travail, c'est impossible… Et maman à la maison, et Jeanne…

Après réflexion, Ariane avait dû donner raison à Amélie. Agathe constituait le meilleur renfort pour l'aider à s'occuper de son nouveau-né. Et toutes les deux trouveraient leur intérêt dans la situation. Sans compter que, pour préserver la confidentialité au sujet de l'infirmité du poupon, il valait mieux embaucher une personne du clan.

— Je dois reprendre ma place à la station au plus vite, avait annoncé Ariane à Agathe. Alors, si tu le veux toujours, le poste de nourrice est à toi. Tu peux commencer demain, avait-elle ajouté, avec une certaine gentillesse.

— Quelle énergie tu as ! Ta fille n'a pas un mois !

— Je n'ai pas le choix. Il faut que je retourne au travail sans tarder. J'ai du pain sur la planche.

Les deux sœurs avaient alors convenu que la cadette s'installerait chez son aînée, au moins pour le temps où le bébé ne ferait pas ses nuits. Agathe dormirait sur le divan, au salon, dont on fermerait les portes coulissantes, avec l'enfant à ses côtés. Un couffin sur pied serait disposé tout près de la gardienne pour lui faciliter la tâche.

Agathe se réjouit désormais de cet arrangement, qui lui permet de se loger et de gagner sa vie tout en échappant aux questions pressantes d'Alice à propos de cette tournée qu'elle cherche à oublier. Et puis, prendre soin d'un nourrisson offre quelque chose de pacifiant qui la tient occupée. *Ainsi, je pense moins à mes malheurs*, se répète-t-elle comme pour se convaincre.

Dès les premiers jours, elle a compris à quel point sa tâche serait accaparante. S'agitant sans cesse, sa nièce dort peu. La nuit venue, elle peut se réveiller à dix reprises, quinze parfois. Gardant un calme qui l'étonne elle-même, Agathe prend le bébé avec tendresse contre elle, tente de le consoler en lui donnant la bouteille. Mais plus elle insiste en approchant le biberon, plus il s'enrage et pleure rageusement. Cette situation, extrêmement frustrante, lui semble inconcevable. *Un bébé qui refuse de boire, c'est illogique...* La pauvre fait de son mieux pour contenter l'enfant, lui donnant à sucer un peu de lait chaud sur le bout de son doigt. Le nouveau-né finit par se rendormir d'épuisement plus que de satiété.

Rassurée par la patience dont sa sœur fait preuve, et consciente qu'elle-même ne l'aurait pas eue, Ariane reprend le chemin de CKAC. Marcel a préparé le terrain pour son arrivée, de manière à ce qu'on lui pose le moins de questions possible. Il vaut mieux, car la seule mention de sa fille provoque chez elle peine et pleurs.

Après une semaine assez infernale, le bébé passe de la rage à une passivité complète, dormant beaucoup, jusqu'à dix heures de suite parfois... Souvent, Agathe doit le réveiller pour le forcer à s'alimenter. S'ensuivent de longues plages de sommeil au cours desquelles la jeune femme dispose de beaucoup de temps à elle pour réfléchir à ce que sera son avenir. Après ce qu'elle a traversé, elle a besoin de réflexion et de calme. Les dernières années n'ont pas été de tout repos. Mener une vie de pianiste de concert, toute seule, sans son clan, l'a épuisée psychologiquement. Livrer prestation après prestation, travailler ses pièces du matin jusqu'au soir, vivre dans ses valises, ainsi va la vie de tournée, et cela a constitué un marathon dont elle prend la mesure maintenant qu'elle se trouve au repos. Et puis il y a aussi cette histoire amoureuse qui l'a laissée fourbue, démunie. Il lui faut du silence et de la paix pour se remettre du passé et pouvoir affronter son avenir, qui naîtra à son tour d'ici quelques semaines...

Bercer le poupon tout chaud contre elle en chantant de douces berceuses la guérit de ses blessures. Elle s'attendrit au fil des journées passées à dorloter sa nièce, qu'elle se prend à aimer avec une intensité folle.

Pendant ce temps, le couple Lepage, affligé, tente de reprendre pied. Marcel a beau admettre que sa fille n'est en rien responsable de son état, qu'elle a besoin d'amour et de tendresse comme tous les autres bébés du monde, chaque fois qu'il s'approche du berceau, qu'il se penche sur la moue déformée, l'image de son échec lui revient en force.

Déstabilisée par la réaction de Marcel, incapable de surmonter l'épreuve, Ariane se sent chaque jour un peu plus coupable de la situation. Coincée entre la détresse de son mari et les besoins de sa fille, elle éprouve un malaise qui va en grandissant depuis les premiers jours de vie de celle-ci. Avec le travail qui lui permet de retrouver un certain équilibre, et pour échapper à une douleur trop vive, elle se détache, abandonnant son rôle de mère à Agathe. De même, Marcel fuit l'appartement, rentre le plus tard possible, une fois les portes du salon fermées sur le bébé et sa gardienne. Les deux parents évitent d'enlacer l'enfant, de la toucher, de l'embrasser. Paralysés par leur souffrance, emmurés dans le silence et prisonniers de leur détresse, ces êtres qui travaillent avec les mots n'en trouvent aucun pour exprimer leur peine.

En outre, comme Ariane et Marcel sont surchargés, ils se montrent peu empressés d'organiser le baptême, qui a été repoussé dix fois. Ils ne se sont pas entendus sur un prénom pour « la petite », qui aura bientôt deux mois en ce début de juillet suffocant et humide. Le seul fait d'aborder la question d'une cérémonie réunissant famille et amis reste pénible, car l'état de l'enfant ne s'améliore pas, au contraire. Chaque boire est difficile et chaque gramme gagné est une victoire. Désolée pour sa sœur et son beau-frère, qui font pitié dans leur chagrin, Agathe veut leur épargner plus de douleurs et d'inquiétude, aussi se charge-t-elle de confier la petite à Dieu au cas où il lui arriverait malheur. Sans qu'elle constitue un modèle en matière de respect des principes religieux, la jeune femme n'a pas oublié les enseignements de ses années de couvent et pense qu'il vaut tout de même mieux faire preuve de prudence pour sauver sa protégée des limbes.

— Je te baptise, Anaïs, au nom du Père, du Fils et du Saint-Esprit… murmure-t-elle en lui donnant son bain et en faisant couler un peu d'eau sur son front.

***

Devant la patience infinie de sa sœur, Ariane sent sa colère à l'égard de sa cadette fondre comme neige au soleil. Agathe a fini par l'apprivoiser et gagner son estime. Et puis son silence en ce qui a trait à sa formidable carrière a été apprécié par l'aînée, qui se serait attendue si ce n'est à une pointe de vantardise, du moins à l'évocation des indéniables victoires remportées.

— Ton piano ne te manque pas ? Et ta carrière ? Et les applaudissements ?

— Pas du tout. Je suis heureuse ici, avec vous tous.

— C'est étrange : la personne que j'abrite chez moi n'est pas celle que j'ai connue. Il y a huit ans, à Paris, tu n'en avais que pour tes succès et ta vie de virtuose.

— J'avais dix-sept ans et je croyais que la gloire m'apporterait le bonheur. J'ai été naïve.

— Avec ma fille, tu es d'une patience angélique ! Digne des religieuses ! Toi qui n'as jamais levé le petit doigt à la maison ! Et qui passais tout ton temps à faire des gammes, à préparer tes concours…

— Tu n'aimes pas m'avoir chez toi ? C'est un reproche ?

— Au contraire : tu es merveilleuse ! Tu te comportes comme la mère que je suis incapable d'être. Et ce serait ignoble de ma part de te faire des critiques… J'essaie de comprendre, c'est tout, explique Ariane. Tu étais amoureuse à l'époque, ajoute-t-elle. Tu voulais partir avec lui. Est-ce le valeureux soldat mort au combat ? Le père de ton enfant ?

Agathe met du temps à répondre. Elle n'a dévoilé son secret à personne et se demande un moment si elle a le courage de le faire.

— Ce premier amour a passé comme un nuage dans ma vie. Il était pianiste, lui aussi. Nos sentiments ont duré le temps de la tournée. Puis, sans lui, je me suis retrouvée très isolée et sans repères en dehors de ma musique. Je me suis consacrée corps et âme à mon piano. Ces années-là ont été à la fois merveilleuses grâce à mes succès et terribles à cause de ma solitude.

— Et moi qui t'en voulais…

— C'est mon imprésario qui m'a mise enceinte. Après quelques mois de fréquentations et de fausses promesses. Du coup, il a mis fin à ma tournée et m'a renvoyée au Canada par le premier bateau. Voilà. Tu voulais comprendre ? Eh bien, j'espère que tu comprends maintenant. Il n'y a que toi qui sois au courant de la véritable histoire et je souhaite que ça reste ainsi.

— Tu as ma parole, lance Ariane, en tendant la main à sa sœur, qui la prend.

— Merci. Maman n'a pas à savoir.

Agathe, ébranlée par les aveux qu'elle fait pour la première fois, prend pleinement conscience de son état, de l'injustice de la situation et de la précarité qui la menace. Comme si les événements devenaient enfin concrets. Son amour, celui en qui elle avait placé toute sa confiance, l'avait larguée, comme un vulgaire chiffon. Loin de l'épouser, comme il le lui avait promis, il s'était plutôt montré sous un jour totalement nouveau dès qu'elle lui avait fait part de son état. Il avait remué mer et monde pour lui assurer une place sur un navire de guerre réquisitionné pour la traversée de marchandises de manière à la retourner à son bout du monde, au Canada. Pour avoir la certitude qu'elle quitterait le pays, il l'y avait même conduite. Une fois au port, il l'avait aidée à monter ses valises. Encore assommée par la découverte de sa grossesse, Agathe avait acquiescé à toutes ses demandes, en espérant qu'il se raviserait et redeviendrait l'amoureux qu'il était auparavant. Celui qui avait cru en elle et lui avait permis d'atteindre des sommets comme pianiste. Voilà qu'il se montrait d'une froideur qui le rendait méconnaissable. Comme s'il ne croyait plus ni en son talent ni en leur amour.

— Va rejoindre ta famille. Ça vaut mieux ainsi. Avec l'Occupation, entre les Allemands et les collabos, il ne fait pas bon d'élever un mioche.

— Mais… toi… tu seras où ?

— Je me débrouillerai. Ne cherche surtout pas à savoir.

— Tu vas m'écrire ? Comment te retrouverai-je quand la guerre sera finie ?

— N'y compte pas, je te dis. Notre histoire est terminée. Les empêchements sont majeurs. Je ne veux pas m'encombrer d'un enfant et d'une femme.

Blessée en plein cœur et mesurant l'ampleur de sa naïveté, Agathe avait rejoint le pont du navire. Elle avait détourné le regard pour ne pas le voir lorsque le bateau, lentement, quitterait le port. Elle s'était ensuite intégrée à un groupe de voyageurs afin de ne pas affronter seule cette traversée qui s'annonçait difficile à plus d'un titre. L'organisation n'avait plus rien du luxe qu'elle avait connu lors de ses traversées précédentes. Cordés comme des sardines, installés sur des lits de camp, les rares civils admis devaient prendre leur mal en patience.

Une fois appuyée sur la rambarde, devant l'océan infini qui se déchaînait sous la coque, Agathe s'était juré que plus jamais elle ne toucherait à un piano. Cet instrument lui rappellerait toujours son bel amant, celui à qui elle avait donné son cœur, son âme, et qui lui avait fait un enfant.

Agathe, bouleversée, explique à sa grande sœur que, depuis son retour à Montréal, la pianiste qu'elle a été n'existe plus. Cette musicienne, elle l'a enterrée là-bas, sous une scène, quelque part en Europe.

— Je me suis offerte de t'aider pour gagner du temps, pour m'exercer aussi, car tu as bien raison : je n'ai pas été celle d'entre nous toutes qui a le plus souvent langé les bébés de la famille.

— Si je m'étais attendue à ça...

Ariane, qui a toujours perçu sa sœur cadette comme une ennemie, une rivale, la voit tout à coup d'un autre œil. Elle pense aussi à sa mère, qui a fondé tous ses espoirs sur la carrière de sa fille, sur sa réussite par procuration. Il faudra un jour qu'Alice fasse son deuil de ses rêves, car Agathe ne les mènera pas à bien.

***

Tandis qu'il se tient debout, pratiquement étouffé par la foule trop dense, Marcel est à des milles de se douter des confidences de sa belle-sœur. Il écoute Oscar Peterson, fasciné par ce pianiste de génie qui fait salle comble partout où il passe. Au milieu d'une dizaine de musiciens blancs, Peterson détonne au cœur de son big band. Le publicitaire a entraîné un des réalisateurs de la station, qui n'attend plus que la fin du concert pour prendre des arrangements avec le manager du groupe. Le swing fait fureur, et plus la radio en diffuse, plus on en redemande. La frénésie de cette musique efface tous les malheurs, et c'est bien ce dont Marcel a besoin. De la gaieté, de la virtuosité et du rythme : voilà ce qui met un baume sur son âme encore meurtrie par l'échec cuisant de son expérience de paternité.

De leur côté, après avoir pleuré dans les bras l'une de l'autre une partie de la nuit, les sœurs Calvino, rompues de fatigue, se sont endormies dans la chambre d'Ariane. Au bruit que fait Marcel en ouvrant la porte, elles se réveillent toutes les deux en sursautant.

— La petite ! Elle aurait fait sa première nuit ? On ne l'a pas entendue !

— Tu rêves ? Elle n'a que quelques semaines.

Tandis qu'Agathe se dirige vers la cuisine pour aller faire chauffer une bouteille, Ariane tente un geste tendre vers son homme. Elle lit en lui cette souffrance, cette honte et cette colère qui ne s'estompent pas. Elle s'efforce de lui adresser un sourire, se demandant combien de temps encore ils parviendront à s'aimer, malgré le fantôme de leur enfant infirme qui hante leurs jours autant que leurs nuits. Pour meubler le silence, Marcel s'apprête à décrire le concert auquel il a assisté quand un cri fait trembler les murs de l'appartement. L'appel à l'aide trahit un mélange de panique, de détresse, de folie.

Les deux parents accourent d'un même pas jusqu'au salon, où le bébé dormait. Dans un discours échevelé et dénué de logique, Agathe, penchée au-dessus du berceau, se relève avec la petite dans les bras. Elle embrasse l'enfant fébrilement, lui parle dans un débit continu et vaguement hystérique, lui raconte la journée qu'elles vont passer ensemble et comme ce sera amusant. Quand Ariane et Marcel aperçoivent le corps mou posé sur l'épaule de la tante éplorée, ils comprennent. Leur ange griffu a constaté qu'il n'y aurait jamais de place pour lui sur terre et est reparti vers l'infini.

***

Il faut un long moment pour qu'Agathe se résigne à relâcher son étreinte. Ariane reste avec elle au salon, observatrice coupable de l'immensité du chagrin éprouvé par sa sœur. Le destin de sa propre fille lui paraît tellement absurde, tellement tragique ! Désemparée, pour tromper son propre chagrin, elle cherche à consoler Agathe, folle de remords.

— C'est ma faute ! Elle s'est peut-être étouffée ? Si j'étais venue la voir, j'aurais pu la sauver !

— Arrête. Ce n'est la responsabilité de personne. Elle était dans son lit ! Il faut que tu la laisses, maintenant. Donne-la-moi… Je veux rester seule avec elle. J'en ai besoin, tu m'entends ! C'est ma fille. Laisse-la-moi à présent !

Étonnée par le ton impératif d'Ariane, Agathe quitte le salon, sanglotant et se mordant le poing jusqu'au sang. Elle croise Marcel, qui entre à son tour. Il plonge d'abord son regard dans celui de sa bien-aimée, puis doucement, tranquillement, il se tourne vers sa fille, qu'il regarde, finalement. Que ce parcours lui a été ardu ! Et combien il regrette d'être devenu père. Cela lui avait d'abord paru comme une affaire plutôt étrange, modifiant le corps de sa femme, l'arrondissant, le grossissant. Puis c'était devenu autre chose, une série de renoncements. Ariane qui, jusque-là, avait une vie sociale intense, s'était mise à moins sortir pour cacher cette bedaine incommodante qu'elle n'arrivait plus à habiller. Et ils avaient cessé de faire l'amour, son épouse trouvant tous les prétextes pour le repousser. Marcel s'était senti seul, laissé pour compte. La rancœur, gardée au fond de lui depuis la mort de son père, avait ressurgi, comme un ballon émerge de l'eau alors qu'on tente de l'y enfoncer. Il aurait tant eu besoin qu'on le protège ! Voilà qu'il se retrouve là, devant le cadavre d'un nouveau-né difforme. Les pleurs d'Ariane, penchée sur le corps du bébé, lui parviennent de loin, comme en écho tandis que lui refoule ses larmes...

***

Au travail, comme à la maison ou avec les copains, Marcel se met en colère plus souvent, pour des riens. Il semble agacé, perturbé, frustré. Cet homme qu'il est en train de devenir ne lui plaît pas, mais il ne parvient pas à le dominer, et cette impuissance l'exaspère plus encore. Plus les mois passent, plus il se sent comme un lion enragé, prisonnier de lui-même. Il ne reconnaît plus Ariane, jadis attentive à ses besoins et veillant à son confort. Sa femme se détourne complètement de lui, exige de l'aide et lui reproche ses absences trop fréquentes. Dépité, il ne trouve plus de plaisir que dans le jazz et les clubs.

— C'est absurde... murmure parfois Ariane. Un nourrisson qui meurt ainsi...

Autant que possible, Marcel évite le sujet. Il ne trouve rien à répondre et n'a pas la force de s'en justifier. Il change de pièce plutôt que de ressasser le passé. Il veut effacer l'accident.

— Je crois que je ne l'ai pas assez aimée, cette enfant, dit un jour Ariane. Que c'est pour ça que c'est arrivé. J'ai trop travaillé. Nous nous sommes disputés.

Marcel ne se sent pas un homme comme les autres non plus, puisque, au fin fond de son âme, le décès de son enfant le libère.

L'enterrement a eu lieu quelques jours après le triste événement, et a scellé le destin de la petite fille. Il a fallu verser une forte dîme au curé pour qu'il accepte de célébrer la cérémonie. L'homme d'Église résistait à ce qu'on enterre l'enfant aux côtés de son grand-père, en sol catholique, puisqu'on avait négligé de la baptiser... Après avoir fait appel à ses relations, Marcel a fini par obtenir gain de cause et une célébration à l'église, épargnant une peine de plus à son épouse et à sa belle-famille. Les filles Calvino, en rang d'oignons aux côtés de leur sœur, ont chacune leur tour posé un baiser sur le petit cercueil blanc, tandis qu'Alice, bouleversée, pleurait comme une Madeleine. Agathe a dû rester à la maison, alitée, de crainte que l'émotion ne provoque un accouchement hâtif. La mère de Marcel, digne et désemparée, a assisté à la messe seule de son clan, ses deux autres fils ayant été retenus à Ottawa. La cérémonie, aussi dépouillée que brève, a imprégné de chagrin l'esprit de tous.

***

Par la force des choses, Ariane reprend sa liberté. Tranquillement, avec des efforts, elle renoue avec le plaisir de croiser son mari dans les couloirs, de lui donner rendez-vous quelque part autour de la station CKAC pour aller au cinéma, ou d'assister tantôt à un spectacle, tantôt à un concert ou une pièce de théâtre. Sa vitalité lui revient, elle peut de nouveau accompagner son amoureux dans ses sorties. Son corps s'amincit, elle retrouve sa taille et le bonheur de faire l'amour. La maternité n'aura été qu'un mauvais souvenir qu'elle ne souhaite pas revivre. Et quand, après une soirée particulièrement joyeuse, elle voit son homme interrompre leurs ébats fougueux pour enfiler un condom, elle sait qu'ils pensent la même chose, que ni l'un ni l'autre n'est pressé de répéter une expérience qui les a amplement fait souffrir.

— Ce sera notre secret. On peut être mariés et ne pas désirer d'enfants.

***

Comme toujours aux antipodes de sa sœur, Agathe se sent de plus en plus comblée par sa maternité imminente. Elle doit se consoler de la perte de sa nièce et se concentrer sur la venue de son bébé. Cette éternelle perfectionniste se surprend à s'abandonner, à accepter ce que la vie lui réserve.

Avant de revenir auprès d'Alice, elle avait dû trouver la force d'imposer ses limites à sa mère.

— Si tu ne me poses plus de questions à propos de ma carrière de pianiste, alors je pourrai habiter avec toi. Je te demande de laisser mon passé là où il se trouve, avait-elle déclaré sur un ton ferme.

— À mon âge, on accepte ce qui nous est donné. Après ce qui vient de se passer, accueillir ma fille chérie de même qu'un nouveau descendant me fera tout le bien possible, avait répondu Alice, en rayonnant de bonheur.

De toute évidence, la grossesse d'Agathe, peu importe sa légitimité, était bien loin de la contrarier.

— Tu t'installeras dans la chambrette des filles, avait-elle ajouté. La mienne est trop grande : elles dormiront avec moi.

Alors qu'elle s'était préparée au pire, Agathe s'était réjouie de la réaction de sa mère, qui s'avérait tout le contraire de ce qu'elle avait anticipé. Alice a respecté sa parole. Elle ne pose plus de questions sur les années passées en Europe, ne revient jamais sur la pratique du piano ou les questions d'interprétation qu'elle aimait tant discuter avec sa grande complice. À demi-mot, les deux femmes se sont comprises.

Alice avait déménagé les lits, ceux d'Annie et d'Adeline, respectivement âgées de seize et quatorze ans, dans sa propre chambre. Pour leur offrir un minimum d'intimité, elle avait rafistolé elle-même trois paravents, qu'elle avait parés de tissus fleuris délicats et placés entre chacun des lits. D'une grande pièce, elle en avait fait trois moyennes.

Désormais, Alice ne demande rien de plus que d'avoir près d'elle son enfant prodigue. Agathe lui a tellement manqué au cours de ces huit années ! Elle a été à même de prendre conscience du prix des rêves qu'elle avait entretenus pour sa fille et de la douleur de l'exil. Sans compter que de la savoir en sol européen l'avait maintenue dans une inquiétude difficilement supportable. Avec les Allemands dans Paris, les fusillades qui se multipliaient, le maréchal Pétain à la botte des nazis, elle avait souvent craint de ne jamais revoir sa fille chérie vivante. En cela, son retour au bercail constituait un grand soulagement. *Et puis*, pense-t-elle, *prendre soin d'un nouveau-né m'a toujours fait du bien...*

L'heureux événement survient un soir, sans prendre trop de temps pour s'annoncer. Quand elle sent ses premières douleurs, Agathe se retire dans sa chambre, prenant soin de n'alerter personne. Elle prétexte un mal de tête et fait mine d'aller dormir. Une fois seule, elle se met à marcher de long en large dans la pièce minuscule, inspirant à fond. Distrayant son esprit, elle joue mentalement une pièce difficile. La maisonnée se met au lit sans se douter une seconde qu'un enfant est en train de naître dans l'une des chambres de l'appartement.

Tout le monde dort bientôt à poings fermés. Agathe profite du silence pour s'allonger sur le lit, ouvrir les jambes. Elle a l'impression qu'on lui brise les os du bassin et qu'une torche enflammée lui passe entre les jambes. Pour étouffer ses cris, elle mord dans un gant de cuir qu'elle a roulé en boule et glissé entre ses dents. Sa fille naîtra quelques heures plus tard, sans le secours de quiconque, dans le confort ouaté de la maison familiale.

— Mon Anaïs... Te revoilà ! dit Agathe, un peu déboussolée par l'effort fourni et murmurant doucement le prénom de la disparue qu'elle a si sincèrement aimée.

Minuscule, mais déjà adorable, l'enfant émet un cri discret, comme celui d'un chaton. Agathe glisse son mamelon dans la bouche du nouveau-né, qui se met à téter avec force. Ce moment unique vaut par sa beauté toutes les peines d'amour; il guérit les blessures et redonne courage.

Une fois son enfant endormie, Agathe, pleine d'énergie, se lève pour aller laver les linges, à même le bac d'eau de pluie sur le balcon arrière. Le dimanche matin 3 août 1941, de beaux draps blancs sèchent sur la corde, en signe de paix et d'armistice.

Dans les semaines qui suivent, Ariane passe souvent faire un saut chez sa mère pour y voir la petite. Tentant de se racheter pour la perte de sa fille, elle fait le maximum pour gâter sa nièce. Elle la dorlote et ne la rend à sa mère qu'une fois qu'elle se sent fatiguée, ce qui se produit assez vite, car elle travaille dur.

La petite Anaïs arrive comme un ange dans la vie des Calvino. Bébé facile et souriant, elle comble sa mère, charme sa grand-mère autant que ses tantes, qui veulent toutes s'occuper d'elle, la langer, la cajoler, lui chanter des berceuses. Nana, comme on la surnomme, est tombée au milieu d'une tale d'amour et de tendresse prodigués par une maman attentionnée et sept fées marraines penchées au-dessus de son berceau.

***

La radio génère un tourbillon d'activités et devient, grâce aux efforts de ses nombreux et valeureux artisans, le lieu de diffusion et de création de la culture. Et s'il existe des critiques pour lui adresser des reproches, il reste qu'elle s'implante solidement, permet aux artistes de gagner leur vie et aux auditeurs de se distraire, de se cultiver et d'ouvrir leur esprit sur le monde.

À CKAC, malgré l'influence américaine toujours notable, un nombre croissant d'auteurs canadiens-français proposent des œuvres originales, que les gens suivent avec intérêt et redemandent. Ceux qui n'ont pas les moyens de posséder un appareil se regroupent à plusieurs familles autour d'un poste pour suivre les péripéties des héros des campagnes aussi bien que des villes. De ce fabuleux outil d'éducation, d'information et de divertissement, on ne veut plus se passer. À titre de réalisatrice, Ariane Martin, nom qu'elle décide de garder à des fins professionnelles, en dépit du fait qu'elle se soit mariée, se plaît à reproduire avec la plus grande justesse la réalité des gens qu'elle aime depuis toujours, son peuple.

En avril 1942, le gouvernement canadien tient un plébiscite national sur la conscription obligatoire. Si une majorité de voix en faveur de celle-ci l'emporte du côté du Canada anglais, la majorité des Québécois votent contre, en particulier chez les francophones. Les résultats s'expliquent notamment par le fait que, dans les rangs de l'armée canadienne, on refuse de parler français, et que les soldats issus de la province de Québec se trouvent par conséquent défavorisés au combat.

Marcel a beau être un homme marié, il est toujours sans enfants, et voyant la tournure des événements en Europe et au pays, il se sent une certaine responsabilité. Pour cette raison, même si la conscription n'est pas encore imposée, il décide de partir au combat.

— Eh bien, comme je ne me sens pas le courage des déserteurs, je me battrai, moi aussi !

— Tu n'as rien d'un soldat ! Les quelques fois où tu es allé à la chasse, tu n'as pas pu tirer... Marcel, aller là-bas, c'est t'exposer à une fin certaine !

Quand l'angoisse à l'égard de l'avenir devient trop forte, Ariane ouvre une bouteille de vin et boit, pour amortir la peur. Elle se prépare à la mort de son homme, ou, pire, à le voir revenir estropié, défiguré ou fou.

Chapitre 10

Contre toute attente, Marcel, qui appréhendait tellement de devoir sacrifier sa vie pour une cause à laquelle il ne croyait pas, s'est trouvé devant une autre bataille. Il a en effet été le premier surpris à être refusé par l'armée à la suite de son examen médical.

— Désolé de vous l'apprendre, mon vieux, mais à l'auscultation, ce que je détecte n'est pas joli. Les radios vont nous aider à comprendre. J'entends un souffle au poumon droit et vous ne pouvez pas vous engager avec ça. Vous ne pouvez pas faire grand-chose d'autre que de vous soigner... et au plus vite.

Marcel est rentré chez lui en se disant que ce n'était que de la foutaise puisqu'il ne s'était jamais senti aussi bien. Après s'être allumé une cigarette et avoir toussé un bon coup, il a grimpé dans le tramway qui le ramènerait vers sa belle.

Depuis, des mois ont passé et il se refuse à remettre les pieds dans le bureau d'un médecin. Il prétend à qui veut l'entendre que ce sont ses pieds plats qui l'ont empêché de devenir soldat. Marcel a toujours été fragile des poumons, mais la réaction du docteur aurait dû lui faire comprendre que, cette fois, les signaux étaient plus graves. Il aurait dû se faire soigner, entreprendre des traitements sur-le-champ. Mais vigoureux, dans la force de l'âge, et surtout très orgueilleux, le jeune homme a plutôt choisi de défier son destin et de nier ce qui ne peut que le rattraper un jour ou l'autre.

Sa principale préoccupation, en cet été 1943, est plutôt de presser Ariane pour qu'ils acquièrent leur première maison. Travaillant tellement fort depuis des années, ils ont accumulé une somme suffisante pour pouvoir habiter les quartiers les plus chics. Comme son épouse a toujours rêvé d'une grande demeure située plus près de celle de sa famille, à l'automne ils décident de s'établir à Outremont, dans l'avenue du même nom. Toutes leurs économies y passent, mais le couple se sent à l'abri dans cette bâtisse de brique rouge, avec une galerie solide et imposante, dans un quartier tout neuf où de grands champs donnent au secteur des airs de campagne. Le sourire d'Ariane, cette fierté qu'elle affiche chaque fois qu'elle prend cinq minutes pour admirer son logis, vaut tous les sacrifices financiers, pense Marcel, ravi que son épouse recouvre sa joie de vivre.

Alors qu'il s'était juré de ne plus jamais avoir d'enfant, dans cette demeure où leur amour renaît, Marcel éprouve soudain cette pulsion de voir sa femme de nouveau enceinte. Peut-être cherche-t-il à effacer l'échec de la première fois ? Il ne sait pas trop. Le temps a passé. Il se surprend même à insister auprès d'Ariane pour qu'elle accepte son projet de fonder une famille. Fragilisée par l'expérience précédente, et plus sereine depuis qu'elle a retrouvé son travail et sa liberté, sa femme hésite. Mais, un soir, Marcel n'enfile pas sa capote et elle ne lui signifie pas son désaccord.

Cette demeure dont Ariane a rêvé toute sa vie lui procure une sécurité nouvelle. Son logis a tout pour accueillir des enfants : de grandes chambres spacieuses et lumineuses, une cour arrière, de grands espaces et des arbres à profusion, un voisinage agréable. Une tentative, plus heureuse que la première, serait peut-être salutaire à leur couple, se dit Ariane.

Il ne faudra que quelques mois à la jeune femme pour redevenir enceinte. En mars 1944, son médecin lui confirme la nouvelle et elle s'étonne de s'en réjouir. Le temps a apaisé sa peine après la fin tragique de leur fille. La jeune mère se sent remise. La guerre et les morts annoncées partout donnent envie de compenser les pertes en mettant des gamins au monde, les seuls capables de rire au nez du malheur.

De son côté, Marcel cavale de la maison au travail comme si plus rien ne pouvait l'arrêter. Il multiplie la rédaction de messages et accumule les traductions de sketches américains. Certains jours, on diffuse plusieurs des épisodes qu'il a traduits et revus, en plus des messages publicitaires qu'il a conçus. Il y met sa touche, mais sait garder aussi la saveur originale. Il aime les États-Unis plus que la France, et croit que l'avenir se trouve là. Il s'affaire frénétiquement et ignore cette toux persistante, qui le force parfois à s'interrompre pour reprendre son souffle. De plus en plus souvent, vers la fin de la journée, une baisse d'énergie lui coupe toute envie de sortir. *Ça doit être que je vieillis !* se dit-il avec humour, alors qu'il rejoint son épouse pour le souper. Autour de vingt heures, il n'est pas rare qu'une fatigue intense s'empare de lui, au point où il a du mal à bouger. Il doit alors fournir un effort titanesque pour se traîner et monter à l'étage, où il tombe comme une masse dans son lit.

Marcel s'est résigné à renoncer à la musique, qui l'a accompagné si longtemps et lui a donné tant de bonheur. Pour compenser, il écoute des disques qu'il fait venir de New York et qui égayent ses soirées.

Loin de se plaindre de la présence plus fréquente de son amour à la maison, Ariane, qui grossit et s'arrondit à vue d'œil, se réjouit de passer ces moments tranquilles à lire, les pieds au coin d'un feu de foyer réconfortant.

— Soir après soir, tu restes ici. Ça m'étonne un peu, je t'avoue.

— Au prix qu'il nous coûte, si je ne profite pas de notre château…

— Oui, mais tout de même. Je ne te reconnais plus, mon chéri.

— Peut-être ai-je appris de ma première expérience. Et que cette fois-ci j'entends bien faire attention à ce que j'ai de plus précieux.

Fait-il allusion à ces prises de bec qu'ils ont eues, au cours de la grossesse précédente ? Elle aime penser que oui, et qu'il a tiré des leçons de l'événement, tout comme elle, d'ailleurs. Ni l'un ni l'autre n'élève plus le ton, par égard pour ce bébé qu'elle porte.

***

Tandis que les Allemands s'enlisent en Russie, que le débarquement a lieu en Normandie, que les Alliés font des gains en Europe, que le général de Gaulle libère Paris, et que les Juifs continuent d'être gazés dans les camps de la mort, à Montréal, on suit de loin la tragédie.

Le premier ministre Mackenzie King reproche presque ouvertement à Radio-Canada d'avoir manqué à son devoir en ne parvenant pas à convaincre plus de Canadiens français de participer à la guerre. Plusieurs s'en offusquent. Appuyé massivement par les Canadiens anglais lors du plébiscite de 1942, Mackenzie King a été libéré de son engagement électoral de ne pas imposer la conscription. S'il ne la rendra effective qu'en novembre 1944 afin de ne pas provoquer une crise entre Canadiens anglais et Canadiens français, ces derniers ne sont pas au bout de leurs peines. En effet, le premier ministre québécois, Adélard Godbout, qui a ravi le pouvoir à Duplessis en 1939 grâce à son opposition à la conscription, revient aussi sur sa promesse. De plus, comme le gouvernement central manque d'argent pour soutenir l'armée, il décide que des sommes devront être versées par chaque Canadien. L'impôt des particuliers étant du ressort de chaque province, Adélard Godbout consent à ce que, le temps que durera le conflit, le fédéral perçoive directement des montants, lesquels seront ensuite redistribués aux provinces selon le bon vouloir du gouvernement de la fédération. Les gens du Québec ne pardonneront pas cette entente qu'ils considèrent comme une nouvelle soumission des libéraux provinciaux à l'égard d'Ottawa.

En conséquence, lors des élections du 8 août 1944, pour signifier leur mécontentement, les Québécois remettent l'équipe de Duplessis au pouvoir. Le nouveau gouvernement unioniste s'engage à défendre l'autonomie de la province et à protéger les intérêts des familles québécoises catholiques.

Le 18 du mois d'octobre 1944, les jumeaux Lepage naissent. Cette fois, Ariane n'a pas cherché à dissimuler sa grossesse au travail. De toute façon, dès les premiers mois, son ventre l'a trahie. Elle a pris de l'assurance et a rapidement fait part de son état à la direction ; elle s'est même négocié deux mois de congé pour se remettre de ses couches. Comme elle dirige une équipe de réalisation qu'elle a elle-même formée, elle peut ainsi se permettre une certaine flexibilité quant à ses présences en studio.

Sur tous les plans, elle est arrivée à l'accouchement mieux préparée, plus reposée et moins anxieuse, car les médecins consultés lui ont assuré que les malformations de sa première-née ne s'expliquaient que par le hasard. La nature comportait une part d'accidents de ce genre.

Les contractions se sont manifestées précocement. Ariane ne voulait pas alerter son mari et a attendu que les douleurs se rapprochent. Amélie, en visite pour quelques jours, est allée discrètement chercher la sage-femme lorsque les crampes se sont intensifiées. Un médecin, ami du couple, viendrait à la maison si jamais les choses tournaient mal. Ce n'a pas été le cas. Claude et Henri sont nés en début de soirée, juste pour la fin du bulletin de nouvelles. Et comble de soulagement, ils étaient parfaits !

— Vous êtes certaine ? Ils ont leurs bras et leurs jambes ? Et leur visage, dites-moi ? Tous les deux, vous êtes bien certaine ?

— Vos garçons sont absolument normaux ! Et magnifiques !

Soulagée, ses deux poupons dans les bras, la maman pleure un bout coup, pleine du bonheur d'avoir mis au monde des enfants sans anomalies. Cette satisfaction immense la comble. Lorsque Marcel les rejoint, il les enlace tous les trois, et elle se sent folle de joie et un peu consolée de la mort de sa petite fille.

***

Marcel et Ariane, les nouveaux parents, se sont, de façon temporaire, complètement exilés de la réalité, loin du drame qui se joue sur la carte du monde. Ils passent le plus clair de leur temps ensemble, profitant de leurs deux merveilles, qui ne leur laissent pas une minute de liberté. Claude, actif et joueur, bouge et gazouille du matin jusqu'au soir.

— C'est fou comme il ressemble à mon père, dit Ariane.

Henri, plus contemplatif, aime qu'on le prenne et qu'on lui chante des berceuses.

— Et lui, à ma mère !

— C'est à croire que je n'ai rien eu à faire dans cette histoire ! clame Marcel en s'esclaffant.

Ariane s'attache éperdument à ses deux garçons et souhaiterait rester avec eux. Mais elle n'a pas le luxe, étant donné la maison à payer, de se priver de son salaire. Elle doit donc préparer rapidement le moment où elle retournera à la station. Elle se met en quête d'une personne pour la remplacer lors de ses absences, car si Marcel travaille souvent de la maison, il doit se concentrer pour écrire et ne pourrait en aucun cas prendre soin de deux enfants. Pour la seconder, son premier choix se serait naturellement porté sur Amélie, celle dont elle se sent le plus proche, mais sa cadette se trouve elle-même en plein tourbillon : en plus de son travail comme secrétaire qui l'occupe tout le jour, elle a mis sur pied une petite troupe de ballet classique et décroché un premier contrat pour une série de représentations. Elle n'a pas une minute à elle.

— Si tu me permets d'emmener ma fille, je serais ravie de m'occuper de tes garçons, annonce Agathe un soir, alors qu'elles discutent à la table de l'appartement de la rue Laval, où elle loge toujours en compagnie d'Alice.

Ariane remercie sa sœur pour cette offre qu'elle hésite à accepter, car elle lui rappelle trop le drame passé. Elle ne comprend pas cet acharnement de sa cadette à s'imposer dans sa vie. Elle qui croit à l'harmonie parfaite entre Alice et Agathe ne se doute pas à quel point elle se trompe. Si sa mère a cessé de lui poser des questions et fait de son mieux pour amuser sa petite-fille, Agathe a quand même l'impression de lire dans le regard d'Alice d'intenses reproches. Celle qu'elle croyait promise aux plus grands succès se retrouve mère célibataire sans le sou.

— Ta sœur n'a pas de travail et je m'entends plutôt bien avec elle, déclare Marcel lorsque Ariane lui soumet l'offre d'Agathe. La petite Anaïs est mignonne. Si tu penses que c'est une bonne idée qu'elles viennent s'installer ici, moi, je n'ai pas d'objection.

L'approbation de son mari suffit à faire pencher la balance. Il est devenu difficile de trouver des gouvernantes, car elles ont toutes pris le chemin du travail en usine, plus satisfaisant et mieux rémunéré. Aussi Ariane comprend-elle qu'il vaut mieux accepter une proposition qui lui permettra de quitter la maison sans inquiétude.

Pour accommoder les deux nouvelles arrivantes, Ariane aménage une chambre au sous-sol. La pièce, assez aérée, possède une grande fenêtre donnant sur la cour arrière, fleurie et verdoyante en été. La petite et les garçons pourront y jouer sous la surveillance bienveillante d'Agathe. De plus, une porte donne un accès indépendant à l'extérieur par l'arrière de la maison. La mère et sa fille pourront donc aller et venir à leur guise, avoir leur accès au jardin et s'accorder des moments d'intimité. Agathe descendra le soir avec Anaïs dans ses appartements, libérant le rez-de-chaussée et laissant aux Lepage leur vie de couple et familiale. La solution comblera tout le monde.

***

Ariane reprend le travail au début du mois de janvier 1945. Sa sœur s'est installée au sous-sol et se dit ravie de cet arrangement, qui lui redonne la fierté de gagner sa croûte. Marcel travaillera à l'étage le jour, dans son bureau, alors que les garçons, leur cousine et leur tante occuperont le rez-de-chaussée. L'immense maison permet à tous d'avoir sa place. Et la vie s'annonce heureuse dans ce quartier cossu, peuplé de gens d'origine française, britannique et juive vivant dans une certaine harmonie de langues comme de religions.

Pendant ce temps, la grande guerre se poursuit à la faveur des Alliés. Les gains se multiplient en URSS, en Italie, comme en France. Le monde respire mieux. Et la participation canadienne n'est pas étrangère à ce retournement heureux pour la liberté.

Avec la défaite d'Adélard Godbout, le retour au pouvoir de Duplessis et la libération de Camillien Houde après quatre années passées en détention, il devient de plus en plus évident qu'une page est en train de se tourner. La conférence de Yalta confirme l'inévitable défaite allemande et prépare la restructuration de l'Europe.

Grisés par le souffle de l'espoir et poussés par leur bonheur tout neuf, les Lepage courent de la maison à la station, besognant sans cesse. La vie avec Agathe se révèle facile. Avenante, habile avec les bébés et d'une endurance physique hors du commun, la jeune femme remplit ses fonctions avec autant d'aisance que de plaisir. Sa plus grande lacune reste la préparation des repas, où elle s'illustre par ses maladresses, brûlant systématiquement tout ce qu'elle met sur le feu. Ariane a choisi de faire contre mauvaise fortune bon cœur, et se montre compréhensive envers sa cadette, l'important étant à ses yeux les soins que celle-ci prodigue aux enfants et l'ordre qu'elle assure dans la maison. Avec un peu de persévérance, sa sœur finira bien par apprendre à faire la popote…

***

En ce matin de février, Marcel est en retard pour son rendez-vous au bureau de son médecin, situé au centre-ville. Aussi marche-t-il d'un pas pressé pour ne pas faire attendre celui qui, bien amicalement, a accepté de le recevoir à la dernière minute. Habitué aux clients exigeants, Lepage a cette propension à exceller sous la pression, à être plus efficace dans des délais extrêmes. Après une course effrénée et des escaliers grimpés quatre à quatre, il est pris d'une quinte de toux irrépressible et tombe quasiment évanoui dans les bras de son docteur.

— Tuberculose… Ce mot synonyme de tragédie, personne ne souhaite l'entendre, mais avec les symptômes que tu me décris, ça y ressemble pas mal.

— C'est impossible. Je ne peux me permettre d'être malade. Je viens d'avoir deux garçons.

— Je sais, Marcel. Mais la maladie frappe des pères de famille autant que des bandits. Il n'y a pas de justice.

— Que dois-je faire, Michel ? Dis-le-moi et je t'obéirai au doigt et à l'œil.

Michel Blanchon met un certain temps à répondre à son ami. En tant que médecin, il se doit de rester positif. Mais il faut bien admettre que, dans le cas de Marcel, le pronostic s'annonce mauvais. Les radiographies ont révélé une tache de bonne dimension assombrissant le poumon droit. Les chances de vaincre la maladie se trouvent passablement réduites. Le bougre a trop attendu avant de consulter.

— D'abord, il faut t'isoler, car c'est une affection excessivement contagieuse. Tu dois protéger ta femme et tes enfants, poursuit l'homme de science, sur un ton professionnel et ferme.

Comme si lui-même craignait la contamination, Michel prend ses distances pour la suite de la conversation. Il parle d'une institution spécialisée, dévoilant sans même s'en rendre compte son impuissance devant cette maladie.

Marcel comprend que, cette fois, il n'a plus le choix : il devra révéler la vérité à sa femme, cesser de travailler et entamer une vie d'homme malade. Son médecin se montre formel : il va devoir apprendre le repos, l'obéissance et la patience.

***

Ariane n'en revient pas. Alors qu'il vient de lui faire l'amour avec une énergie et un appétit athlétiques, Marcel lui explique maladroitement que, s'il n'a pas voulu l'embrasser sur la bouche, c'est parce qu'il craint de lui transmettre une maladie terrible. Tout de suite, elle saisit que quelque chose de grave se joue. Il ne prononce pas le mot, mais elle l'a deviné. Ce mal, qui emporte tant de gens, fait son entrée dans leur vie, alors qu'elle a deux bambins sur les bras… Elle garde le silence tandis qu'il prépare ses bagages. Il doit s'éloigner, car il constitue un danger pour ses proches, ses collègues, ses voisins, explique-t-il. Atteint de tuberculose, il est attendu à l'hôpital.

— Tu vas t'en sortir. Je te le jure, mon amour.

Il acquiesce avec un regard quelque peu taquin. Il est âgé de trente-trois ans et a toujours été en forme. Rien ne l'a préparé à affronter un tel ennemi. Il n'a aucune idée du combat qui l'attend, mais son ami Michel lui a clairement laissé entendre que la partie n'est pas gagnée, loin de là.

Vaguement honteux d'avoir contracté la « peste blanche », souvent associée à la misère et à l'alcoolisme, il ne dévoile les raisons réelles de son absence forcée du travail qu'à un nombre très restreint de camarades. De ses patrons américains comme de la direction de la station, il obtient la permission de continuer à livrer ses messages. Tant qu'il en aura la force, il pourra gagner sa vie. Il pourra ainsi travailler de l'hôpital ou de chez lui, dans la mesure de ce qui sera possible.

— Il n'en est pas question ! Tu me laisses tout, et je vais les écrire pour toi, décrète Ariane en désignant les piles de papier. Tu dois prendre un congé complet. C'est le seul remède.

— Mais… C'est ma dignité que tu m'enlèves.

— Nous discuterons de ce que tu veux, je te fournirai une première ébauche, tu la corrigeras et je m'occuperai de fignoler et de livrer le tout. Tu les reliras, tes publicités, tu seras le patron, mais si on veut que tu t'en sortes, il faut que tu réduises les efforts au minimum.

Il n'a pas la force de s'opposer aux directives de son épouse et accepte l'offre. Rassuré sur les questions financières, vu les coûts exorbitants de ses traitements, il quitte sa belle maison pour aller s'installer à l'Institut Bruchési de Montréal, où toute une équipe l'attend pour le soigner.

De son côté, Ariane ne sait plus où donner de la tête. Pour limiter les risques de contagion, un ménage de fond en comble de la maison s'impose. Chaque pièce est passée à l'eau de Javel, jusque dans les moindres recoins. Au fil des semaines, comme ils ressentent l'anxiété de leur mère, les jumeaux multiplient les tentatives pour retenir son attention, prêts à toutes les audaces et chignant pour un rien. Âgés de six mois, ils sont absolument exaspérants. Ils refusent les bras de leur tante, et s'acharnent plutôt sur celle qui n'est précisément pas en mesure de leur accorder du temps. Adoptant l'attitude opposée, sage comme une image, Anaïs ne soulève pas de vagues, s'amuse avec ses deux irascibles cousins et tente de les tranquilliser. Exemplaire de douceur et d'empathie, Agathe se démène corps et âme pour soutenir son aînée dans son épreuve.

— La vie peut être bien cruelle : tu n'as rien mérité de ce qui t'arrive.

— Ma pauvre Agathe. Je ne sais pas comment te remercier de tout ce que tu fais pour nous…

— Tu m'embauches et me payes bien. Tu me loges et me nourris. Je peux élever ma fille en paix. N'est-ce pas suffisant ?

— Comment y arriverais-je sans toi ?

— Mais je suis là ! Arrête ! Bientôt, ton mari ira mieux, et cet affreux chapitre sera derrière nous.

L'espoir, bien qu'essentiel, va se révéler difficile à garder. Marcel a beaucoup trop attendu avant de consulter. Le mal s'est répandu, il a étendu ses tentacules et envahi une bonne partie du poumon droit. Avec la moitié de ses organes, Marcel a maintenu ses activités normales pendant trop longtemps, épuisant son cœur et ses réserves d'énergie.

Une fois établi au sanatorium et confiné à un lit, Marcel a senti la lassitude l'envahir, comme si d'un seul coup sa combativité s'effritait par grands pans dans une mer de désespoir. Entouré de malades décharnés qui toussent du matin jusqu'au soir et d'infirmières qui font face quotidiennement à la perte de leur combat, l'homme se décourage, et son moral s'assombrit.

Ariane tente par-dessus tout de lui changer les idées et de le garder occupé. Malgré ses réticences initiales à le voir travailler, elle lui apporte quelques publicités à traduire et à adapter. Si, au début, il exécute la tâche avec optimisme, plus le temps passe, plus il semble s'en détacher. Quand, à la fin de sa journée, elle revient chercher les résultats de son labeur, elle trouve parfois une traduction à demi rédigée, et parfois des textes parsemés d'annotations ici et là dans les marges. Elle repart alors plus rapidement, sachant qu'une nuit blanche l'attend au cours de laquelle il lui faudra compléter ce qui a été vaguement esquissé. Les textes traduits à la main devront ensuite être retranscrits à la machine. Et contrairement à Marcel qui maîtrise parfaitement son doigté et tape à une vitesse fulgurante, Ariane ne dispose pas des habiletés et du temps requis à la dactylographie des textes. Aussi se résout-elle à embaucher une secrétaire.

***

Janine, sa nouvelle employée, habite avec son chat dans un appartement à quelques rues à l'est d'Outremont. Elle a toutes les apparences de ce qu'on appelle une vieille fille, qui a coiffé sainte Catherine depuis longtemps. En réalité, Ariane le découvrira peu à peu, Janine est plutôt une femme libre qui a choisi de ne pas se marier et, en conséquence, a renoncé à avoir des enfants, que pourtant elle adore. Rebutée par l'Église, elle ne souhaitait pas entrer en religion non plus, ce qui constitue trop souvent le lot des célibataires. Son originalité et sa marginalité ont tout de suite plu à sa future patronne, qui l'a engagée dès que la femme lui a confirmé posséder parfaitement l'anglais.

— Je doublerai vos gages si vous effectuez mes commandes en priorité.

— Entendu. Et de votre côté, vous me paierez sur livraison.

— Rubis sur l'ongle.

Les deux femmes ont rapidement scellé les termes de leur entente dans une sympathie et une compréhension immédiates.

Dès les premières dactylographies, Janine est captivée par le travail de traduction et surtout d'adaptation effectué par les Lepage. Elle qui lit beaucoup, des romans d'amour en particulier, s'investit dans les récits comme s'il s'agissait de ses propres aventures. Son implication tatillonne s'avérera essentielle à Ariane qui, trop prise par ses tâches, tourne parfois les coins ronds pour respecter les délais. De même, pour la traduction des messages publicitaires, Janine détecte avec son œil de lynx la moindre erreur. En peu de temps, son apport devient indispensable.

***

Entre les enfants, les visites à l'hôpital, les textes à rédiger, les répétitions et les enregistrements, Ariane court du matin jusqu'au soir et souvent la nuit. Heureusement, dotée d'une santé de fer, elle parvient à se rendre à la fin de ses interminables listes de choses à accomplir sans trop ressentir la fatigue. Mais plus elle poursuit ses efforts, plus elle constate que l'état de santé de son époux périclite.

Au milieu des grabataires et de tous les mourants, le principal sujet de conversation ne peut être que la maladie, sa progression, sa régression, mais toujours elle, qui vampirise toutes les pensées. À force de voir des gens périr, Marcel s'habitue tranquillement à l'idée de partir à son tour. Il abandonne peu à peu le combat. Dans son regard, la fougue s'estompe. Il lit de moins en moins, passe plus de temps à dormir, se nourrit peu et maigrit à vue d'œil.

Ariane se sent désemparée. Pour s'accrocher à la vie, son Marcel manque de joie autour de lui. Il aurait besoin de voir ses fils, et même sa nièce, qu'il aime beaucoup. Lui, autrefois si bon vivant, qui a toujours raffolé de la nourriture savoureuse préparée par son épouse et ne pouvait se passer de son café du matin et de croissants chauds au beurre, n'a plus accès à ces plaisirs qui donnent à l'existence sa couleur.

— J'ai besoin de ton aide, annonce Ariane à Agathe, après une nuit d'insomnie et d'angoisse. Il faut sortir Marcel de l'Institut.

— C'est interdit, les malades sont contagieux. Tu vas mettre les enfants en danger !

— Je le sais bien. C'est pourquoi j'ai trouvé une solution.

Elle fera installer une porte vitrée dans la maison, de manière à isoler Marcel dans ses quartiers. La demeure est assez vaste pour que soient réservées à son mari les deux plus grandes pièces du haut, soit une chambre et un bureau. Ainsi, il pourra travailler, lire, saluer les enfants, de loin, sans les approcher, et suivre leurs activités. Il aura accès à des repas plus riches et plus variés, préparés par Ariane, qui ne passera plus tout son temps à courir entre la maison et l'hôpital. Ariane réfléchit longuement avant d'agir, mais une fois sa décision prise, gare à celui qui tenterait de lui faire changer d'avis. Connaissant sa sœur aînée, Agathe n'argumente pas. Et Marcel se tient coi lorsque son épouse lui fait part de ses desseins à son sujet.

Ariane profite d'une journée très chaude de juillet 1945 pour se rendre à l'Institut, accompagnée de sa sœur et d'un camarade, homme à tout faire chez CKAC. Ils arrivent tard, puis étirent au maximum leur présence au cours des heures de visite autorisées. Puis, Félix, le compagnon, aide Marcel à revêtir un complet, tandis qu'Agathe va distraire l'infirmière de garde. Soutenant son homme, qui marche avec difficulté, Ariane mène l'opération rondement. Si bien que, deux heures à peine après avoir mis les pieds dans cet endroit qu'elle appelle le « mouroir », Ariane est de retour à la maison et borde son chéri dans son lit parfumé à la lavande. Dans un coin de la chambre, accroché de sorte que ce soit la première chose qu'apercevra le malade en ouvrant les yeux au matin, le costume zazou, jaune clair, qu'elle a fait faire sur mesure pour qu'il puisse un jour le porter.

— Tu vas guérir, c'est moi qui te le dis, lui murmure-t-elle en éteignant la lampe de chevet.

***

À compter de cette folle équipée, l'existence reprend un semblant de félicité chez les Lepage. À plusieurs reprises au cours de la journée, les enfants se traînent à quatre pattes pour aller saluer leur père à travers la porte, laissant de gros baisers pleins de céréales et de lait sur les carreaux vitrés. Anaïs, trois ans plus vieille que ses cousins, démontre un attachement profond pour son oncle, à qui elle offre toutes sortes de finesses et de câlineries attendrissantes. Marcel émerge de sa léthargie. Il fait l'effort de se lever, de s'habiller, de travailler quelques heures. Par amour pour Ariane, pour l'entourage, il met toutes ses énergies à combattre ce mal sournois qui le rappelle régulièrement à l'ordre.

— C'est trop silencieux dans cette maison, décrète un jour Ariane, en lançant un clin d'œil complice à sa cadette. Va nous trouver un bon piano.

Forte de sa mission, Agathe se dirige vers le Conservatoire de musique et d'art dramatique de la rue Saint-Denis, fondé deux ans plus tôt grâce aux efforts acharnés de Wilfrid Pelletier, vieil ami de son défunt père et chef d'orchestre qu'elle porte en très haute estime. Elle s'est laissé dire que, une fois par année, l'institution se départit à bon compte d'instruments usagés. Sur le parvis de l'école, elle reconnaît avec joie Claude Champagne, venu quelques fois à la maison familiale du vivant de Claudio. Le grand homme avait fortement encouragé la jeune fille à poursuivre sa formation en Europe. Se souvenant très bien d'elle, il se montre chaleureux et avenant. Il est au courant de son parcours assez exceptionnel et se dit ravi de la savoir de retour à Montréal.

— Nous cherchons de bons professeurs de piano, justement ! s'exclame-t-il, lui faisant une proposition plus qu'intéressante.

Comme si d'un seul coup le sang se remettait à couler dans ses veines, Agathe sent une chaleur se répandre en elle : l'amour de la musique lui revient ! Elle brise alors le pacte qu'elle avait fait et accepte la proposition sur-le-champ, répondant à un appel viscéral. On l'attend la semaine suivante…

***

Encore ahurie par le changement de cap qu'elle vient de donner à sa vie, Agathe se rend à pied jusque chez Archambault pour y acheter quantité de partitions. Elle prend le tramway en direction d'Outremont, et se demande comment elle annoncera sa volte-face à sa grande sœur.

— Tu me laisses tomber, si je comprends bien ?

Ariane retient sa colère et son désarroi : en cette période d'enregistrements intensifs, il lui sera difficile de remplacer Agathe au pied levé.

— Tu pourrais demander à Annie. Elle a dix-neuf ans et elle est parfaitement capable de s'occuper des enfants !

— Je ne te parle pas d'Annie. Tu me laisses tomber pour retourner à ton piano ! Ton maudit piano ! Tu n'as jamais pensé qu'à toi ! Toute ta vie, tu n'as jamais fait que ça ! Bravo ! C'est maman qui va être fière de sa chère pianiste !

Surgissant de nulle part, cette vieille rancœur d'enfant fait retomber Ariane dans la crainte que sa sœur ouvre ses ailes pour lui voler de nouveau sa place dans la lumière.

— Et ta fille ? Elle n'a que toi ! Tu l'oublies, elle aussi ?

Assommée par la réaction démesurée de sa sœur, Agathe ne trouve rien à ajouter pour se justifier. Tous ses efforts pour rendre la vie plus facile à Ariane et aux enfants, tout semble soudainement balayé du revers de la main. Elles ne se comprendront jamais, il faut se résigner. Elle rejoint sa chambre, confuse et blessée, serre Anaïs tendrement tout contre elle. C'est justement pour le bien de sa gamine qu'elle accepte cet emploi : Anaïs a grandi. Elle a quatre ans et entrera bientôt à l'école. Elle aura besoin d'une maman qui gagne un salaire plus important. Jouer du piano, c'est tout ce qu'Agathe sait faire. L'offre de Claude Champagne ne repassera pas. Ça n'a rien à voir avec la vanité ou l'orgueil, c'est une question de nécessité. Outrée par le manque total de compréhension que lui manifeste sa sœur aînée, Agathe se fait la promesse de récupérer ses effets dès le lendemain pour retourner habiter chez sa mère, le temps de se trouver un logis. Avec son travail de professeur, elle aura de quoi se payer un appartement et s'installer enfin chez elle.

***

Se peut-il qu'elle regrette à ce point ce qu'elle a dit à sa cadette ? Que chaque parole échappée lui fasse encore mal ? Comment a-t-elle pu énoncer de telles horreurs ? Dès qu'il est question d'Agathe, Ariane ne peut empêcher une fureur de se déchaîner en elle, qui la rend méchante et laide. Elle n'aime pas cette personne qu'elle devient. Alors, pourquoi faut-il qu'avec cette sœur-là elle revienne toujours à leur point de départ, celui de l'enfance, ne faisant rien d'autre que de grands cercles autour de cette période de leur vie ? Ariane, épuisée par sa colère, souhaiterait tellement que son homme la prenne dans ses bras et la console, qu'il lui fasse l'amour comme avant, il y a trop longtemps. Mais Marcel, endormi depuis tôt en après-midi, ignore tout de la guerre de mots qui s'est livrée sous son toit. Et Ariane se sent encore plus seule de savoir son époux tout proche. Ne parvenant pas à trouver le sommeil, elle relit un épisode revu et corrigé par Janine. Traversant les cloisons, elle perçoit une toux, suivie d'un sifflement qu'elle connaît bien. Elle prête l'oreille, croyant à une erreur… Non ! Elle ne s'est pas trompée : la quinte n'émane pas des appartements de Marcel, mais plutôt du sous-sol, là où loge Agathe !

Chapitre 11

Ce qui s'est passé en ce début du mois d'août 1945, personne n'aurait pu l'imaginer. L'humanité a besoin d'un temps de flottement pour mesurer l'ampleur du désastre. La bombe atomique larguée sur l'une des nombreuses petites îles nippones du Pacifique a littéralement effacé le tiers d'une ville de quelque cent mille habitants : Hiroshima. Le reste de la localité n'est plus que ruines et dévastation. Prenant connaissance de la nouvelle, Marcel, appuyé contre le poste de la radio, secoue la tête, profondément bouleversé.

— La folie des généraux ne connaît pas de limites. C'est absolument inimaginable, murmure-t-il, dévasté.

Ariane se dit que les horreurs de la guerre ne sont peut-être pas étrangères au peu de progrès faits par son malade en dépit des soins constants qu'elle lui prodigue. Elle se revoit, posant sur la table un cabaret où elle a mis tantôt du café, deux tranches de pain blanc et de bonnes portions de fromage, tantôt des viandes rouges, des œufs, du riz, des gâteaux et des fruits difficiles à trouver, mais qui sont régulièrement au menu de son homme. Pour qu'il reprenne des forces, elle le nourrit comme un ogre, le gave presque, suivant à la lettre les consignes des médecins. En vain, il continue de maigrir, perdant semaine après semaine le peu de graisse qu'il lui reste encore.

Une seconde bombe atomique a suivi la première, plus grosse encore. Elle a rayé de la carte le port de Nagasaki. Les Japonais, à genoux, ont concédé la victoire aux Alliés, sans conditions. Le 14 août 1945 sonne la fin des combats. Ahuries par l'atrocité du carnage, les forces militaires mettront un temps avant de permettre à l'information de circuler et de commencer à compiler le nombre effarant de morts.

Déjà passablement abattu, Marcel est complètement ravagé lorsque, au cours des mois suivants, le bilan des combats est dévoilé, brisant sa foi en les hommes. La détérioration de son état psychologique affecte sa santé, au point où Ariane doit lui interdire la lecture des nouvelles et remplacer le poste de radio par une table tournante. Désormais, il pourra écouter les disques de ses jazzmans favoris. Mais la musique ne fournit pas assez d'effets positifs et la maladie continue de gagner du terrain. Lui aussi risque de perdre la guerre.

Sur cette vague de sombres présages, en octobre 1945, Agathe reçoit à son tour la confirmation de son diagnostic ; une autre bombe est larguée dans la vie de la famille Calvino. Tout de suite résignée, la pauvre femme annonce la mauvaise nouvelle avec un détachement qui alerte immédiatement sa sœur aînée :

— Apparemment, il arrive que la tuberculose ne présente aucun symptôme et reste en dormance. Ça a été mon cas. Mais ces douleurs dont je souffrais depuis des mois, tout le long de la colonne vertébrale, ont maintenant trouvé leur explication. C'est fou, mais je me sens soulagée d'en connaître la cause.

— Soulagée ? Allons, Agathe, ça n'a rien de positif comme verdict et tu ne peux pas l'accepter !

Envahie par la tristesse, Ariane se sent responsable de la maladie de sa sœur. Agathe a pris de grands risques en logeant sous son toit. Et elle le paye cher, beaucoup trop cher, il faut admettre cette évidence.

— Nous allons te soigner et tu vas t'en sortir. Je vais faire installer une vitre en bas qui t'isolera des enfants et les protégera de la contagion, mais te permettra de rester ici pour te faire soigner. Ta fille dormira dans la chambre des garçons, mais tu pourras la voir tous les jours. C'est bon pour ton moral.

— Tu en as déjà plein les bras avec Marcel. Je ne veux pas que tu t'occupes de moi en plus.

— Justement, je suis la mieux placée pour savoir exactement ce qu'il faut faire. Tu ne discutes pas : j'embauche une domestique pour le ménage et les repas, et un menuisier pour installer une cloison vitrée à ta chambre.

— Et si j'allais au sanatorium ?

— Il n'en est pas question, répond catégoriquement Ariane. Tu sais aussi bien que moi quel effet le séjour en cette institution a eu sur mon mari !

La pauvre Agathe, qui lutte depuis des mois pour parvenir à exécuter son travail au Conservatoire, à tenir son appartement à l'ordre tout en subvenant aux besoins d'Anaïs, semble se donner la permission d'être malade et de s'abandonner à son ennemi. Il lui presse de s'allonger, de prendre du repos et de se soustraire à la vie courante.

Même si elle adore sa fille plus que tout au monde, elle n'a plus le courage ni l'énergie de la suivre dans ses incessantes chevauchées. Et bien qu'elle ait trouvé une consolation à la voir grandir et s'épanouir sous ses soins, elle se résigne à céder à sa fatigue et se laisse couler.

— La combativité varie d'une personne à une autre, a répondu le médecin aux inquiétudes d'Ariane. Il arrive aussi que la maladie progresse de manière foudroyante, beaucoup plus agressivement. Cela pourrait expliquer l'absence de tonus de votre sœur…

***

Maintenant qu'a pris fin le conflit mondial, les dramatiques à la radio se dégagent peu à peu de l'emprise gouvernementale. Les chroniques patriotiques perdent leur utilité et sont remplacées graduellement par des feuilletons moins doctrinaires et plus proches de la vie courante. La réalisation se nuance et les effets sonores se départent de leur ambiance intense et terrifiante. La tâche d'illustrer et de faire ressentir les horreurs du combat a constitué un travail éprouvant et exigeant. Ariane préfère de loin les contextes intimistes et plus réalistes, qu'elle met en scène avec grand plaisir. Pour la réalisatrice, c'est chaque fois un défi que de reproduire le va-et-vient continuel d'un restaurant, par exemple, ou de tout autre lieu public, tout en traduisant l'émotion d'un dialogue entre deux amoureux transis. Elle adore créer des contrastes, jouer avec l'atmosphère de chaque scène pour coller aux intentions dramatiques.

Quand elle se plonge dans son travail, elle ne voit pas le temps passer, et, surtout, elle se libère de ses tracas. Il n'existe plus rien d'autre que ces bruitages et ces éléments sonores mis au service d'une œuvre, de personnages, de situations dramatiques.

Les postes radiophoniques, qui se sont avérés essentiels au cours des années d'affrontement pour suivre la progression des troupes, parmi lesquelles chaque famille avait un amoureux, un frère, un fils, un ami, occupent désormais une place de choix dans les chaumières. La fonction de divertir reprend ses droits aux côtés de celle d'informer, et pour Ariane, l'une autant que l'autre sont à la fois nobles et cruciales. Dans un pays aussi vaste que le Canada, la jeune femme a la conviction que, par sa participation, elle contribue à acheminer la culture partout, jusque dans les coins les plus reculés. Elle en éprouve une grande fierté.

Un soir qu'elle rentre chez elle après une journée mouvementée et un enregistrement compliqué, elle arrive nez à nez avec sa voisine d'en face et sa ribambelle d'enfants la suivant sur le trottoir, comme une file de canetons. La maman peine à pousser un landau bringuebalant et chargé. Une roue du carrosse s'est abîmée dans un trou, perdant ainsi sa forme ronde. Les deux femmes se connaissent peu, mais se saluent régulièrement.

Spontanément, Ariane va assurer la traversée des petiots. Elle agrippe les deux plus jeunes, ce qui libère les mains de l'autre femme, qui peut alors soulever le carrosse, franchir les quelques mètres vers le trottoir et conduire sa famille jusqu'à la maison. Elles profitent de cette complicité forcée pour se donner chacune des nouvelles de leur vie. Ariane n'avait jamais osé s'adresser à cette femme aux allures particulières. Elle lui confie pourtant, comme à une amie de longue date, son désarroi généralisé, son sentiment d'impuissance croissant à l'égard d'un mal qui gagne du terrain, autant pour sa sœur que pour son époux.

— Allez consulter mon mari. Il est médecin au sanatorium Mont Sinaï à Sainte-Agathe-des-Monts. Là-bas, ils pratiquent une opération qui en a sauvé plusieurs, lui dit Mme Greenberg avec sollicitude.

Cette femme, si loin d'elle par son apparence de matrone, à la tête chauve enrubannée d'un foulard, s'adresse à Ariane comme si elle était un membre de sa propre famille. Elle lui explique que ceux qui n'obtiennent pas de résultats avec le pneumothorax en ont parfois de satisfaisants avec la thoracoplastie. Surprise de l'étendue des connaissances médicales de son interlocutrice, Ariane, encouragée, opine du chef tout en rendant leur liberté aux gamins grouillants. Mme Greenberg renchérit, détaillant le trajet pour se rendre au bureau de son époux et offrant même de prendre un rendez-vous pour eux le plus rapidement possible.

Ariane tend la main: elle accepte de tenter le coup. Le pneumothorax, qui consiste à insérer une tige dans le poumon pour le libérer de ses sécrétions, ne fait plus effet sur Marcel depuis un certain temps. L'opération, même répétée de plus en plus fréquemment, obtient de moins en moins de succès. Il faut absolument essayer autre chose, mais du côté des médecins francophones, il n'y a rien de plus à espérer.

***

Marcel, accompagné de sa conjointe, consulte donc le Dr Greenberg dans les jours suivant la rencontre d'Ariane et de leur voisine. Entre les deux hommes, une sympathie s'établit immédiatement. Non seulement Victor Greenberg démontre un intérêt et une compassion sincères pour ses malades, mais en plus il les guérit très souvent ! Grâce à une série de mesures imposées dans l'institution où il pratique la médecine, la contagion se trouve beaucoup mieux contrôlée. Dès leur première rencontre, Greenberg explique au couple Lepage comment procéder à la maison pour éviter que les proches ne soient infectés par la bactérie. Ensuite, après avoir étudié l'historique de santé de son patient et questionné celui-ci à fond, le médecin recommande la thoracoplastie comme recours urgent. L'intervention chirurgicale est douloureuse et délicate, mais elle est indispensable si on veut sauver le poumon sain. Dans un climat positif et de grande confiance, tous conviennent de fixer rapidement une date pour l'opération.

***

Agathe suit avec une certaine distance le déroulement des événements. Le repos qu'elle s'offre chez sa sœur lui procure soulagement, réconfort et apaisement. Ariane veille sur elle comme une louve sur ses petits. Elle s'occupe de tout : aviser le Conservatoire de son absence, vider son appartement, assurer la garde d'Anaïs. Libérée de ses soucis et de ses responsabilités, Agathe prend du mieux et sent ses forces lui revenir. C'est du moins ce qu'elle s'efforce à prétendre, refusant de suivre les traces de son beau-frère et de consulter le Dr Greenberg.

— Les médecins ! Ce sont ceux-là qui vous rendent malades ! répète-t-elle, pour éviter d'admettre sa peur des hôpitaux, du sang et des opérations.

La thoracoplastie à laquelle Marcel va se soumettre est une opération majeure et complexe. Comme on cherche à priver d'oxygène le bacille de Koch, grand responsable de la tuberculose, on scie de trois à huit côtes de manière à provoquer un affaissement du poumon. Cette seule description suffit à causer chez Agathe une peur panique. Elle admire le courage dont Marcel fait preuve, tout en se disant que jamais elle ne se laissera ouvrir de l'épaule jusqu'au nombril.

— Les opérés restent souvent affreusement mutilés. Je ne veux pas de ça.

— Mais, Agathe, si ça peut te sauver la vie...

Le jour de son intervention, au printemps 1946, Marcel se dirige vers l'hôpital comme un soldat irait au combat: menton relevé, regard vers l'avant, épaules bien droites. Il place tous ses pions sur la case de Victor Greenberg. À jeun depuis la veille en vue de l'opération, il refuse de s'apitoyer sur son sort, réconforte sa femme et l'invite à garder le moral:

— Je vais passer au travers, tu as ma parole. Et quand je serai sorti d'ici, nous ferons un petit voyage à New York, ensemble, en amoureux. Comme il y a longtemps...

— Quelle bonne idée, mon chéri ! Je vois que les bons mots du Dr Greenberg ont produit leur effet ! J'en suis ravie ! Et je me sens d'autant plus encouragée, moi aussi !

— Réserve-nous une chambre. Times Square à l'automne, c'est ce qu'il y a de plus romantique. Victor a bon espoir que, d'ici quelques mois, je pourrai reprendre ma vie normale.

— Sur Broadway, nous verrons les comédies musicales.

— Oui, et nous irons danser dans les boîtes.

***

Elle le suit dans le corridor et ne lâche sa main qu'à la toute dernière minute. La civière s'avance vers le bloc opératoire. Ariane prie son père pour qu'il protège son homme. Vulnérable et seule, elle regarde son destin disparaître derrière les portes battantes.

L'anesthésie assomme Marcel, le plongeant dans une nuit sans songes. Une paix l'envahit. Il n'existe plus, il pourrait être mort. Au bout d'un temps indéterminé, il se sent happé par une force puissante. Ne sachant pas trop où il se trouve, il se laisse porter doucement, attiré par des voix diffuses, feutrées, divines. N'éprouvant aucune douleur, il ressent cependant une sorte d'oppression, comme s'il était en danger. Il ne comprend pas, retombe dans les limbes, s'y laisse couler... Il dort un moment, puis s'éveille de nouveau, amorti, rompu, mais tout de même curieux d'explorer ce qui se passe autour de lui.

Lors d'un de ses moments de lucidité, il ouvre un œil. Les médecins le croient inconscient à cause de l'anesthésie, alors qu'il ne l'est pas complètement. Il voudrait le dire, mais n'y arrive pas. Il aperçoit un miroir, accroché en angle, et voit des hommes vêtus de tuniques, certaines blanches, d'autres ensanglantées, s'affairer à mutiler sa propre enveloppe corporelle. Il perçoit nettement le bruit de la scie sur ses côtes, dans son mouvement de va-et-vient. Épuisé, il ne parvient ni à bouger ni à crier. Il s'assoupit. Puis il s'éveille encore une fois, replonge son regard dans le miroir. Ses côtes, dénudées au milieu d'une plaie aux chairs ouvertes et maintenues en place à l'aide de crochets, font office de branches en attente d'être sciées à leur tour. Un sentiment de danger, intense, parvient jusqu'à son cerveau. Mais bouger, ne serait-ce que le petit doigt, est absolument hors de sa portée. Il ne peut pas non plus détourner la tête. Aussi, chaque fois qu'il reprend conscience et ouvre les yeux, c'est pour apercevoir son cadavre sanguinolent, à la merci de hordes sauvages en blouses de plus en plus maculées. Il supporte le spectacle, puis il perd connaissance de nouveau.

Des douleurs atroces le tirent du sommeil. Le seul fait de respirer lui arrache des larmes. Il ne peut en tolérer davantage. Du coup, la mort lui apparaît comme une chose souhaitable. Tout pour mettre fin à son supplice.

« Morphine », entend-il avec grand soulagement, juste avant de repiquer vers la noirceur opaque.

Ariane a du mal à détacher son regard de l'homme qu'elle aime. Tout le haut de son corps a été couvert de bandages. De douleur, Marcel gémit comme un enfant. Il a l'air d'un grand blessé de guerre de retour au pays. Victor Greenberg se présente au chevet de son patient au moment du réveil.

— L'opération s'est bien déroulée…

Voyant la mine affolée d'Ariane, il lui adresse un regard pour lui rappeler qu'il l'avait avertie. Il y aura un passage difficile, mais il faut maintenir le cap pour parvenir à bon port. Ariane se remémore les paroles du docteur. Désireuse d'aider son mari, dans un effort héroïque, elle retient ses larmes, sourit à Marcel et le rassure :

— Je nous ai choisi une chambre au Ritz-Carlton, de biais avec Central Park.

Marcel exerce une légère pression sur sa main pour lui signifier qu'il a compris, puis il part une fois de plus dans le monde de l'oubli.

Sur le chemin du retour, Ariane se libère de sa peine, déversant enfin ses sanglots. Lorsqu'elle s'engage dans l'avenue Bernard, elle sent son chagrin s'apaiser. L'image de son homme, le torse bandé, souffrant au point d'en pleurer, au milieu d'une armée d'infirmières en alerte, lui vrille le cœur. Victor Greenberg a été franc et direct : les jours suivants seront déterminants. Il faut attendre. Mais Marcel a survécu à la chirurgie, ce qui constitue un succès puisqu'il arrive souvent que les malades très atteints et très affaiblis meurent sur la table d'opération.

Alors qu'elle avance dans la magnifique avenue boisée abritant sa somptueuse maison, où l'attendent Claude et Henri, ses fils, Anaïs, sa nièce, et Agathe, sa sœur, Ariane essaie de se ragaillardir. Oui, le Dr Greenberg a raison : il y a de la vie, donc il y a de l'espoir.

Lorsqu'elle ouvre la porte, elle est accueillie par les cris d'amour des enfants, qui viennent poser leurs petites mains sur sa robe et lui faire des baisers mouillés à profusion, et cela la console. La joie reprend le dessus. Claude a fait ses premiers pas au cours de la journée, tandis que son *alter ego* l'imitera dans la soirée. Anaïs, toute joyeuse, babille et rigole. Confinée dans sa chambre, Agathe affiche néanmoins une meilleure mine que d'habitude, soupant ce soir-là de bon appétit. Ariane reprend des forces dans ce bonheur facile.

Une fois les enfants couchés, la gardienne repart chez elle. Après s'être assurée que sa sœur dort paisiblement dans sa chambrette au sous-sol, Ariane remonte à la cuisine. Assise à la table, elle jette un coup d'œil aux nouveaux épisodes à traduire, qui ont été livrés par CKAC dans la journée. À la station, les patrons ne sont pas dupes. Ils savent bien que, dans l'état où il se trouve, Marcel Lepage n'est plus en mesure de se charger lui-même des adaptations. Mais tant que les traductions s'avèrent satisfaisantes et qu'elles sont livrées à temps, aucune question n'est posée. Les paiements sont postés régulièrement. Les employeurs américains acceptent eux aussi un arrangement du même ordre. Le travail incessant de son mari, qu'elle accomplit en plus du sien comme réalisatrice, protège Ariane contre le surendettement qu'entraînerait autrement l'hospitalisation de son homme, mais lui procure également une fuite, une échappatoire salutaire. Elle se laisse emporter par les histoires, s'identifie aux héros dont elle ajuste les personnalités en leur donnant une couleur plus locale, et suit les amours et les péripéties de ces personnages importés des États-Unis. Pour les messages publicitaires, elle est assez proche de la manière de faire de Marcel et peut facilement prendre le relais.

Quand elle relève la tête, il est plus de deux heures du matin. Heureuse du travail abattu, elle s'étire, anticipant avec plaisir le moment de se glisser entre les draps, juste pour quelques heures avant de reprendre son boulot.

Depuis un moment, elle entend sa sœur Agathe qui va et vient, en proie à un nouvel épisode d'insomnie. Ariane met du lait sur le feu, emplit deux tasses, et s'engage dans l'escalier du sous-sol. Quand elle rejoint sa cadette à sa chambre, elle s'étonne de la trouver complètement nue.

— Que fais-tu ?

— Mes draps et ma chemise de nuit sont trempés. Je les change.

Ariane, pressée de l'aider, ouvre la porte, pose la tasse sur la commode et se dirige vers la petite armoire.

— Sors, tu vas attraper la mort. Ne reste pas dans ma chambre. Ne touche à rien, je t'en prie. Ta sœur est une pestiférée.

Faisant comme si elle n'avait pas entendu, Ariane lance sur le matelas une nouvelle chemise de nuit et des draps propres.

— Tais-toi et couvre-toi. Il fait froid. À deux, ça ira plus vite pour refaire le lit.

Mais l'autre refuse de bouger :

— On ne peut prendre aucun risque. Je ne veux pas que tu m'approches.

— Il faut que tu te fasses une raison. Je vais parler de toi au Dr Greenberg. Il pourra t'opérer, toi aussi…

— C'est gentil, mais tu perds ton temps. Je ne subirai pas une telle épreuve. Les pneumothorax me suffisent amplement comme technique de torture.

— Ton état ne s'améliore pas. Tu dois agir avant de te trouver trop affaiblie.

— Si tu acceptes de veiller sur ma fille, j'aimerais aller au sanatorium de Sainte-Agathe. On m'en a dit le plus grand bien, l'air des montagnes y fait des miracles.

Heureuse de cette initiative, première démarche positive depuis le diagnostic, Ariane accepte sur-le-champ la proposition de sa cadette.

Dès le lendemain matin, une fois à la station, elle prend toutes les dispositions pour que sa sœur soit admise au centre spécialisé. Elle doit user de ses relations pour se soustraire à la liste d'attente. S'assurant de lui réserver la meilleure chambre, le *nec plus ultra* pour ce qui est des soins, elle assumera aussi l'entièreté des frais.

— Une fois sur pied, tu me rendras tout ça. Tu me feras un prix pour tes services de gouvernante.

— Merci. Tu es un ange.

❊❊❊

À la demande d'Agathe, sa mère a été tenue dans l'ignorance du mal qu'elle a contracté. Alors que l'été 1946 s'amorce, Alice prend plaisir à s'occuper de ses nouvelles pousses florales, semées tôt au printemps dans le carré ensoleillé à l'arrière de la maison, qu'elle entretient avec un soin maniaque tout au long des jours chauds.

Ses azalées, plantées au fil des ans, auraient été ses enfants qu'elle ne les aurait pas plus cajolées, scrutant chaque corolle, chassant le moindre parasite imprudent osant s'y aventurer. Le jardin de la vieille Calvino, comme on dit aux alentours, lui vaut le détour des voisins et de passants, qui vont dans la ruelle et s'arrêtent quelques instants pour rêvasser devant les chutes étagées de couleurs : des rouges, des orangés, des blancs, des mauves sur le fond vert des feuillages. Maintenant qu'Adeline, sa plus jeune, a atteint l'âge de la majorité, elle peut se consacrer au travail de la terre, à son silence et à sa paix. Les jardins fleuris de son enfance lui reviennent, tellement proches et réels qu'elle les confond avec le sien. Elle a une pensée pour Jeanne, qui est morte à Paris l'année précédente, emportée par une pneumonie. Inspirée par le souffle de ses commémorations, elle dédie son travail à cette chère femme, sa mère…

Alice admire son jardin un instant et pense qu'il lui en a fallu, des hivers, pour dessiner et redessiner les traits de son œuvre, ajoutant chaque année de nouvelles boutures. Elle avait commencé avec un carré minuscule qui est devenu, au fil des échanges de plantes avec d'autres voisins amateurs de jardinage, un havre de couleurs et d'odeurs. Tandis qu'Alice sarcle et travaille, la belle voix de Claudio l'accompagne, tantôt chantant, tantôt s'adressant à elle sur le ton du quotidien. Et elle s'étonne, certains jours, de se rendre compte qu'elle s'adresse à lui tout haut, comme s'il était toujours là, bien vivant à ses côtés.

Il lui tarde que l'automne arrive pour qu'elle récolte la beauté à pleins tableaux. Assise sur le balcon, les mains posées sur ses cuisses, le dos légèrement courbé, elle passe alors ses après-midi ensoleillés à contempler son labeur, emmagasinant les splendeurs pour les revoir au moment où le gel les emportera. Un peu comme ses œuvres florales parvenues à leur terme, sa famille a atteint sa maturité, et Alice peut maintenant en profiter, songe-t-elle. Ses filles, toutes plus belles les unes que les autres, bâtissent leur avenir. Même Jeanne, si souvent arrêtée par les faiblesses physiques, a réussi à se trouver un travail bien rémunéré dans une boulangerie. Elle s'est même fait remarquer par le fils du propriétaire, et après de courtes fréquentations a accepté sa demande de fiançailles. Le mariage a été annoncé pour le printemps prochain.

Bientôt, Alice Calvino se trouvera seule dans son logis, il faut qu'elle s'y prépare. Si Agathe avait accepté de venir habiter avec elle pour lui servir en quelque sorte de bâton de vieillesse, tout aurait pu se dérouler différemment.

Alice a tant espéré de sa fille prodige, mais elle n'a trouvé auprès de sa préférée que distance et froideur. Depuis son retour des vieux pays, Agathe n'est plus la même. Sa mère ne reconnaît plus sa talentueuse et affectueuse enfant, celle avec qui elle a partagé une passion infinie pour le piano. En plus de ces tièdes retrouvailles, la grossesse – même si Alice se réjouissait d'accueillir sa petite-fille – a achevé de la décevoir. *Personne n'aime savoir que sa fille élève son enfant sans la protection d'un mari,* pense-t-elle secrètement. Plutôt que de continuer à habiter sous son toit, Agathe a migré chez Ariane, puis dans son propre appartement. Et la maman chagrine n'a eu d'autre choix que de faire le deuil de ses illusions.

Le jour où Alice entend sa favorite prononcer le mot « tuberculose », elle a l'impression de perdre pied. Elle doit s'asseoir. Son monde s'écroule. Les femmes atteintes de cette maladie s'en sortent moins bien que les hommes. Alice a cette conviction.

— Mais non, maman, tu te trompes. Agathe va guérir, lui martèlent ses filles les unes après les autres.

Rembrunie, meurtrie par le chagrin et l'inquiétude, Alice s'enferme dans son mutisme. Elle en veut à la terre entière d'avoir laissé propager cette maladie de miséreux. Et c'est envers Ariane qu'elle dirige sa colère avec encore plus de véhémence.

— Si elle n'était pas allée chez toi, elle ne serait pas tuberculeuse aujourd'hui. Ton Marcel et ses cabarets pour les pauvres, c'est là qu'il a attrapé cette saloperie ! Tu m'as tué mon Agathe !

Les mots frappent fort et droit au cœur. D'autant plus difficiles à supporter qu'ils recèlent un fond de vérité. Dorénavant, Ariane prend sur ses épaules, en plus de l'angoisse, les remords.

***

À l'automne 1946, les Laurentides brûlent de taches rouges et orangées. Installées dans une grosse Lincoln flambant neuve, prêtée par l'un des directeurs de la station, les trois femmes se sentent en vacances. Le soleil, radieux, illumine les montagnes, les imprimant sur un fond parfaitement bleu. Amélie a tenu à accompagner ses deux grandes sœurs pour soutenir l'une et l'autre au moment de la séparation. La route du Nord, comme on la désigne, se révèle être en bien meilleur état que jadis. Elle longe la rivière, la croisant, la quittant puis la retrouvant, et offre aux promeneuses un parcours facile et agréable.

Elles font escale à Saint-Jérôme pour y manger une bouchée. La magnifique église, au cœur du village, accueille en ce jour sacré ses disciples regroupés sur le perron, discutant et prenant un peu de temps de repos. Au milieu des splendeurs de Dame Nature, la misère de ces Canadiens français n'échappe pas au regard des sœurs Calvino. Leurs vêtements étirés, cousus et recousus, leurs sourires édentés et leurs regards fatigués trahissent l'âpreté de leur vie, que des années de guerre et de rationnement ont amplifiée. De plus, il faut être vaillant pour faire pousser une famélique carotte par ici, et ces gens triment dur pour y parvenir. En les observant, Ariane pense aux bienfaits que la radio peut apporter à ces personnes disséminées sur un territoire aussi aride qu'immense en plein hiver, qui n'auraient pas accès autrement à la culture, au divertissement et à l'éducation. Elle croit alors à son travail. Pour ce peuple, elle a envie de continuer, de faire reculer les frontières de l'ignorance, d'abattre les distances.

— Encore des bines ? demande la jeune serveuse, qui n'a pas perdu son air méfiant depuis que ces trois « Françaises » ont débarqué dans son restaurant.

— Non, je vous remercie, elles étaient délicieuses. Mais j'ai le ventre plein.

Elles quittent l'endroit en se laissant dévisager avec amusement. Puis elles reprennent la route. Parvenues à Saint-Hippolyte, elles s'arrêtent encore pour admirer les couleurs de l'automne. Les trois sœurs, le dos appuyé contre la voiture, ne se lassent pas du spectacle.

— L'air est pur par ici.

— Au sanatorium, tu seras encore plus au nord, ajoute Amélie, tandis qu'Agathe, perdue dans ses pensées, se tait.

Lorsqu'elles arrivent à la hauteur de Sainte-Adèle, Ariane a un pincement au cœur. La promesse faite par Marcel au début de leur mariage lui revient. L'auront-ils un jour, leur maison de campagne ? Ses trente-deux ans n'empêchent pas son cœur d'enfant d'attendre et d'espérer un miracle. Quand elle passe l'embranchement pour Sainte-Marguerite, elle repense aux voyages de son enfance. Elle n'a rien oublié des bons moments passés à la maison bleue, de ces étés de liberté et de nature. Son père, son plus grand complice, lui manque tout autant que s'il était parti la veille. La souffrance que suscite son absence lui semble plus profonde maintenant qu'elle renoue avec cette nature qu'il lui a appris à chérir sans réserve. Elle donnerait tout pour pouvoir lui adresser quelques mots, lui confier ses inquiétudes. Avec le silence des montagnes pour toute réponse, elle enlace d'un bras les épaules fragiles de sa sœur, tandis qu'elle conduit. La route file devant.

La ville de Sainte-Agathe sonne la fin du périple. Le Laurentian Sanatorium, sur le chemin Brunet, en impose par son architecture britannique et par la noblesse de la construction. En voyant la solide bâtisse, grande comme un hôpital, Agathe saisit la main de chacune de ses sœurs :

— Si jamais je ne revenais pas d'ici, me promettez-vous que vous veillerez sur ma petite ?

Spontanément, Amélie s'apprête à répondre quelque chose pour dédramatiser la situation. Mais Ariane devine le sérieux de la question et fait signe à sa cadette de se taire.

— Je l'adopterai. Légalement. Je t'en donne ma parole. Si tu disparais, Anaïs deviendra ma fille. Et je ne ferai aucune différence entre elle et mes deux garçons. N'aie aucune inquiétude.

Elle a émis les paroles qu'elle voudrait elle-même entendre dans pareille situation, les seules capables de rassurer la maman de la fillette de cinq ans tout juste ; radieuse, rieuse, complètement à la merci des adultes. Ariane a tendu la main et ouvert son cœur, sans calculs.

En paix, Agathe quitte ses sœurs, encouragée et positive quant au combat à mener. Le personnel, aux petits soins avec elle, lui a réservé une chambre lumineuse avec une vue grandiose sur les montagnes. Rassurée, la malade s'engage dans la solitude et le silence.

Le trajet de retour, beaucoup moins joyeux, donne à Ariane du temps pour réfléchir. Bouleversée d'avoir laissé sa sœur au milieu d'une salle peuplée de contagieux, d'avoir lu la détresse dans le regard de tant de gens, elle se réitère cet engagement qui la lie pour toujours à sa nièce, si jamais la situation tourne mal. Une responsabilité de plus qui s'ajoute aux autres. Elle ne la regrette pas. Elle ne peut faire autrement, même si son mari sort tout juste de l'hôpital, qu'elle croule sous les factures à payer et qu'elle a des tonnes de travail à abattre. C'est son destin et c'est comme ça.

***

Marcel assume au mieux les séquelles de son opération. Lorsque les douleurs sont devenues un peu plus tolérables, il a trouvé la force de se laver lui-même et de regarder les cicatrices striant son corps, du haut de l'épaule jusqu'en dessous de la poitrine. Amputé de cinq côtes, son torse s'affaisse désormais complètement à droite. Diminué, voilà ce qu'il est, et partiellement mutilé. S'il avait lu le moindre signe de pitié dans le regard de sa femme, il aurait mis fin au combat. Pas question pour lui de devenir un fardeau, un pauvre infirme. Mais dans les yeux d'Ariane, il ne décèle qu'amour, admiration et espoir. Cela le pousse à continuer. Tant que leur amour restera intact et leur désir, mutuel, il prolongera sa route et souffrira le martyre jusqu'à ce que ses plaies cessent de brûler comme des flammes en furie.

Il lui faudra trois mois pour détecter enfin une embellie. Le quart d'une année, il a été prisonnier de la lourdeur d'un corps malmené, alors que le seul fait de se lever pour aller au cabinet exigeait une énergie de titan. Il a fait pénitence, comme on parcourt un chemin de croix, respectant chaque arrêt imposé, chaque rechute. Jusqu'au moment où, finalement, il a senti sa tête émerger des eaux du désespoir.

***

En décembre 1946, Marcel se relève ! D'une journée à une autre, les tâches qu'il parvient à effectuer seul s'additionnent et l'encouragent à persévérer. Désormais, il peut, sans pause ni aide, s'habiller, faire son lit, faire sa toilette et se raser, sans recourir à la bienveillance de sa femme, la seule autorisée à franchir les aires de contagion. Il y voit un début de victoire lorsque, après quelques demi-journées de labeur, il parvient à mener, du début à la fin, la traduction et l'adaptation d'un épisode de feuilleton. Lui qui a accompli ce travail sans y penser pendant tant d'années pleure de joie d'avoir réussi. Il peut reprendre son travail, gagner de nouveau sa vie et celle de sa famille. Il recouvre sa fierté, son honneur. Avec cette gaieté, le sens de l'humour lui revient ! Mais son plus grand bonheur, il le vit lorsque le docteur lui donne la permission de sortir de la maison.

— Vos tests sont concluants : vous n'êtes plus contagieux. Les nouveaux médicaments ont fait leur effet et donnent d'excellents résultats.

Victor Greenberg, cet homme chaleureux qui a dû s'imposer au fil des ans une certaine distance à l'égard de ses patients pour ne pas mourir de chagrin chaque fois qu'il en perd un, se permet un rare mouvement de spontanéité. Il se dégage de derrière son bureau, ouvre les bras vers l'homme devant lui et l'enlace comme il le ferait avec un frère. Secoués, les deux combattants restent un long moment dans leur accolade, soudés.

— Vous y avez laissé un poumon, mais vous êtes guéri, Marcel.

— Comment pourrai-je jamais vous rendre ce que vous avez fait pour moi ?

La médecine l'avait condamné. La mort venait de le renvoyer à l'existence. Marcel referme la porte de verre ondulé derrière lui, sur laquelle est inscrit en grosses lettres noires le nom de son sauveur. Il prend le temps de descendre l'escalier, sans se presser, et observe sur les murs les dessins microscopiques incrustés dans le plâtre. Il s'amuse à y déchiffrer la forme de visages souriants.

Une fois dans la rue, il se met au défi d'entrer dans le premier restaurant qu'il croisera.

Les œufs tournés avec saucisses et bacon qu'il a commandés lui paraissent les meilleurs jamais savourés de toute son existence. Sans compter qu'ils sont servis par une demoiselle à la chemise entrouverte et aux courbes féminines enserrées dans une jupe lavande. Lui qui, depuis près de deux ans, n'a touché le corps de sa femme qu'avec une multitude de précautions et en portant un masque sent la sève lui revenir et le désir permis. Le docteur l'a totalement rassuré sur ce plan : il n'y a plus aucune raison de se restreindre. Il peut reprendre les activités d'un homme normal et faire l'amour.

Quand il rentre à la maison d'Outremont, Anaïs est la première qu'il aperçoit. Il la prend dans ses bras et lui colle un baiser sur la joue. La petite sourit d'aise, se laisse chatouiller par la barbe mal rasée de son oncle. Arrive ensuite Ariane, bouche bée de le trouver ainsi avec une enfant dans les bras. Elle saute de joie en apprenant les résultats de sa rencontre médicale. Les deux garçons ne demandent pas leur reste et plongent à leur tour contre le torse de leur père accroupi. Un cycle de malheur prend fin chez les Lepage.

***

Alors qu'elle vit la rédemption de son homme, Ariane parcourt le chemin exactement inverse au chevet de sa sœur. De visite en visite, Agathe dépérit. Aucun argument ne parvient à la faire revenir à Montréal pour revoir sa fille. Elle se résigne à accepter sa mort.

— Je préfère qu'Anaïs garde un souvenir de moi vivante et enjouée. Si elle me voyait aujourd'hui, ça lui ferait peur.

Sa sœur abandonne le combat. Victor Greenberg, qui s'est déplacé à la demande expresse d'Ariane pour examiner la malade, a confirmé son manque de volonté de guérir, aussi inexplicable que déterminant et qui contribue en grande partie à sa dégradation accélérée. Ariane, complètement dévastée, ne sait plus quels arguments invoquer pour redonner le goût de la bataille à quelqu'un qui s'y soustrait et qui se laisse gagner par l'attrait du vide.

— Je m'ennuie, murmure souvent la jeune femme, qui refuse pourtant de revenir en ville. Mais je suis bien ici. On me soigne.

Voulant bien faire, l'aînée des Calvino a l'idée de louer un chalet dans le joli village de Val-David, à quelques kilomètres du sanatorium, et d'y inviter ses sœurs et leur famille ainsi que leur mère pour y passer le réveillon de Noël. De cette façon, il sera facile aux unes et aux autres d'aller rendre visite à Agathe. Le respect très strict des mesures sanitaires permettra ainsi à tous d'avoir un temps des fêtes plus joyeux.

Les quelques jours passés dans la grande maison de bois rond confirment le retour de Marcel à la santé. Il peut recevoir les amis qui lui ont tant manqué, manger tout son soûl, cajoler ses fils, sa nièce, assister à la messe de minuit.

Alice, radieuse au milieu de ses enfants et petits-enfants, ne fait qu'une seule visite à sa chère Agathe, à la suite de laquelle elle ne se permet aucun commentaire. Elle rentre vieillie, courbée, secrète, esquivant les questions, évitant la communication.

Désolée, Ariane se rend auprès de sa sœur à son tour et cherche à obtenir d'elle des informations sur leur rencontre, sur ce que les deux femmes ont bien pu se dire…

— Maman est venue de Montréal pour te voir. Tu pourrais faire un effort.

— J'en ai fait un, justement. Un immense.

— Qu'est-ce qui se passe entre vous deux ? Quelque chose s'est brisé, ce n'est plus comme avant. Pourquoi ? Vous vous entendiez si bien à Paris !

— Ma pauvre Ariane, répond Agathe avec une profonde lassitude, tout en se regardant dans la glace posée sur la table de nuit, toi qui as été tellement jalouse de cet amour démesuré que me portait maman, alors qu'il ne tenait sur rien... Tu voudrais maintenant qu'il renaisse et me sauve ? Ne perds pas ton temps et ne pose pas de questions. Ça t'évitera des déceptions.

Agathe tourne le regard vers le ciel et s'enferme dans un mutisme dont rien ni personne ne pourra la tirer et qui durera plusieurs jours.

Les fêtes se déroulent ensuite dans l'allégresse, agrémentées de neige à profusion, de tables bien garnies, et du rire de Marcel et des enfants. Au milieu des cadeaux et des chants de Noël, Ariane observe du coin de l'œil sa nièce, Anaïs, une petite fée sourire, toujours contente de son sort. Il lui faut se préparer pour ce jour de plus en plus proche où sa nièce deviendra sa fille.

Chapitre 12

Au retour des fêtes, un mois de janvier 1947 particulièrement mordant oblige tout le monde à se terrer à l'intérieur. Histoire de se changer les idées et d'oublier un peu le déclin continu de sa sœur, Ariane reprend contact avec une ancienne amie des Beaux-Arts, Colette Lemyre. Elle l'avait revue avec beaucoup de plaisir quelques mois plus tôt, au hasard d'une sortie au restaurant avec Marcel.

Colette a épousé sur le tard un homme brassant des affaires dans la restauration et l'hôtellerie. Son mari lui ayant confié la tâche de superviser l'aménagement de ses établissements, elle dispose d'une quantité incroyable d'accessoires décoratifs, de boutons, de billes de verre, de paillettes, sans compter les feutres, les velours, les satins. Femme originale à l'esprit bouillonnant et inventif, fabuleusement habile de ses mains, Colette attire Ariane comme un aimant. Celle-ci prétexte avoir besoin d'aide pour la confection des rideaux de sa maison. Par l'entremise de la couture, les deux amies renouent et font plus ample connaissance. Étant donné qu'Agathe dépérit toujours au sanatorium dans une longue agonie, une personne comme Colette apporte à Ariane un vent de fantaisie et une bonne humeur plus que salutaires. Quand Ariane confie qu'elle s'est sentie trop triste l'année précédente pour organiser quoi que ce soit, pas même la fête d'anniversaire de ses enfants, Colette saute sur l'occasion.

— Laisse-moi organiser à tes petits un *party* dont ils se souviendront longtemps, propose sa complice, tandis que son amie se questionne à voix haute sur sa capacité émotive à souligner les deux ans de ses fils.

— Mais ils sont nés en octobre et on est en janvier…

— Et alors ? Tu crois qu'ils sauront faire la différence ?

***

Dotée elle-même d'une faculté d'émerveillement hors du commun, Colette adore allumer des étoiles dans les yeux des bambins. Si elle est restée discrète sur le sujet, Ariane devine qu'un drame secret lié à l'enfantement a marqué son amie, qui se dévoue pour les gamins avec une démesure un peu désespérée. La femme se révèle touchante dans cette énergie folle qu'elle met à se costumer pour raconter des histoires, ou à courir la ville pour quérir des accessoires de bricolage uniques et stimulants. Elle fait preuve d'une patience d'ange et d'une imagination sans bornes. Aux yeux des gamins, Colette a tout d'une magicienne.

Pour concilier les intérêts d'Anaïs et ceux des jumeaux, de sorte que l'aînée des trois enfants ne se sente pas mise à part, l'organisatrice propose de s'inspirer du film *Blanche-Neige et les Sept Nains*, de Walt Disney, que tout le monde a adoré et vu plusieurs fois au cinéma. Ariane accepte tout de suite la suggestion et s'associe au projet, heureuse de préparer une surprise et de participer à un événement joyeux.

Dans un branle-bas de combat, Colette s'affaire à reproduire chacun des nains sur un patron grandeur nature, membre par membre et détail par détail. Ensuite, elle découpe chaque pièce sur des panneaux de tissu, puis les bourre afin d'obtenir la réplique exacte des personnages du célèbre dessin animé. Les deux amies cousent aussi des animaux, des oiseaux, des écureuils, des lapins, et dessinent des fleurs sur des pans de papier. Ce projet gigantesque, mais fort distrayant, tant pour les adultes que pour les plus jeunes, demandera de nombreuses heures de travail, qui s'accompagneront d'une bonne dose de rigolade et d'ingéniosité. Fortes des confidences échangées au cours de l'exercice, les deux femmes se sentent beaucoup plus complices.

— J'aurais aimé que ma sœur soit là ! Et surtout, qu'elle voit les yeux de sa fille quand elle se retrouvera devant une Blanche-Neige aussi grande qu'elle, confie Ariane à quelques jours de la date tant attendue.

Pour toute réponse, Colette entoure les épaules de son amie, qui éclate en sanglots.

— Ce n'est pas ta faute… murmure Colette sur un ton câlin, en caressant doucement le dos d'Ariane.

— Toute ma vie, je l'ai détestée, et maintenant qu'elle s'en va, je ne trouve plus les causes de ma rage. Pourquoi lui en ai-je tant voulu ? Je l'ignore moi-même. Et il est trop tard maintenant pour réparer…

— Chut. Ne va pas plus loin. Elle t'a confié sa fille, c'est signe qu'elle t'a pardonné, non ?

Les pleurs d'Ariane s'interrompent d'un coup, l'argument ayant visé juste. Dans la pénombre de la fin du jour, face à la grande fenêtre vitrée donnant sur le ciel, les deux amies restent côte à côte, en silence comme dans une église.

***

Le 16 février 1947, une ribambelle bruyante d'enfants, fils et filles de voisins, d'amis et de collègues, s'amène dans l'avenue Outremont pour célébrer l'anniversaire de naissance de Claude, d'Henri et d'Anaïs, laquelle est née au mois d'août, mais n'aurait pas compris qu'on ne la célèbre pas aussi puisqu'elle n'a pas eu de fête non plus. Le travail acharné des deux organisatrices est enfin révélé et couronné de succès. Au milieu d'un univers de dessins animés grandeur nature qu'elles ont recréé avec brio, les « Ho ! » et les « Ha ! » fusent. Le décor plus vrai que vrai enflamme l'imaginaire de tous les invités.

Les deux complices ont même prévu une chasse aux trésors se déroulant sur les trois étages de la maison. Les jubilaires s'esclaffent et profitent de chaque instant. Leur père, qui a recouvré la santé, est heureux d'avoir sa maison pleine. Il sert un verre aux hommes en discutant politique, tandis que les femmes se sont regroupées dans la salle à manger pour admirer la table couverte de bouchées raffinées destinées aux adultes, et de carrés de sandwiches colorés en vert, rouge ou jaune, plus rustiques et attirants pour les petits invités.

Tout au plaisir de célébrer le retour à la vie normale de son amoureux, Ariane court à gauche et à droite, rectifiant la disposition des assiettes, sortant les bouteilles et les verres et indiquant aux uns comme aux autres les aires de la maison. Colette, aux anges, se charge de l'animation et des jeux.

La journée s'étire avec la dégustation d'un gâteau au chocolat et une distribution de cadeaux qui se prolonge au point où les jumeaux eux-mêmes se désintéressent de leurs présents, trop ahuris et trop jeunes pour prendre la mesure de ce qui leur arrive. Les derniers convives ne partent qu'une fois la nuit tombée.

Les enfants s'endorment en posant la tête sur l'oreiller. Colette, fourbue, quitte les lieux peu après. D'entre tous, elle semble la plus heureuse.

Ariane adore ces moments de grand désordre festif. Elle aime se repasser le fil des événements et des échanges, tandis qu'au milieu du fouillis – des meubles déplacés, des serviettes de table gisant sur le tapis, ou roulées en boule dans les verres ou dans les assiettes à demi vides, des coussins tombés sur le sol – elle remet les choses en place sans se presser. Et dans ce décor surréaliste de personnages de film pour enfants, le dépaysement lui semble encore plus réjouissant. Elle place les restes de nourriture au froid, dans la dépense. Marcel, revenu de conduire Alice en voiture, franchit le long couloir et rejoint sa femme à la cuisine. Il a dans le regard ce désir, cette flamme rallumée.

— Que la santé constitue le bien le plus précieux ! Et que j'ai eu de la chance d'avoir une femme comme toi pour me soutenir jusqu'à la guérison ! Je ne te remercierai jamais assez…

Il l'enserre et l'entraîne dans une danse. Épuisée, mais radieuse, elle se laisse aller, suivant ses pas et décelant, la tête appuyée sur son torse, un air de jazz qu'il entonne. De l'index, il lui fait relever le menton, frottant sa joue rugueuse contre la sienne, répandant les effluves de son eau de Cologne. L'homme reprend courage, fierté, vigueur. Il a vaincu.

La tirant par la main, il l'emmène jusqu'à cette chambre où elle a dormi seule si longtemps, séparée de lui pour éviter la contagion au début, et après, pour assurer à son mari au sommeil fragile des nuits complètes et réparatrices. Il détache sans gêne les boutons de sa chemise, dévoilant l'immense cicatrice. Avec une sensibilité à fleur de peau, une délicatesse et une adresse remarquables, il lui fait l'amour en prenant bien son temps pour mieux profiter de chaque instant d'ivresse.

La jouissance procure un moment d'oubli. Se sentant coupable de son bonheur, Ariane se fait la promesse de décupler ses efforts pour réchapper sa sœur et la tirer d'affaire elle aussi.

***

Une fois remis sur pied, Marcel propose à sa femme qu'elle interrompe sa carrière de réalisatrice pour rester à la maison, s'occuper des enfants qui grandissent et qui demandent de plus en plus d'attention. Bien qu'Ariane se sente plutôt rassurée quant à la santé de son conjoint, le spectre d'une rechute reste toujours présent dans son esprit. Aussi tient-elle absolument à continuer à travailler afin de pouvoir faire vivre sa famille par ses propres moyens en cas de revers.

— Toi aussi, tu penses que les enfants souffrent du fait que je travaille ? Ils sont plusieurs à la station à me faire sentir leurs reproches.

— Je te dis seulement que ton mari est en mesure de gagner de nouveau sa vie et celle de sa femme, si elle veut prendre congé.

— Tu oublies les factures remises par l'hôpital à ta sortie, les dettes accumulées pour payer les médecins, l'opération, les médicaments. La maison est grevée par une lourde hypothèque.

— Il me faudra du temps, mais je parviendrai à tout régler.

— Je te crois et je suis sûre que tu y arriverais, mais ça ira plus vite à deux... Et puis la nouvelle bonne travaille comme pas une. Les enfants l'adorent. Ils ne se plaignent de rien, explique-t-elle, sans oser avouer ouvertement à quel point elle aime son travail et ne pourrait s'en passer.

Marcel n'insiste pas. Ariane remercie le ciel qu'il accepte d'avoir épousé une femme qui vaque à des occupations à l'extérieur de la maison, qui a ses amis, ses sorties, son argent, et qui s'habille de façon originale, en pantalon très souvent, qu'elle trouve tellement plus pratique. Ariane ne l'apprendra que plus tard, mais dans le quartier les dames de bonnes mœurs de la bourgeoisie outremontaise ont eu la bienveillance de rencontrer son époux en privé pour lui demander qu'il fasse pression sur sa femme et tente de la raisonner. Puis, devant le peu de résultats obtenus, elles ont avisé le curé de la paroisse. À leur avis, la dame qui se déclare réalisatrice à la radio empêche la famille.

Il n'en faut pas plus pour qu'une visite suive les dénonciations. Lorsque Ariane découvre l'homme d'Église à sa porte, elle est si étonnée qu'elle met quelques instants avant de le faire poliment entrer. Elle l'invite à prendre place au salon et lui offre une tasse de thé et des biscuits sablés tout chauds sortis du four. L'homme ne se fait pas prier et se bourre la panse. Tout en mangeant goulûment, il interroge son hôtesse sur son travail, la félicite pour ses émissions, se disant impressionné. Il demande ensuite à rencontrer la gouvernante. Il prend le temps de faire connaissance avec les enfants, questionnant Anaïs sur ses notions de catéchisme et lui demandant de s'agenouiller dans le but de la bénir. Les gamins, particulièrement agités cette journée-là, se chatouillent en roulant sur le tapis, répondent en gloussant et en se signant de façon très approximative. Pour éviter d'avoir maille à partir avec le curé de sa paroisse, Ariane montre patte blanche, s'efforce d'être patiente et avenante. À la demande du religieux, elle lui fait visiter les chambres des enfants et lui parle longuement de ses occupations et de celles de son mari.

— J'ignore si on vous a mise au courant, madame Lepage, mais l'Église catholique encourage la famille. Il n'est pas rare dans la province de trouver dix ou douze enfants logeant sous le même toit. Nous avons l'habitude des grosses tablées.

— Je connais assez bien les us et coutumes du Québec. Comme j'avais quatre ans à mon arrivée au Canada, j'ai passé pas mal plus de temps ici que de l'autre côté de l'Atlantique. Et comme nous étions nous-mêmes sept filles chez nous, je m'y connais aussi un peu en maisons pleines d'enfants.

— Puisque vous abordez la question, je m'étonne justement de ne pas voir de petits frères et de petites sœurs s'ajouter d'année en année aux vôtres. Votre mari semble pourtant avoir recouvré toutes ses capacités...

— Avec un époux maintes fois condamné par la médecine, mettre au monde plus de petits que ceux que nous avons déjà à notre charge me paraît insensé. À quoi bon multiplier les orphelins ?

— Dois-je comprendre que vous avez recours à des moyens pour éviter les grossesses ?

— J'ai bien peur que ça ne soit pas de vos affaires, monsieur le curé.

— Vous savez que, si c'était le cas, vous risqueriez l'excommunication ? Vous êtes bien au fait de cela, je suppose...

— L'excommunication ? La belle affaire ! Ce ne sont pas les curés qui élèvent les gamins, à ce que je sache, ni qui leur mettent à manger dans le ventre. Et puis pour ce que j'en connais, Jésus me semble un être de cœur autant que d'esprit, capable de comprendre les limites que la vie impose parfois. C'est la raison pour laquelle je fais directement affaire avec lui, plutôt qu'avec ses fonctionnaires. Aussi, je vous invite à rentrer chez vous, car nous n'avons plus rien à nous dire. Merci de votre visite, monsieur.

La discussion tourne court. Ariane parvient mal à cacher son agacement. Elle se lève d'un coup, saisit la tasse des mains de son interlocuteur, la pose sur la table en retrait, l'incitant à se lever à son tour. Elle se dirige d'un pas rapide vers le hall d'entrée dans une attitude empreinte de noblesse autant que d'une inébranlable fermeté. Les paroles du prêtre ne trouvent pas d'écho chez elle, pas plus que les reproches, les sermons, les menaces.

Si les hommes de Dieu n'ont pas plus de jugement que d'humanité, alors elle n'ira plus à leur église. C'est une question réglée. Elle ne subira pas plus longtemps les condamnations de ces religieux. Déjà, petite, elle les critiquait et ne les portait pas en très haute estime. Déstabilisé, l'homme hésite et reste dans le hall un instant. Ariane ouvre la porte toute grande, en se penchant vers l'avant et faisant un signe non équivoque de la main. Le prêtre, rouge de colère, attrape son manteau et passe devant son hôtesse pour sortir en maugréant.

***

Colette rit à gorge déployée au récit de cette aventure. Baptisée et catholique, elle aussi, mais pas plus assidue dans la pratique que son amie, elle trouve là un nouveau point en commun avec Ariane.

— C'est incroyable, le pouvoir que prend le clergé avec Duplessis qui l'appuie. On étouffe dans cette province !

— Tu sais ce qu'il nous faudrait ? Une virée à Boston ! On devrait aller là-bas, visiter les musées, les magasins et aller dans les restaurants ! Allez, accepte, c'est tout proche ! On part toutes les deux et on se change les idées !

Colette s'emballe. Elle adore les États-Unis et s'y rend plusieurs fois par année, accompagnant son mari qui achète là-bas de quoi meubler ses établissements. Depuis l'enfance, elle a sillonné le territoire des voisins du sud avec ses parents et s'y sent chez elle. Lancée sur la vie américaine et sur ses attraits, Colette est intarissable. Ariane acquiesce en l'écoutant, et l'encourage à poursuivre.

— Tu ne dis pas non ? Alors on part quand ?

— Ma pauvre, j'ai bien peur de devoir te faire faux bond. Tant que ma sœur se trouve aussi malade, je n'ai pas le cœur à la fête. Et par prudence, je ne m'éloignerai pas de Montréal.

En effet, les nouvelles en provenance du sanatorium s'avèrent de plus en plus mauvaises. Comme si elle devinait la dégradation rapide de l'état de sa mère, la petite Anaïs multiplie les finesses auprès de sa tante et de son oncle pour les charmer. Volubile et expressive, le corps tout en finesse, comme sa mère en modèle réduit, elle mémorise les comptines et les poèmes. Minuscule et élégante dans ses robes à volants, elle semble les supplier de lui assurer qu'elle ne sera pas abandonnée. Plus que jamais soucieuse de bien faire et toujours préoccupée du regard des autres, Anaïs respecte à la lettre toutes les consignes avec une constance touchante. Souriant du lever au coucher, elle s'habille seule, mange sans rechigner tout ce qu'il y a dans son assiette et cède facilement aux caprices de ses cousins. Rarement l'entend-on pleurer, se plaindre ou réclamer. Elle remercie beaucoup plus qu'elle n'exige. Anaïs, d'instinct, sait séduire. Et elle a mis sa tante et son oncle dans sa petite poche.

***

Au cours du mois de mars de 1947, Ariane assiste à une conférence au sujet de l'existentialisme. Elle s'intéresse à Jean-Paul Sartre depuis qu'elle a vu la pièce *Huis clos* l'année précédente au Gesù, présentée par la Société Radio-Canada. Maintenant que Marcel se consacre à ses occupations et que les enfants sont bien encadrés, elle peut se permettre de suivre l'action intellectuelle de Montréal.

La rencontre avec ce grand homme et ses idées l'a bouleversée. L'appel à l'engagement des intellectuels et au combat pour la libération individuelle ouvre une brèche béante dans l'univers ambiant des idées de droite et catholiques.

D'ailleurs, le succès remporté par le journaliste et philosophe démontre bien à quel point son idéologie rejoint la façon de penser d'une élite d'avant-garde qui cherche désespérément à se sortir de l'obscurantisme omniprésent. Les propos de Sartre ont intensifié en Ariane sa soif d'agir, son désir de se battre et de s'impliquer auprès des plus faibles, des travailleurs et des femmes. Elle veut mettre l'épaule à la roue et cherche une façon d'apporter sa contribution.

Dans cette foulée, elle propose une émission d'éducation populaire sur les arts à laquelle des personnalités éminentes du Canada ou même d'Europe seraient invitées à participer. Élaborant son projet avec soin, elle choisit de ne pas en toucher mot à Marcel, débordé à ce moment. Elle préfère le garder éloigné des incertitudes et des tensions. Après avoir longuement réfléchi, elle prend la décision d'aller présenter son initiative à CBF, où l'idée a plus de chances de susciter un intérêt. Comme Marcel a retrouvé une grande partie de sa fougue et de sa santé, elle croit qu'il pourrait être souhaitable pour elle de changer d'employeur et que l'occasion est bonne. La société d'État offre de bonnes conditions de travail, mais surtout elle présente une programmation beaucoup plus orientée vers la culture et les arts, qui lui manquent. Elle conçoit sa présentation avec détermination et perfectionnisme puisqu'elle la destine à des patrons qui ne la connaissent pas personnellement. Elle travaille donc d'arrache-pied pour étoffer ses sujets et dénicher des experts susceptibles de s'associer à ses émissions. Elle doit être parfaitement préparée et se montrer aussi convaincante que rassurante. Quand un directeur voit arriver une femme dans son bureau, il y a toujours une certaine méfiance…

Lorsqu'elle se sent assez sûre d'elle et que vient le moment de demander un entretien avec le directeur de la programmation, elle a envie de reculer, de tout stopper. Aurait-il été plus avisé de prévenir Marcel de ses intentions ? Ne lui a-t-elle pas promis la vérité ? N'aurait-il pas mieux valu obtenir l'approbation de son mari ? Ou à tout le moins son avis sur cette démarche qui pourrait lui coûter son emploi à CKAC si jamais les patrons en avaient vent ? Elle ressasse ses questionnements pendant plusieurs jours. La crainte d'une rechute de la santé de son époux causée par le stress finit par la décider : elle suivra son instinct sans consulter personne.

***

Quelques semaines plus tard, à sa grande surprise, elle obtient une rencontre avec des membres de la direction.

— Nous avons suivi votre travail. Et sommes intéressés à vous recevoir à nos bureaux, lui révèle-t-on par téléphone, alors qu'elle est à la station.

Elle est flattée, mais son succès lui impose plus que jamais le silence. Il ne faut mettre Marcel au courant que si sa démarche réussit, afin de ne pas le placer en position fâcheuse à l'égard des dirigeants de CKAC. Si les choses vont plus loin, Ariane prendra tous les blâmes. Aussi, lorsque son mari l'interroge sur les raisons de sa nervosité, elle répond évasivement, de manière à ne rien révéler de son projet, sans tout à fait mentir. La vérité, c'est qu'elle ne sait plus comment se sortir de la situation. D'un côté comme de l'autre, elle blessera l'orgueil de son mari. Elle a fait une erreur, mais ne peut plus reculer.

Elle se rend aux bureaux de CBF, rue Dorchester, expose le concept de sa série radiophonique avec professionnalisme, beaucoup de conviction et de maîtrise. Elle suggère une approche innovatrice sur le plan technique de la réalisation, grâce à une utilisation des micros différente de la façon de faire habituelle, mettant à profit ses essais et erreurs passés. Le directeur s'avoue complètement charmé par son assurance et par son ingéniosité. Elle renchérit sur les moyens à déployer pour faire de sa proposition un succès. À Radio-Canada, la créativité et les tentatives audacieuses ont la cote. De plus, la force éducative de cet appareil qui trône désormais dans la majorité des foyers canadiens est démontrée. La société d'État veut soutenir l'accès à la culture et à l'information autant qu'au divertissement plus léger.

Ariane Lepage sort de la bâtisse avec la satisfaction du devoir accompli. Pour se récompenser de ses mois d'efforts et de travail, elle se rend à pied jusque chez Eaton, monte jusqu'au restaurant pour s'acheter une pâtisserie et un café. Elle se revoit, jeune fille timide, mais tellement décidée à se sortir de la misère. Que de chemin elle a parcouru ! Et comme la ville a changé en presque vingt ans !

Depuis la fin de la guerre, les femmes se sont mises à la dépense et passent beaucoup plus de temps dans les magasins, s'habillent avec plus de soin, se coiffent avec style. Cette élégance et ce confort plaisent à Ariane. Tandis qu'elle fait cette constatation, elle décide de se payer une folie : un lainage d'alpaga, duveteux et confortable, d'un rouge intense, comme l'a été sa journée. Retrouver un peu de légèreté et d'insouciance lui fait du bien. Elle règle la facture avec le sourire.

***

Trois jours plus tard, elle reçoit un appel d'Agathe.

— J'aimerais... Non, en fait, je te demanderais... Viens ici, le plus rapidement possible. Je t'en prie.

Sa voix, très mauvaise, trahit un affaiblissement considérable depuis leur dernière rencontre.

— Je serai là demain, l'assure Ariane.

— Merci, ma sœur, mon amie, murmure Agathe en retenant un sanglot. Viens seule, s'il te plaît.

Le lendemain matin, Ariane emprunte une auto et prend la route, malgré une giboulée tardive en ce mois d'avril. Parcourir les cent kilomètres jusqu'au sanatorium lui paraît une éternité. Il fait froid et il neige fort, ce qui réduit la visibilité. Plusieurs fois, Ariane pense à rebrousser chemin, mais elle sait qu'elle doit se rendre impérativement au chevet de sa sœur. Elle se présente avec deux heures de retard devant une Agathe au regard vitreux, brûlante de fièvre et à bout de forces. Apercevant sa sœur aînée, la malade s'illumine et trouve même l'énergie de se lever quelques secondes. Mais elle se laisse lourdement retomber dans son fauteuil. Ariane veut appeler les infirmières, mais Agathe, d'un geste, l'arrête :

— J'ai quelque chose à te confier... Assieds-toi.

— D'accord. Comme tu voudras. Je t'écoute, que se passe-t-il ?

Agathe entreprend son récit, murmurant pour préserver son souffle et s'interrompant de temps à autre pour reprendre ses forces.

Émue, elle relate sa tournée européenne, décrivant dans les détails les salles de spectacle où elle a donné des représentations. Les applaudissements de la foule, les gerbes de fleurs, les télégrammes d'artistes prestigieux. Elle retrouve tout ça avec un sourire dans l'âme. Lui caressant tendrement la main, Ariane suit, en se taisant respectueusement, les exploits et le parcours unique de sa cadette.

— Tout ce qui m'arrivait me semblait extraordinaire. Je vivais une histoire d'amour qui l'était encore plus. Nous discutions parfois de notre futur mariage...

Un silence long et lourd interrompt brusquement le rêve. Installée face à la fenêtre, Agathe garde un moment les yeux clos.

— Puis nous sommes arrivés à Berne. Épuisée par le trajet, je voulais, comme je me l'impose toujours, rester à l'hôtel pour prendre du repos avant le concert du soir, mais mon compagnon tenait à me faire découvrir la fosse aux ours, qui l'impressionnait beaucoup. Alors je l'ai suivi, ignorant les principes auxquels je dérogeais rarement. C'est là, tandis que j'admirais ces bêtes magnifiques, que pour la première fois j'ai eu un haut-le-cœur. C'était tellement puissant que je n'ai eu aucun doute.

Je revoyais maman, la main sur la poitrine et se redressant pour ne pas vomir. J'étais enceinte à mon tour ! Ça ne pouvait être que ça ! J'étais si heureuse !

Les souvenirs rosissent sa peau diaphane. L'amour la revivifie. Elle se remémore le concert de ce soir-là. Comme elle prévoyait s'entretenir sous peu de ses heureux soupçons à son homme, elle avait joué pour lui et mis toute sa ferveur dans son interprétation.

Chaleureusement applaudie après une prestation réussie, elle était retournée à sa loge, le cœur léger. La journée avait été longue et la pianiste atteignait la limite de ses forces. Elle s'était allongée quelques instants pour reprendre un peu d'énergie, mais n'avait pas été étonnée d'entendre quelqu'un cogner à sa porte.

Croyant à la visite de son amant, qui avait l'habitude de venir la retrouver à la fin de chaque représentation, elle s'était empressée d'aller ouvrir. Elle avait été stupéfaite d'apercevoir devant elle une parfaite inconnue qui lui ressemblait comme deux gouttes d'eau. Plus que n'importe laquelle de ses sœurs, cette personne était son portrait, au point où elle avait l'impression de se voir elle-même en quelqu'un d'autre... Elle avait chassé cette folle pensée. Toute droite, l'admiratrice lui avait tendu, gênée, un bouquet de roses blanches.

— C'était magnifique, un concert unique. Vous m'avez portée aux cieux.

Flattée par la visite de celle qu'elle prenait pour une fervente mélomane dans la jeune trentaine, Agathe avait accepté de poursuivre la conversation. Son interlocutrice s'y connaissait en musique et émettait de nombreux commentaires pertinents. L'échange avait duré un moment, jusqu'à ce que la jeune femme laisse tomber, sur un ton exagérément appuyé :

— Ma mère jouait très bien du piano. Elle donnait des concerts. Lorsque j'étais petite, elle m'apprenait aussi à déposer la main et à la relever avec grâce...

À cette réplique, Agathe s'était sentie mal à l'aise, sans trop s'expliquer pourquoi. Il y avait dans la façon d'aborder le sujet une fêlure. Elle avait tenté d'ignorer le signal que lui transmettaient ses sens et avait poursuivi avec politesse. La pianiste répondait aux questions à propos de la difficulté du doigté d'une des partitions de Bach. L'autre femme avait repris la discussion avec intérêt, puis, sautant à nouveau du coq à l'âne, avait fait cette déclaration :

— Ma mère s'appelait Alice. Dès le moment où j'ai su que votre père se nommait Claudio Calvino, je me suis dit qu'il fallait absolument que je voie votre visage.

Épuisée de tant parler, Agathe s'interrompt. Elle dépose un instant la tête sur le coussin coincé sous son cou et sommeille quelques minutes. À l'extérieur, les flocons n'ont pas cessé de tomber, comme un rideau blanc, un linceul. Une infirmière passe dans le couloir. Elle s'arrête, vérifie l'état de la malade et replace la couverture sur ses jambes, la tirant alors de son sommeil déjà léger. Rassurée, l'infirmière repart vers la section des patients alités. Sortie de sa langueur, la frêle femme continue sa confession.

— Anna... c'est ainsi qu'elle s'est présentée à moi.

Le prénom commençait par un A, comme celui de six des sept filles d'Alice. Ce nouvel indice avait achevé de mettre Agathe sur la piste. Anna lui avait ensuite fait part de son histoire.

— Je vis avec mon père. Il est à Paris actuellement. Pour affaires. Il ne sait pas que je suis ici. S'il l'apprenait, il serait très en colère, avait ajouté l'étrange jeune femme, en tortillant son mouchoir de lin dans ses mains.

En évoquant son paternel, elle avait adopté instantanément une attitude enfantine, haussant la voix. Elle se comportait comme une gamine de cinq ans prise en faute et s'était mise à trembler légèrement. Elle trahissait sa crainte, son souci de plaire. La voyant aussi fragile, Agathe n'avait pas su quelle attitude adopter : fallait-il mettre fin à l'entretien ? L'autre semblait au bord d'une crise de panique, mais en même temps elle restait là, immobile, et la regardait fixement. Agathe sentait venir cette révélation qu'elle ne souhaitait pas entendre et qui, elle le pressentait, briserait ses certitudes, sa sécurité et cet avenir heureux qui s'annonçait.

— C'est une coïncidence, bien sûr, mais j'ai une Alice pour mère, moi aussi. Elle habite au Canada et me manque beaucoup, avait dit Agathe pour tromper le malaise.

— Elle me manque beaucoup aussi, avait laissé tomber Anna, avec une tristesse infinie dans le regard. Lorsque j'étais petite, on m'a dit qu'elle était morte. Mon père me l'a juré...

Et elle avait enchaîné sur cette autre grande passion, celle qu'elle avait pour les chevaux. Puis avait décrit en détail ce pensionnat où elle avait été admise, à l'âge de cinq ans à peine, pour recevoir une éducation de jeune fille.

— J'ai pu être accompagnée de mon cheval, un demi-cheval en fait. Ou alors un poney de grande taille, si vous préférez. On m'a permis d'aller le retrouver matin et soir, de le nourrir, de le monter à ma guise chaque fois qu'un ennui trop grand se saisissait de moi. Parfois, en pleine nuit, il m'arrivait de le réclamer et d'aller le rejoindre pour pleurer dans sa crinière en pensant à ma mère.

Perdue dans les circonvolutions erratiques de ses souvenirs, la jeune femme renouait avec de grands pans de ce chapitre bouleversant qu'elle avait traversé seule et tenu secret durant toutes ces années.

— Votre douce maman a quitté la France en quelle année ? Auriez-vous la grande amabilité de me le dire, mademoiselle Calvino, si cela ne vous gêne pas, bien sûr ? avait demandé Anna, fragile, comme sur le point de tomber.

Mal ancrée dans sa propre vie, Anna faisait preuve d'une politesse excessive, qui laissait voir toute sa vulnérabilité.

— Je suis née en 1916 et nous avons quitté Paris pour New York en 1919.

Les hasards s'empilaient les uns sur les autres, formant une montagne au milieu de la pièce. Anna gardait le silence, confuse, maintenant son regard sur ses mains qu'elle bougeait fébrilement. De toute évidence, elle souffrait. Et Agathe, navrée de la voir se débattre avec sa peine, ne trouvait rien à dire pour la consoler.

— Moi, c'est en 1914 que l'on m'a annoncé le décès de mon Alice à moi. Mais on m'a menti. Je l'ai toujours su. Il arrive que les gens nous dupent parce que cela vaut mieux, n'est-ce pas ? Est-ce que quelqu'un vous a déjà raconté des histoires, mademoiselle Calvino ?

Il y avait de l'agressivité, une pointe acérée de colère dans le ton de l'interlocutrice.

— Lorsque vous la verrez, dites à votre mère adorée qu'Anna est passée vous dire bonjour et qu'elle lui fait ses plus sincères salutations, avait-elle ajouté, sans attendre la réponse d'Agathe.

— Je lui transmettrai vos bons vœux, soyez-en assurée.

Sur un ton badin, Anna s'était excusée. Elle devait malheureusement aller rejoindre au plus vite une cousine qui l'attendait. Elle avait réussi à échapper à sa surveillance quelques minutes. Elle avait alors raconté tout bas, comme à elle-même, comment elle avait berné sa gardienne pour parvenir jusqu'à la loge. Elle se félicitait de cette prouesse. Agathe avait du mal à suivre le débit désordonné de cette mystérieuse personne.

— Vous a-t-on déjà abandonnée, vous, mademoiselle la jolie pianiste ? avait-elle lancé ensuite, comme une bombe au milieu du désert.

— Je ne comprends pas... s'était contentée de répondre Agathe, déstabilisée.

— Qui a dit que je manquais d'intelligence ? Ma mère est vivante ! C'est moi qui disais vrai ! Pourquoi n'est-elle jamais revenue me chercher ?

— Si elle avait pu, elle l'aurait certainement fait, chère Anna.

— J'aimais beaucoup M. Claudio, votre père ! Il se montrait gentil et patient avec moi. Sa voix, je ne l'oublierai jamais. Et il me prenait dans ses bras. Je posais ma tête sur son épaule. Je feignais de dormir.

Immobile en face d'Anna, Agathe ne savait que dire. Un cognement léger à la porte avait brisé la tension et remis les deux femmes en mouvement.

— Ma chérie ? avait murmuré une voix masculine, j'ai croisé des amis, tu m'excuseras. Agathe ? Agathe ?

Empressé, le tendre ami avait ouvert la porte toute grande et s'était engagé dans la loge. Immédiatement, il avait reconnu la fille de Georges Deusden, le mélomane et philanthrope. Il avait croisé le banquier plusieurs fois lors de représentations diverses et aussi pour lui quémander quelque soutien financier pour l'un ou l'autre de ses poulains. Comme le richissime homme s'affichait régulièrement en compagnie de sa fille, l'imprésario avait tout de suite su à qui il avait affaire en la voyant dans la loge d'Agathe. Il l'avait saluée avec tant d'égards qu'Agathe en était restée interloquée. Pour sa part, déstabilisée par l'arrivée impromptue de cet homme, Anna avait expliqué en quelques mots les circonstances de sa visite. L'imprésario avait saisi aussitôt qu'il avait tout avantage à se tirer de sa fâcheuse posture. Il avait prétexté une veste oubliée, fait mine d'employer le mot « chérie » pour désigner indifféremment toutes les femmes, et avait quitté Agathe sur un ton froid, comme s'il la connaissait à peine. Rejointe par sa cousine, Annabelle était ensuite partie rapidement. Agathe n'avait revu son romantique amoureux que deux jours plus tard. Plus rien n'était comme avant.

— C'était terminé entre nous. Il a utilisé la grossesse comme excuse. Mais tout était joué, décidé, scellé.

La fille de Georges Deusden constituait la cause directe de la fin de leur idylle. Agathe n'y voyait pas d'autres raisons. Cette Anna, si étrange, qui disait être la fille d'Alice venait de changer à jamais la vie d'Agathe sans que celle-ci comprenne pourquoi.

En fait, lorsque Georges Deusden avait appris qu'Anna avait rendu visite à la fille d'Alice Martin, il s'était mis dans une colère noire. Immensément riche, il était aussi très puissant et avait le bras long. Quiconque voulait faire carrière en Europe devait éviter de se mettre en travers du chemin de cet homme. C'est précisément ce qu'avait compris l'amant et imprésario d'Agathe, qui ne voulait pas que sa relation avec la pianiste puisse lui nuire. Il s'était donc empressé de mettre un terme à leur relation. Pour bannir sa maîtresse, il avait racheté tous ses engagements pour la renvoyer au plus vite dans son Canada lointain.

— À cause de cette Anna, tout a pris fin... Je ne l'ai compris que quelques années plus tard, en découvrant, glissée dans l'un de mes cahiers de musique, une missive qu'avait daigné me laisser mon ancien amoureux.

Ébranlée par les révélations, Ariane s'explique enfin le changement qui s'était opéré chez sa cadette à son retour précipité d'Europe et sa colère envers leur mère.

— J'ai perdu le père de ma fille. Je l'aimais plus que moi-même. Je me suis trouvée seule, enceinte, sans engagements, à la rue. Il m'a acheté mon billet pour la traversée. Je suis revenue au Canada sans savoir et sans comprendre.

Par sa faute, leur mère avait brisé les espoirs de celle pour laquelle elle avait tout sacrifié.

— Si j'avais su... Si elle m'avait dit... Tout aurait été différent. J'aurais été prudente. Je n'aurais pas joué en Suisse, bien sûr... J'aurais employé un nom de scène.

Les montagnes, d'un blanc immaculé, se déploient devant elles. La tempête se calme et offre une brèche de beauté, un rayon de soleil la traversant. Mourir ici a un sens.

***

Ariane, assise sur sa chaise droite, laisse son regard vagabonder au loin. Agathe, épuisée, dort, tandis que sa sœur aînée ne voit plus rien qu'elle puisse faire pour réparer, soulager, amortir. Tant de malentendus et de souffrances cultivés pendant des années s'écrasent là, à ses pieds, comme une bête mortellement atteinte. Le passé se rapièce : Alice, enlaçant Agathe, la couvrant de baisers, vantant ses talents. La préférence évidente que sa mère a toujours manifestée. La jalousie mordante et douloureuse qu'Ariane traîne encore. La fierté immense de la mère pour cette fille devenue pianiste de concert. Et elle, Ariane la pitoyable, qui ne cultive que des objectifs matériels et ne pense qu'à gagner sa vie…

— Anaïs ne deviendra pas une artiste… Je ne le veux pas. C'est toi qui avais raison : ces métiers ne valent rien. Tu y verras, dis-moi ?

Prononcés si faiblement qu'Ariane croit les avoir rêvés, ces mots sont parmi les derniers formulés par Agathe. Plus qu'un souhait, ils s'apparentent davantage à un ordre.

— Tu me promets ?

— Bien sûr, ne t'en fais pas, j'y veillerai. Tu as ma parole.

— Je voulais m'en assurer… Pour le reste, j'espère que tu me pardonneras.

Ariane, secouée, ne répond rien. Avec la main de sa sœur recroquevillée dans la sienne, elle n'a que de l'amour pour Agathe. Celle qu'elle a tant haïe et enviée, qu'elle croyait être la préférée, au bout du compte a souffert autant qu'elle.

***

L'heure du souper approche et le brouhaha des cuisines se fait entendre. Le sanatorium émerge de sa torpeur. On court çà et là, interpellant les uns et les autres, sortant les malades de leur chambre, les invitant à se joindre à la grande table commune de la salle à manger. En contraste, les activités du quotidien brisent le tragique de ce qui s'est déroulé au salon des visiteurs. Abandonnée par sa cadette, Ariane se sent totalement vide, inutile. Plus rien n'a d'importance. Il lui faut accepter que, parfois, les êtres ne trouvent pas une fin heureuse. Il n'y a pas de raison, de logique. Elle sait toute résistance inutile, toute protestation vaine. Les choses se passeront ainsi, sans cette réconciliation à laquelle elle aurait travaillé si elle avait pu prolonger encore un peu la vie de sa sœur. Mais elle devra trouver autre chose que cette voie-là pour rétablir justice, pour corriger le tir de l'existence.

Tranquillement, avec grâce, l'âme d'Agathe s'en est allée rejoindre la neige et l'esprit des montagnes. Les flocons ont virevolté avec elle, comme la sonate pour piano numéro dix-huit en ré majeur qu'elle a tant aimée.

Chapitre 13

À Montréal, une pluie de grêlons bombarde tout sur son passage, tombant dru et sans pitié sur les tenues des endeuillés. Les sœurs Calvino, de noir vêtues, se sont regroupées sous les parapluies, lesquels peinent à faire leur travail. Dans le Cimetière de l'Est habituellement magnifique, rien ne semble vouloir se mettre en beauté cette journée-là : les arbres, encore dénudés, n'affichent pas leur splendeur rassurante. La terre, brune et mouillée, tache l'herbe jaunâtre et rachitique sous les amas de neige sale à demi fondue. Le printemps n'a pas encore pris sa fougue et sa jolie tournure. Il grêle fort sur le curé, concentré sur son discours. Sur un paysage de fin du monde, l'enterrement suit son cours.

Au premier plan, debout devant le cercueil maintenu au-dessus du sol par des filins enroulés autour des épaules des fossoyeurs, Ariane ne pourrait se sentir plus seule. Elle se rappelle sa petite fille d'abord, et puis elle se demande quelle mine a pu faire son père en accueillant Agathe venue si tôt le rejoindre dans l'univers des disparus. Le spectacle d'Amélie, Annie et Jeanne se tenant par la main, ses trois « filles », inconsolables, lui brise le cœur. Angèle et Adèle soutiennent leur pauvre mère, encore assommée par la mort précoce de sa chérie.

— Les enfants ne devraient pas partir avant leurs parents, ça devrait être interdit, a déclaré Alice, au matin.

Au second plan, les maris des unes et des autres essayent de contenir la horde d'enfants de tous les âges qui grossissent les rangs d'une année à l'autre.

Mentalement, Ariane s'adresse à Claudio, lui décrivant la scène et chacun des personnages, un peu comme un animateur le ferait à la radio, au fur et à mesure que son regard se pose sur eux, les membres de sa famille… *Amélie a ouvert son école de danse. L'établissement fonctionne bien et lui permet d'élever seule ses trois enfants, car leur père a péri à la guerre. Jeanne épousera bientôt son boulanger. Toi qui ne faisais que des filles, sache qu'il y a beaucoup de garçons dans ta descendance. Angèle, la plus belle, a épousé un agriculteur et élève leurs deux garçons, déjà plus costauds que les autres. Annie a eu vingt et un ans en novembre dernier, son mari travaille comme policier, elle a deux filles. Adeline, la benjamine, veut devenir chanteuse, comme toi, et semble avoir hérité de tes talents. Sais-tu que tu peux être fier de l'héritage que tu nous as laissé, mon cher papa ? Car si aucune n'est riche, toutes, nous vivons libres d'aimer nos maris, d'élever nos enfants, de réaliser nos rêves. Et si d'où tu es tu peux lui transmettre du courage, envoie tout ce que tu peux à ta chère Alice, qui est tout égarée depuis qu'elle a perdu son Agathe. Au passage, tu peux m'aider aussi. Je l'apprécierais, car ma sœur m'a laissée avec le poids d'un secret dont je ne sais que faire…*

De grosses pelletées de terre lancées en rythme ensevelissent le cercueil. L'averse a cessé pour faire place à un soleil aveuglant dans un ciel d'un bleu pur et intense. On a traversé la noirceur pour passer à la lumière. Les premières voitures se mettent en branle, se dirigeant vers la demeure d'Ariane et de Marcel à Outremont. On y partagera un goûter en compagnie de la famille et des amis.

Ariane a cuisiné une partie de la nuit. Elle tenait à offrir aux siens de quoi se rassasier. Se regrouper autour d'une table bien garnie, c'est une façon primaire, mais essentielle de se consoler. Et puis, pour l'hôtesse, cela s'avérait le meilleur moyen pour rester occupée et se changer les idées. Chez les Lepage, on se plaît à recevoir, accueillir, nourrir, réconforter, et on le fait bien.

Marcel se charge des beaux-frères, tandis que son épouse s'occupe des femmes et des enfants. Avec une attention pour chacun, un mets favori, une boisson spécialement préparée, les Lepage sont doués pour redonner aux autres leur courage. Les funérailles s'achèvent sur une table surchargée de bouchées savoureuses et bien arrosée, dans une maison aux planchers qui craquent, remplie de gamins jouant à la cachette ou aux cowboys, tandis que leurs parents, verre à la main, réchauffent leur peine au soleil de la famille.

Au milieu de ses beaux-frères dans la force de l'âge, au torse large et bombé, aux épaules solides, musclées, puissantes, Marcel multiplie les blagues et les mots d'esprit. Il cherche toujours un peu à faire oublier son handicap physique. Sa maladie lui a laissé plus qu'une cicatrice courant sur la moitié de son corps, elle lui a aussi brisé une épaule, qui s'affaisse mollement sur le côté. Une grosse partie de cette assurance masculine qu'il manifestait autrefois a disparu. Le rire et les blagues ne lui viennent plus aussi aisément ; il lui faut faire un effort. Il doute de lui, de ses réflexions, de ses réalisations. Et puis il a souvent l'impression d'entendre dans son dos les remarques des uns et des autres au sujet de son corps mutilé. Même s'il a repris le travail depuis un moment déjà et qu'il voit sa vivacité revenue avec ses proches et dans ses relations plus personnelles, il continue à souffrir de se sentir diminué. Peut-être que ce sentiment ne le quittera plus jamais.

— J'pense ouvrir un autre magasin. Au centre-ville. Ça r'prend, le commerce. Pis moé, j'en profite, roucoule Antoine le boulanger, doté d'un sens des affaires redoutable. Si t'as de l'argent de trop, j'cherche un investisseur.

Marcel voudrait bien encourager son beau-frère, mais il n'a pas d'économies en banque. Il gagne un salaire correct, son épouse aussi, mais tous leurs avoirs sont consacrés à rembourser les dettes contractées pour le soigner. Durant sa maladie, ils ont dû emprunter des sommes colossales qu'il faut maintenant acquitter à tempérament. Il juge humiliant d'avoir besoin du salaire de son épouse pour se sortir d'un endettement dont il s'estime seul responsable.

Marcel a l'impression que l'ombre de sa tuberculose plane au-dessus de lui comme un vautour et lui salit l'intérieur. S'il n'éprouve que de la reconnaissance envers Ariane pour l'avoir appuyé au cours de ses moments pénibles passés hors circuit, quand il est en société et devant le regard des autres, il a du mal à reprendre une place confortable. À retrouver son autorité aux côtés de son épouse.

La réception bat son plein et Marcel, un verre de vin pour sa femme à la main, va la rejoindre au salon. Ariane discute avec Victor et Sarah Greenberg.

— Puisque vous nous l'offrez si gentiment, alors nous acceptons, n'est-ce pas, mon chéri ?

— De quoi est-il question ? répond-il en tendant la coupe galamment.

— Victor a dans sa famille un cousin avocat qui pourrait nous aider dans les procédures légales pour Anaïs.

— Eh bien…

Un sentiment d'impuissance l'assaille. Son épouse annonce une décision de grande importance avant que lui-même n'ait donné son accord ! Tout est comme ça avec elle depuis qu'il s'est trouvé en état de faiblesse : elle décide de tout au point d'en oublier de le consulter… Il rumine. Pour Ariane, cette adoption va de soi. Et lui ne compte que pour des prunes dans la balance ! Il a déjà deux fils à élever et aurait aimé avoir son mot à dire avant d'ajouter un nouveau membre à sa famille. Pas qu'il ait quelque reproche à adresser à la petite qui, par ailleurs, se comporte de façon adorable, mais parce qu'il lui semble normal d'être le premier à prendre la décision. En colère, il vide son verre d'un coup pour reprendre contenance.

— Cher Victor ! Je me demande ce que j'ai fait pour avoir un ami comme toi ! s'exclame-t-il à la volée.

L'ironie, dissimulée et vite rattrapée par une diversion amusante de Marcel, n'a pas échappé à Ariane. Elle a très bien perçu le changement d'humeur de son mari. Entre les petits pains à mettre au four, la mayonnaise à ne pas rater et les madeleines sur la plaque à chauffer, elle n'a pas le temps de se casser la tête. Aussi, elle affiche une mine joyeuse et passe sous silence l'évident mouvement d'agacement. Elle sourit en soufflant vers son homme un baiser du bout des lèvres, tout en se questionnant sur les raisons de sa colère. Il est inconcevable qu'il ne veuille pas adopter Anaïs. La petite a grandi chez eux. La jeune femme adore sa nièce comme si elle était sa fille. Il ne peut être question de s'en séparer ! Dans son esprit, il n'y a aucune objection possible. Marcel ne peut pas s'opposer. Après tout ce qu'elle a sacrifié pour lui, toutes ces heures de travail dans l'ombre, tous ces textes signés par lui, mais traduits par elle, ne lui doit-il pas cette faveur ? Elle estime que oui. Elle ferme la porte à toute discussion, contrariée à son tour par l'égoïsme dont les hommes sont parfois capables.

***

Anaïs, du haut de ses cinq ans et demi, est paralysée par le mot « mort » qu'emploie sa tante. Elle comprend qu'elle ne reverra plus sa mère. Jamais. Qu'elle est désormais orpheline, comme dans le roman *Sans famille*. Une peur panique s'empare d'elle, comme si tout l'intérieur de son ventre avait pris en feu d'un coup. Elle qui sait à peine comment attacher ses lacets ou écrire son nom à l'ardoise n'a plus de maman. Heureusement, le visage de sa tante Ariane s'est superposé à celui d'Agathe, comme une bouée au milieu de l'océan. Il n'y a pas d'autre issue.

À partir de là, elle ne lâche plus sa parente, se blottissant tout contre elle, ne la quittant pas d'un pas, restant à l'affût du moindre déplacement imprévu. Elle garde sa petite main dans celle d'Ariane, refusant de se détacher du seul ancrage qui lui reste au monde.

— Est-ce qu'on va me donner ? Me vendre ? C'est ce qui est arrivé au petit garçon dans le livre que tu m'as lu, tante Ariane ! Il faut que je reste avec toi, sinon je vais mourir, moi aussi.

Ariane fait de grands non de la tête, murmure des paroles rassurantes et répète qu'il n'y a rien à craindre. Anaïs restera avec elle dans la « grande maison », comme la petite la désigne, et il n'est pas né celui qui changera ce plan. Elle habitera avec eux pour toujours, dans cette demeure qui ne manque pas de chambres. La fillette tente de dominer son angoisse, mais reste sur ses gardes.

Si son oncle et sa tante se sont toujours montrés amoureux l'un envers l'autre, Anaïs les sent plus nerveux, moins patients. Et cette tension l'inquiète encore plus, lui donnant à imaginer le pire. Peut-être oncle Marcel la déteste-t-il ? Qu'a-t-elle fait ? Et tante Ariane, pourquoi est-elle en colère ? Parce que sa mère est morte ? Durant le jour, Anaïs se montre insouciante, capable de s'amuser avec ses cousins, comme d'habitude. Mais une fois la nuit venue, elle ne parvient pas à s'abandonner au sommeil. Elle peut passer des nuits complètes assise dans son lit, à jouer, à dessiner et feuilleter des livres, sans fermer l'œil...

Après un certain temps, Ariane, soucieuse, finit par prendre sa nièce avec elle dans son lit. Elle demande à son mari qu'il s'installe temporairement dans la chambre d'amis.

— Plus tu accordes d'importance à ses caprices et plus elle va nous en faire voir.

— Qu'est-ce qui te prend ? Anaïs vient de perdre sa mère, il faut quand même faire un effort particulier ! Elle est complètement bouleversée. C'est une affaire de quelques nuits avec moi, ensuite elle retournera à sa chambre, je te le promets.

Marcel comprend qu'encore là il n'a pas voix au chapitre. Une nouvelle fois, sa femme a tranché sans tenir compte de son avis. Ce comportement l'exaspère. Il ne porte plus les culottes au sein de son couple.

Anaïs attrape sa couverture pleine d'animaux de la forêt et va rejoindre sa tante dans son lit. Cette permission est très spéciale. Une fois blottie contre le corps chaud et la peau douce de sa protectrice, elle sent un engourdissement gagner son esprit en perpétuelle ébullition depuis trop longtemps. Elle se laisse enfin aller et s'endort. Durant son sommeil, elle garde une main coincée entre le matelas et le dos de sa tante, de sorte qu'au moindre mouvement d'éloignement elle ouvre les yeux, suivant Ariane, même jusqu'au cabinet.

Une nuit passe, puis deux, puis trois. Contrairement à ce qu'avait prévu Ariane comme effet, plus le temps file, plus l'angoisse d'Anaïs gagne du terrain. Si bien qu'un matin, au moment où sa tante s'apprête à partir au travail, l'enfant refuse de rester avec les jumeaux et la bonne. Elle implore Ariane de la laisser l'accompagner à la station. Celle-ci n'a pas la force de refuser. Elle agrippe la gamine et l'entraîne à sa suite vers la sortie. Quand elle se présente au studio, elle fait taire toute remarque:

— Elle va s'installer sous la table et dessiner. Vous ne vous rendrez même pas compte de sa présence.

Dans la salle d'enregistrement, c'est Ariane, la patronne. Aussi, personne n'ose faire de commentaires. Tout le monde connaît la tragédie que vient de vivre Anaïs, que d'ailleurs tout le monde aime et trouve adorable, polie, mignonne. Le boulot de la journée s'effectue exactement comme cela avait été annoncé: dans le silence le plus complet, sans aucun des caprices qu'aurait pu avoir une petite fille de son âge.

Quand Marcel, en passant devant la vitre d'enregistrement dans le couloir, aperçoit sa nièce collée à sa tante, en pleine répétition avec les comédiens, il croit sa femme devenue folle. Comment peut-elle imposer cette enfant à tous ces adultes ? Pense-t-elle une seconde au bien-être de la petite, qui devrait plutôt se trouver à l'école, au milieu de gamins de son âge ?

— Tu as perdu tout jugement. Et tu vas finir par y laisser aussi ton emploi si tu continues comme ça. Si tu veux vraiment aider ta nièce, rends-lui sa vie et laisse-la avoir du chagrin !

Pour toute réponse, Ariane hausse les épaules et sort avec la fillette. Pour la récompenser d'avoir été sage, elle a promis de l'emmener manger dans l'un des « stands » à patates frites du centre-ville. Anaïs galope aux côtés de sa parente, riant d'aise et inconsciente du trouble qu'elle cause. Se sentant un peu coupable à l'égard de ses fils, la mère prend le temps d'acheter pour eux quantité de cadeaux et de gâteries. Pour amadouer Marcel et tenter une réconciliation, elle lui offre des boutons de manchettes hors de prix, cerclés d'or, avec, au centre, une tête de cheval ouvragée. Au retour à la maison, toute la famille se laisse prendre au jeu, mais Ariane se doute néanmoins que les choses lui échappent.

***

Toujours sans nouvelles de ses démarches à Radio-Canada, Ariane travaille d'autant plus fort à CKAC à la création d'une série qui promeut l'égalité des femmes devant la loi et la justice, signée par une jeune écrivaine au talent prometteur. Faisant ses premières armes à la radio, l'auteure a publié quelques romans et se montre très impliquée sur le plan des revendications politiques. Avec beaucoup de doigté et d'humour, elle parvient à revendiquer l'égalité pour les femmes sans pour autant choquer ni transgresser les limites imposées par le Bureau de censure, toujours très actif sous le règne du premier ministre Duplessis.

Depuis les débuts de la radio, les femmes y ont occupé des places de choix : à la programmation, à la réalisation, aux textes, comme animatrices ou comme comédiennes. Ces femmes gagnent bien leur vie et jouissent d'une grande autonomie dans les rapports avec leur conjoint et elles s'y sont habituées. Si bien qu'il s'est développé dans le domaine une plus grande ouverture à l'égard des questions féministes. Ariane appuie le discours revendicateur, même si elle n'aime pas les affrontements directs ou agressifs. Aussi, elle apprécie le ton empreint d'ironie de l'émission qu'on lui a offerte et qui comble tout à fait ses attentes. Elle s'y investit corps et âme.

***

Heureusement qu'Ariane est dotée d'une endurance physique hors du commun, car lorsqu'elle revient de la station elle doit s'affairer aux tâches ménagères et parentales, puis en même temps soutenir la remontée professionnelle de son mari. Régulièrement, elle organise des cocktails pour mousser la carrière de Marcel et elle l'accompagne lors de premières auxquelles il faut être vu pour être à la page. Si son époux n'a plus la force de sortir en ville jusqu'au petit matin, il adore encore découvrir des gens nouveaux, échanger des idées et refaire le monde. Parmi ses connaissances, il compte un certain René Lévesque, un jeune et brillant journaliste qui a été correspondant de guerre. Cet homme lui fait forte impression et nourrit la fougue de Marcel. À chacune de leurs rencontres, ils discutent ferme de politique et d'actualité.

— Voilà quelqu'un qui n'a pas peur de foncer. Il ira loin. J'aimerais le suivre, si j'en avais la santé...

Les limites de sa condition physique reviennent souvent dans les propos de Marcel. Pourquoi ce besoin de rappeler à tout moment une sorte d'impuissance ? Est-ce un aveu ? Une démission ? Un renoncement ? Après tous les efforts qu'il a faits, les obstacles qu'il a surmontés, il a tout de même recouvré la santé. Qu'a-t-il donc à se plaindre ? Cette forme d'apitoiement déplaît à Ariane, qui ne peut s'empêcher d'éprouver une pointe de mépris.

***

La mort d'Agathe laisse un grand trou. À l'appartement de la rue Laval, Alice se néglige et n'a de goût pour rien. Au point où Amélie offre de loger sa mère chez elle, le temps qu'elle reprenne pied. Entêtée, Alice refuse de quitter son logis, prétendant que ses filles le videront pendant son absence de manière à ce qu'elle ne puisse plus y revenir. Appelée en renfort par sa sœur, Ariane va trouver celle qui inquiète toute la famille par ses propos.

— Alors, petite maman, qu'est-ce qui se passe ?

Pour toute réponse, Alice effectue un mouvement sec de la tête, se fermant à tout échange. Pour l'extirper de sa folie, Ariane a une idée plus délirante encore, celle de faire éclater les secrets, dans l'espoir de provoquer le dialogue et libérer sa mère de ses fantômes.

— Agathe te manque ? Ou serait-ce Anna ? Agathe l'a rencontrée en Suisse. Elle me l'a dit avant de mourir.

À l'évocation du prénom de sa première fille abandonnée, Alice s'affole, oscillant de gauche à droite sur la chaise, tel un pendule fou. Les larmes, comme un torrent, dévalent sur ses joues. Elle sanglote, repliée sur sa douleur.

Devant autant de chagrin, l'aînée ne va pas plus loin. Les explications sont superflues. Alice aurait voulu garder Annabelle. La séparation lui a été imposée. C'est clair. Le sacrifice d'un amour a permis à un autre de triompher. La famille Calvino s'est formée à ce prix, et Ariane est née dans ce tumulte. Le secret, tenu tant d'années par sa mère, est enfin révélé.

Les reproches n'ont pas leur place. Ariane se dit que, ce qu'elle doit faire, c'est mettre un baume sur cette plaie qu'elle a ouverte.

— Elles sont parties… Je ne les verrai plus. Jamais.

— Pour ce qui est d'Agathe, tu as raison, il n'y a rien que je puisse faire pour te la redonner. Mais Anna, elle, est bien vivante. Elle habite en Suisse. Si j'essayais de la retrouver, est-ce que ça te rendrait un peu de bonheur ?

La pauvre femme sort de sa torpeur. Interrogeant sa fille du regard, elle semble demander si elle rêve, si Ariane parle sérieusement.

— Ça te ferait plaisir ? demande Ariane, plus encouragée.

Comme émergeant d'une obscurité où elle a été trop longtemps confinée, Alice revient à l'existence, à la communication, joignant les mains, priant d'avoir bien entendu.

La mission qu'Ariane se met sur les épaules est déraisonnable. Elle l'admet d'emblée. Mais une pulsion puissante, irrationnelle, l'emporte. Elle souhaite sincèrement permettre à sa mère de retrouver cette fille dont elle a été séparée. Elle est curieuse aussi de faire la connaissance de cette grande sœur inconnue. Et si Agathe lui a tout dévoilé, c'est peut-être dans l'espoir qu'elle agisse...

— Mais il faut que tu me promettes de te ressaisir et de te remplumer pendant que j'irai là-bas.

— D'accord. Tu as ma parole. J'obéirai aux ordres d'Amélie et j'irai même habiter chez elle.

Pleine de bonne volonté, Alice replace sa chevelure en désordre. Oui, elle tiendra le coup pour revoir celle qu'elle a abandonnée, car malgré le temps, la distance et les autres filles qu'elle a mises au monde, l'image de cette enfant ne s'est jamais effacée.

— Mon Annabelle... Si la vie m'accorde un seul souhait, ce sera de pouvoir lui expliquer que je n'ai pu faire autrement, que je n'avais pas les armes pour combattre.

Annabelle ? Sa sœur avait fait mention d'une Anna... Pour brouiller les pistes du passé, avait-on renommé l'enfant Anna ? C'est possible. Déjà, Ariane se sent interpellée par cette recherche. Elle veut dénouer ce mystère afin que chacune puisse recouvrer son dû.

Sa mère semble se délier à la seule évocation de sa fille, préservée dans son écrin de pierre trop longtemps. Alice ne se soucie pas des difficultés qu'un tel projet implique. Retrouver une personne, tant d'années après en avoir perdu la trace, relève de la fabulation. Pourtant, à ses yeux, c'est déjà chose faite ! Elle ne se soucie pas non plus du bouleversement que ces révélations pourront causer chez son aînée et éventuellement chez les autres membres de la famille. Annabelle reprend son droit d'exister au grand jour, comme cela aurait dû être depuis toujours. À partir de là, Ariane doit franchir les montagnes et traverser les océans pour sa mère qui, elle, n'y voit aucun problème. Alice est comme ça : inconsciente, puérile par moments, tellement loin de la réalité.

Attendrie, la fille entoure sa mère de ses bras et pose un baiser sur son front. Alice a vieilli. Elle est devenue un peu comme son enfant. Ariane la serre contre elle et la maintient de manière ferme et rassurante. Oui, pour la voir heureuse, elle ira jusqu'en Suisse ! Elle qui s'est pourtant juré de ne plus jamais traverser un océan ! La voilà qui s'engage et qui donne sa parole, en dépit de toute logique.

***

À partir de cette promesse, Ariane se met à élaborer mentalement une stratégie qui pourra fournir des justifications familiales et professionnelles à ce voyage helvétique. Winston Churchill, premier ministre britannique pendant la guerre, désormais chef de l'opposition, n'avait-il pas choisi la Suisse pour prendre ses vacances et n'en avait-il pas vanté ses paysages féeriques ? Peut-être y aurait-il là matière à établir une clientèle européenne pour Marcel ? Lui qui, depuis toujours, rêve de voyager avec elle ! Elle ne lui expliquera qu'une fois là-bas les motivations réelles de leur périple. Joignant l'utile à l'agréable, ils pourront profiter du congé d'été avec les enfants et s'installer dans une villa de location. Sur place, ils engageront une aide afin qu'Ariane puisse mener ses recherches. Elle retrouvera Annabelle et la convaincra de la suivre à Montréal. Le projet semble avoir une chance de réussir.

Depuis la fin de la guerre, les intellectuels du Canada français se sont remis à voyager en grand nombre ; tantôt vers l'Europe, tantôt vers l'Amérique du Sud, voire vers l'Inde et l'Afrique. Une sorte d'engouement a suivi les longues années d'angoisse liée à la situation internationale précaire. Si à la fin de la guerre le monde s'est séparé entre l'Est et l'Ouest avec, au milieu, le « rideau de fer », pour les Occidentaux, tout est redevenu possible et c'est le moment parfait pour voyager.

Enthousiasmée par ses projets, Ariane met les bouchées doubles au travail de façon à pouvoir se permettre une absence prolongée pendant l'été. Bien que surchargée, elle se sent plus légère, délivrée de cette tension qui a toujours existé entre sa mère et elle. D'une certaine manière, sans l'excuser, elle comprend mieux les raisons de cette colère qu'Alice lui a toujours manifestée. Des nœuds se dénouent et elle respire mieux.

Elle prépare doucement son mari à l'idée de grandes vacances. Marcel en a besoin. Elle a remarqué qu'il lui arrive souvent de perdre patience avec les garçons, mais surtout avec Anaïs, à qui il reproche injustement d'être capricieuse et compliquée. La gamine a beau faire des efforts, elle l'impatiente et il se montre de moins en moins tendre avec elle.

— Madame la chichiteuse, lance-t-il parfois. Avec moi, pas question de vous laisser passer toutes vos fantaisies.

Contrite, la petite essaie de se contenir, d'éviter de contrarier son oncle, renonçant immédiatement à demander quoi que ce soit. Blessée de ne pas obtenir l'approbation du seul homme de sa vie, elle se soumet. Elle obéit sans broncher, de façon presque servile.

Ariane reproche à son mari ce changement d'attitude qui l'a rendu dur envers la fillette, qui ne le mérite aucunement. Et plus elle tente de corriger la situation, plus il se braque. Le temps passe, mais les tensions ne font que s'accentuer ; elle ne laisse même plus l'enfant seule en présence de Marcel. Ariane s'inquiète de cette dynamique malsaine.

— J'ai une proposition pour toi, annonce-t-elle un jour, en prenant soin de ne pas prendre un ton affirmatif. Et si on partait en voyage ?

Il vaut mieux feindre de le consulter. Son mari est devenu très pointilleux sur ce point. Séduit au départ, Marcel déchante vite lorsqu'elle suggère que les enfants se greffent à l'aventure.

— Nous n'aurons pas une minute de repos. Voyageons sans eux pour une fois.

— Un mois, ça me semble long, tu ne crois pas, mon chéri ? Nous les voyons déjà bien peu. Ce sont les grandes vacances et ça n'a rien de gai pour eux de les passer avec des gardiennes.

— Alors partons moins longtemps et moins loin ! Allons en Floride ! Ton amie Colette n'y a-t-elle pas fait un séjour inoubliable dernièrement ?

Prise à son propre piège et cernée par un mari qui a flairé sa ruse, Ariane finit par dévoiler les véritables motivations de sa suggestion, ce qui contrarie profondément son époux.

— Au fond, tu me proposes de m'occuper des enfants pendant que, toi, tu chercheras ta sœur, c'est bien ça ? De un, je ne suis pas une gardienne, et de deux, si tu dois mener une enquête, aussi bien que tu partes seule. Ici, les enfants ont leurs habitudes, et moi, je pourrai m'occuper à ma guise.

À la seule idée de confier sa nièce à son mari, Ariane est parcourue d'un frisson. C'est hors de question.

— Si je pars, j'emmène ma fille.

La réplique cinglante file comme une balle. Elle atteint sa cible. Marcel, stupéfié un instant, réagit mal. Il se met en colère. Il prétend qu'elle a perdu la raison en ce qui a trait à Anaïs, car depuis la mort d'Agathe cette enfant a pris une place démesurée dans sa vie ; elle en est venue à négliger leur vie de couple autant que son rôle auprès de leurs deux fils, ses vrais enfants. Elle ne répond rien. Fatigué de parler tout seul, Marcel rajuste le col de sa chemise et annonce qu'il sort en ville, en prenant un malin plaisir à ajouter qu'il ne sait pas s'il rentrera ni quand. Et que, de toute façon, il n'en a pas envie.

Il ne revient qu'au petit matin, aigri, de mauvaise humeur, fermé. Ariane n'y fait pas attention.

— Allez, Anaïs, viens faire des exercices avec moi ! glisse-t-elle à la fillette, en replaçant une de ses mèches rebelles.

Tandis qu'Ariane s'active, comme elle le fait chaque matin depuis plusieurs années, déliant son corps et ses muscles, l'enfant, à ses côtés, tente de l'imiter. À chaque roulade, elle éclate de rire en ouvrant et refermant ses bras de façon clownesque. Ariane, conquise, finit par pouffer à son tour. Si Marcel, parti se mettre au lit après sa nuit blanche, les voyait, il serait à même de constater que son courroux et ses colères, loin de les éloigner, ont l'effet opposé.

Après leur querelle, Ariane n'est pas près de se rétracter ou de quémander une permission, au contraire. Dans une lettre courte et plutôt froide, elle annonce à Marcel qu'elle partira dans quelques jours pour un séjour d'un mois en Europe avec Anaïs. Elle espère que ce temps de séparation leur permettra de réfléchir à leur couple et de souffler sur les braises de cet amour qu'elle croit encore possible.

Quand il aperçoit la missive placée sur son oreiller, Marcel sent son sang se glacer. Une fois la lettre parcourue, il s'insurge contre une telle provocation. Comme Ariane est déjà à la station de radio, il va la rejoindre dans l'idée de valider ses intentions. Après un court affrontement, il comprend qu'il doit se résigner : son épouse, sans lui en parler, s'est entendue avec la gouvernante, a convenu de ses vacances à CKAC et a vu à son remplacement. Tout est organisé : Ariane partira sous peu. Il se trouve encore une fois devant un fait accompli.

Il fulmine ! Sa femme lui échappe totalement ! Il se sent désemparé, vulnérable. Qu'elle semble préférer sa nièce à ses propres fils, qui eux, sont de lui, le blesse doublement. Alors qu'elle devrait l'aider à remonter la pente de son estime personnelle après sa terrible maladie, il a l'impression qu'elle fait tout pour lui signifier qu'il ne vaut rien, et, surtout, qu'elle ne l'aime plus. Une douleur intense le terrasse. Il doit mettre toutes ses énergies à préserver son image d'homme solide, malgré le peu de fierté qu'il lui reste. Froide comme glace, Ariane s'éloigne de lui.

— Alors, tu vas me laisser ici. Et les jumeaux aussi ?

— J'ai embauché une femme de ménage pour le temps où je me trouverai au loin. La bonne ne s'occupera que des enfants. Et toi, tu pourras aller et venir à ta guise, sans responsabilité particulière. Quatre semaines de complicité entre hommes vous feront le plus grand bien.

— Ce ton que tu prends pour t'adresser à moi... Il m'insupporte. Sous prétexte que j'ai été un grand malade et que tu as généreusement pris soin de moi, j'ai perdu le droit à ton respect. Je suis toujours ton mari, en tout cas, jusqu'à nouvel ordre.

Pour la première fois, il évoque une fin possible à leur histoire. Alors que, depuis des semaines, elle se promet de ne pas reculer, d'aller jusqu'au bout de son projet, devant la menace, Ariane hésite :

— Écoute, Marcel, ma mère a cinquante-sept ans et elle ne se remet pas de la mort d'Agathe. Il me semble que, si je peux retrouver sa fille et permettre une réparation, il faut que je le fasse tout de suite. Ne crois-tu pas ?

— Ce que je crois surtout, c'est que, lorsqu'il s'agit de ta chère maman, tu es incapable de te mettre des limites. Pour la satisfaire, tu es prête à tout sacrifier. Alors qu'elle t'a tant fait souffrir. Je ne te comprends pas, Ariane. C'est la même chose pour Agathe : tu lui en as voulu toute ta vie, et voilà que tu ne peux te séparer de sa fille ?

— Justement, je suis une femme de devoir, moi, figure-toi. Et ça faisait bien ton affaire tout ce temps où tu as eu besoin de mon aide. Je ne t'ai pas lâché, Marcel. Et je ne lâcherai pas ma mère non plus. Quant à ma sœur, je lui ai promis de m'occuper de sa fille. Et Anaïs n'est pas en état de me voir partir.

— Tu détruis nos vies : la tienne, la mienne, celles de nos garçons pour sauver celle des autres. Je ne peux pas t'appuyer dans ce qui me semble être une très mauvaise idée. Je regrette.

La vérité de ses propos la fait basculer de son socle pendant une seconde. La femme forte qui tient habituellement parole aveuglément vacille. Marcel a ouvert une brèche. Il la referme immédiatement lorsqu'il ajoute :

— C'est illogique. Complètement. Ma pauvre Ariane…

Ces mots, prononcés sur un ton condescendant, la repoussent dans ses tranchées.

— Je me demande qui de nous deux fait le plus pitié, rétorque-t-elle dans une répartie vengeresse.

Elle regrette tout de suite cette flèche. Mais il est trop tard, elle est déjà partie.

Marcel ne répond rien. Le coup lui fait mal. Est-il possible qu'elle ne l'aime plus ?

***

Jusqu'au dernier soir, Marcel espère qu'elle va changer d'idée. Il l'imagine en train de lui annoncer qu'elle l'a choisi, lui, et qu'elle a compris son erreur. Et que, comme il est son mari, elle se doit de le faire passer devant sa mère, devant sa nièce. S'il est encore son homme, comme elle le disait il n'y a pas si longtemps lorsqu'ils faisaient encore l'amour, si vraiment… alors elle ferait marche arrière. Tout recommencerait comme autrefois.

Au matin, Ariane soulève ses valises, seule. Elle a attendu que Marcel quitte la maison pour le travail avant de partir avec Anaïs. La chaleur étouffante du mois de juin 1947 ne l'a pas arrêtée. Elle a embrassé ses deux garçons, en leur promettant de revenir bientôt.

Curieusement, envers ses fils, elle n'éprouve aucune culpabilité. Ensemble, ils se suffisent l'un à l'autre. Ils sont soudés en une bulle dont même leur mère se trouve souvent exclue. Elle les sent sereins et solides. Elle donne ses dernières recommandations à la gouvernante et s'engouffre dans le taxi avec Anaïs, prête pour l'aventure.

Lorsque Marcel rentre à la maison, seule la lampe sur pied, munie de deux aigles de marbre, veille encore. Il est vaguement éméché, car il s'est arrêté pour prendre un verre avec des collègues et a fini par manger copieusement dans un restaurant hors de prix. Il n'est pas fier de lui. Il aurait voulu que sa femme se trouve encore là et qu'ils puissent effacer les mauvais moments.

Sur le piano, le courrier l'attend : des factures, des invitations et… une lettre de Radio-Canada. Il ne prend pas le temps de vérifier à qui la missive est adressée et l'ouvre, certain qu'elle est pour lui. Il ne met pas longtemps à saisir. Ainsi donc, Ariane a présenté un projet et offert ses services à la direction de la station concurrente, en cachette, sans lui en avoir touché un seul mot, sans avoir vérifié non plus s'il cautionnait cette démarche. C'est clairement une trahison. Comment en est-elle arrivée là ? Se prépare-t-elle en secret à le quitter ? Manigance-t-elle de changer d'emploi pour ne plus avoir à le croiser à CKAC ? Est-elle vraiment partie en Europe ? Ou serait-elle allée rejoindre un autre homme ? Marcel se dirige vers le bar, le ventre encore plein. Il se sert un whisky, qu'il boit d'un trait. Amorti, réchauffé, il respire un grand coup, reprend sa veste et s'engage vers la sortie. Une nuit chaude et pleine d'étoiles l'attend.

Chapitre 14

Une fois installé dans le taxi, machinalement, Marcel donne au chauffeur l'adresse du Rockhead's Paradise. Ses réflexes du temps de son avide jeunesse où il pouvait passer des nuits blanches à écouter du jazz lui reviennent. Il y a du monde dans la rue de la Montagne. Les passants traversent dans le désordre et interrompent la circulation. Marcel se sent grisé par une activité aussi inhabituelle. Il faut qu'un artiste de renom soit en ville pour provoquer une telle affluence. Il demande au chauffeur d'arrêter la voiture, règle la course et poursuit à pied. Une foule se masse à la porte du Café St-Michel, tout près du Rockhead's.

— Oscar Peterson donne une prestation ce soir, lui répond une ancienne connaissance qu'il reconnaît dans la file.

Voilà donc sa chance d'entendre de nouveau ce musicien que tous les amateurs désignent désormais comme un petit génie ! Comme il ne veut rien se refuser ce soir-là, il se dirige prestement vers le cabaret bondé, jouant du coude et espérant se faire une place à l'entrée.

Marcel met une heure pour parvenir au bar, où il s'assoit au milieu d'une faune bigarrée de Noirs et de Blancs, baignant dans les nuages opaques de la fumée des cigarettes et les vapeurs d'alcool. Sur la scène, Oscar Peterson révèle son immense talent, indifférent au décor comme à la foule, emporté par sa musique enivrante. L'interprète, pourtant si jeune, a déjà un style, une vision, un jeu bien à lui, se distinguant par sa dextérité pianistique exceptionnelle. Retrouvant l'inventivité de cet artiste incontournable qu'il a déjà entendu à ses débuts, Marcel garde les yeux fermés pour mieux se délecter. Puis il se commande un nouveau whisky.

Amorti par l'alcool fort, il sent sur sa main et montant le long de son bras la caresse insistante d'une femme. Tandis qu'il a les yeux fermés, une impression de déjà-vu l'alerte. Il renoue avec la réalité, ouvre les paupières, se tourne un peu et découvre, la tête légèrement inclinée, Minnie Lester et son sourire toujours aussi ravissant. Il la reconnaît immédiatement. Minnie travaillait au Rockhead's du temps où il s'y rendait assidûment.

— Tu travailles encore ici ? Tu as de la chance d'entendre de tels artistes !

— Oui, et ça me permet de servir mes clients préférés ! Tu n'as pas changé, Page, lui dit-elle, en prononçant son nom à l'anglaise comme lorsqu'ils se fréquentaient.

Comme jadis, elle sait se montrer aguichante. Et de son côté, Marcel s'étonne de ressentir une réaction aussi vive qu'autrefois à ses formes langoureuses et généreuses. La maladie ne l'a pas changé... Il reste un homme, et il apprécie toujours le charme du sexe faible.

Heureux de se retrouver, ils se racontent leur vie des dernières années.

— Oscar a eu la tuberculose, le savais-tu, Minnie ? Tout jeune. Il s'en est sauvé.

— J'étais au courant. Oscar lui-même m'a déjà dit que c'était sa sœur qui lui avait appris le piano ! Je suis contente de te revoir au Rockhead's ! ajoute la serveuse. Il y avait longtemps...

Pour qu'il l'entende, elle s'appuie contre son épaule et lui parle dans le creux de l'oreille. Marcel, charmé, s'imagine qu'il se retourne, qu'il frôle sa joue et qu'il s'apprête à l'embrasser. Sa concentration se détourne de la musique. Il ne peut que penser à cette créature voluptueuse. Lui reviennent, frais et nets, des souvenirs d'autrefois : ses rondeurs pulpeuses et son adresse au lit. En dépit de la sublime sensibilité et du caractère unique de la prestation à laquelle il assiste, Marcel doit lutter comme un diable pour surmonter l'appel vigoureux de l'attraction sexuelle. Minnie, toute proche, dans sa robe aux reflets flamboyants bien serrée sur ses seins et sur ses hanches, semble danser devant lui. Il ne parvient pas à détacher son regard de ce corps et est happé par ce vent chaud du désir qui souffle...

— Hé, Page, tu n'as pas changé : toujours aussi beau, aussi bien vêtu. *You are still my wonderful one...*

***

La boîte de nuit s'emplit un peu plus d'heure en heure, alors que Peterson et son trio, loin de se fatiguer, s'enthousiasment et multiplient les envolées et les improvisations. *Que cette nuit ne finisse jamais*, se dit Lepage comme une prière. La musique l'emporterait sur tout le reste et il ne succomberait pas à la tentation.

Mais lorsque l'aube se lève sur la ville, Marcel et Minnie, dans un accord implicite, savent qu'ils rentreront ensemble à ce petit hôtel peu cher situé tout près, qu'ils connaissent de longue date. Ils s'y sont croisés plusieurs années plus tôt, du temps où Marcel était libre, célibataire et en pleine force physique.

Tandis qu'il arpente, non sans osciller, les trottoirs déserts avec cette femme noire superbement provocante à son bras, et qu'il anticipe les moments de plaisir de plus en plus proches, il fredonne les mélodies d'Oscar, comme pour rester dans l'atmosphère sublime des airs qui ont bercé sa nuit au cabaret.

Il entre dans la chambre, pressé. Fébrile à l'idée de faire l'amour, il se sent coupable tout autant. Minnie se dévêt sans gêne et dévoile son ventre et ses hanches dont les rondeurs se sont accentuées. Ce qu'il voit attise le feu en lui. Il veut mordre le fruit, le croquer, le dévorer. Comme un cheval emballé, il ne parvient plus à ralentir sa course, aveuglé par la ligne d'arrivée qu'il lui faut atteindre, impérativement. Il enlève son pantalon, mais il garde sa chemise pour cacher ce torse qui lui fait honte. À peine dévêtu, il s'enfonce en Minnie comme dans l'interdit, avec un pincement de remords qui intensifie sa jouissance. Gémissant de plaisir, Minnie jouit sans retenue, lui répétant combien il est splendide, fort, et comme son corps lui plaît. Et ses paroles, autant que ses soupirs sensuels, ravivent son excitation. Il a de nouveau vingt ans ! Conquérant, il a séduit. Et c'est vraiment bon.

Fatiguée, repue et vaguement enivrée, Minnie s'endort rapidement après l'acte. Elle laisse Marcel seul avec ses sentiments. Incapable de fermer l'œil, il se rhabille à la hâte et sort de la chambre. Dans la bouche, il a un goût aigre. La tête lui tourne. La chaleur est tombée d'un seul coup. Il recouvre ses esprits. Il vient de tromper sa femme. Pour la première fois. Il a brisé leur pacte. Il s'est sali. Il fuit les lieux de son crime, descend les escaliers et quitte l'hôtel en courant.

Dans la rue, on s'affaire. Distrait, un camionneur passe près de renverser Marcel. Préoccupé par cet adultère qu'il a consommé, il doit régler cet interlude à son mariage avec sa conscience. Tandis qu'il marche, il essaie de calmer les battements de son cœur et de reprendre contenance. Bon Dieu ! Y a-t-il là de quoi fouetter un chat ? Est-il le seul homme marié au monde à avoir une incartade à son actif ? Tant de personnages célèbres ont trébuché et se sont même nourris de leurs faux pas pour les écrire ; tant de musiciens, de peintres et d'hommes politiques. Pourquoi faut-il qu'on accorde autant d'importance à un acte somme toute banal, voire hygiénique ? Et puis, avec Minnie, l'infidélité ne peut être que sans lendemain, stricte distraction innocente. Après tout, un homme laissé seul par son épouse légitime doit trouver des échappatoires ! Et trouver à se consoler ! Non, vraiment, ce qui est le plus à craindre dans cette aventure, c'est encore lui-même qui se fait des reproches pour des broutilles. *Ma femme ne sera pas de retour avant un mois, et, d'ici là, j'aurai eu maintes fois le temps d'effacer le souvenir de cet événement. Qui me dit qu'elle n'en fait pas autant de son côté ?*

Il revient à la maison à temps pour se changer et déjeuner avec les garçons. Tous, même la bonne, le croient quand il dit qu'il s'est levé un peu plus tôt pour revoir ses dossiers et prendre une bouchée en famille avant de partir au travail. Exemplaire avec Henri et Claude, il se montre patient, sûr de lui, blagueur, calme. Il souhaite, ce matin-là en particulier, offrir une image parfaite, un modèle de sécurité. Le départ de leur mère ne lui cause aucun trouble et il doit en être de même pour ses fils. Les femmes ont des fantaisies avec lesquelles les hommes doivent vivre. Il part pour le studio satisfait, sa faute conjugale déjà oubliée.

❊❊❊

À des milles de là, le bateau vogue sans encombre ni tracas, offrant à ses voyageurs une suite ininterrompue de spectacles, de repas gastronomiques, d'activités sportives et culturelles. Ariane ne regrette pas d'être partie. Elle profite de sa liberté, sans souffrir de solitude puisque Anaïs, babillant et posant mille questions, ne la lâche pas d'une semelle. Plus elle se laisse aller à la connaître, plus elle aime cette enfant si plaisante à vivre et démesurément attachée à elle. La petite a à son endroit des mots si mignons et tendres qu'elle se surprend à donner raison à Marcel, qui lui a souvent reproché de manifester envers cette gamine une affection disproportionnée.

— Tu la gâtes trop ! lui a-t-il déjà dit. Et tu ne lui rends pas service.

— Anaïs est fragile en ce moment et ça s'explique très bien. Et, oui, j'aime ma nièce ! Oui, je cherche à compenser sa perte ! Comment veux-tu que je fasse autrement ? répondait-elle, agacée.

Loin de son mari, elle peut enfin se laisser aller à son émotion, ce qui rend son voyage encore plus agréable. Elle regrette amèrement les conflits et les prises de bec qu'elle a eus avec Agathe toute sa vie. En comblant Anaïs, elle a l'impression de réparer ses torts et d'estomper ses remords.

Comme l'arrivée approche et que son premier arrêt sera à Paris, Ariane se prépare mentalement à rencontrer ce qui reste de la famille de sa mère depuis la mort de tante Jeanne. Alice a laissé en sol européen quelques amies, mais surtout le fils cadet de tante Jeanne, un prénommé Rodrigue. Après avoir vécu en Italie, il s'est installé en France pour se rapprocher de sa mère et prendre soin d'elle. C'est par le biais des gens de l'Institution de repos qu'Ariane a pu retracer ce parent. De Montréal, elle a pris rendez-vous avec lui par des échanges épistolaires. Le dernier fils Di Marco pourrait lui fournir des informations au sujet d'Annabelle Deusden, qu'elle compte bien rencontrer par la suite.

***

Après plusieurs jours de travail, Marcel s'estime satisfait : il maîtrise parfaitement les éléments de la proposition rédigée par sa femme. Il a même trouvé une copie du document conçu par Ariane, posé sur la tablette du haut de la bibliothèque de son bureau. Il se sent prêt pour cette rencontre avec ceux-là même qui ont écrit à son épouse pour la remercier chaleureusement de son initiative.

— Ma femme sera tout à fait flattée de savoir que son projet retient votre attention. Mais elle se trouve actuellement à Paris et est impossible à joindre, s'entend annoncer Marcel avec contrition.

— C'est dommage, nous aurions aimé discuter de certains aménagements, et de façon assez urgente. Nous avons une émission à remplacer et…

— Je peux très bien prendre le relais. Je connais le projet et je puis tout à fait le revoir à votre convenance. Une fois mon épouse de retour, elle assumera la suite.

En toute bonne foi, dans le but de protéger les acquis d'Ariane en son absence, il s'est présenté à sa place à la convocation du directeur de la programmation de la Société Radio-Canada. Celui-ci accepte de donner une chance à Marcel, ami de longue date et connu pour son efficacité.

Le publicitaire fait de son mieux pour répondre aux interrogations. Il effectue les changements d'orientation demandés, de manière à privilégier les interlocuteurs européens. Mais Marcel doit l'admettre, les sujets féminins l'intéressent peu. Il est maladroit et défend mal l'approche de réalisation élaborée. Il n'a pas les arguments ni les années d'expérience de sa femme pour ce type de contenu. Après une dizaine de jours de rencontres et de contre-propositions, l'initiative menace de mal tourner. Marcel a le flair en ce qui concerne la vente et il perçoit clairement la lassitude du décideur. Pour ne pas perdre sa chance, il tente le tout pour le tout et opte pour un changement de cap.

— J'aime beaucoup le jazz, lance-t-il. C'est ma plus grande passion en fait, et ce, depuis plusieurs années. Connaissez-vous Oscar Peterson ? J'ai entendu ce génie... Si la musique noire vous intéresse, alors là, je pourrais vous monter quelque chose de fort.

— Vous quitteriez votre emploi comme publicitaire ?

— Ce ne serait pas nécessaire. Les boîtes n'ouvrent que la nuit. Je pourrais me charger des enregistrements, travailler pour vous comme *freelance*, tout en conservant mon emploi le jour. Je dors très peu, vous savez, annonce Marcel, soucieux de garder ouverte cette opportunité de revenu supplémentaire important.

Le directeur prête une oreille attentive. La direction de Radio-Canada cherche depuis un moment un animateur et présentateur, capable non seulement de dénicher de bons artistes, mais aussi de négocier avec eux les contrats, la location des salles, de procéder aux interviews et de commenter les prestations des musiciens. Il faut quelqu'un qui, finalement, puisse tracer un tableau juste de l'effervescence de la scène musicale montréalaise, gravitant autour du jazz, et de la vie nocturne bouillonnante qui a cours.

Marcel sent qu'il a fait mouche. Beaucoup plus à l'aise sur ce sujet, tandis que l'autre lui pose des problèmes, il improvise sur sa vision de la série qu'il pourrait créer. Il accroche le directeur au point où celui-ci aborde la question de ses attentes salariales et de ses disponibilités pour mettre sur pied son emballante proposition. Une entente contractuelle est imminente.

Marcel pense que, de toute façon, le projet d'Ariane ne correspond pas à ce que Radio-Canada recherche et qu'il serait probablement tombé à l'eau. Le hasard a voulu que ce soit plutôt son offre à lui qui convienne. Au fond, il est parvenu à garder l'argent dans la famille. Ce qu'il gagnera en surplus, sa femme ne pourra qu'en profiter. Elle aurait dû rester à Montréal, ou à tout le moins lui parler de ce qu'elle avait présenté pour qu'il puisse réagir plus adéquatement. De son côté, il a fait ce qu'il a pu. Et le résultat lui semble plus que satisfaisant puisqu'il obtient, à l'essai, une dizaine d'émissions promises avec possibilité de prolongation, selon l'appréciation des auditeurs. Avec son emploi le jour et les enregistrements le soir, il doublera ses revenus.

***

Anaïs ne sait plus où donner de la tête tellement tout lui paraît fantastique ! Depuis qu'elle s'est trouvée seule à seule avec sa tante sur le bateau, celle-ci a changé. Ariane n'a plus cette réserve qu'elle gardait en compagnie de Marcel et des garçons. Anaïs adore ce congé avec celle qui l'entoure de son affection. La gamine se sent heureuse, comblée par ce voyage passé à admirer la mer à l'infini, ses poissons qui volent et ses mouettes qui suivent les remous du navire.

Le steward leur apporte un petit-déjeuner copieux qu'elle a elle-même choisi. Elle se délecte des œufs au miroir et du pain au fromage, parlant sans cesse et mangeant avec ses doigts. Ariane, encore en chemise de nuit, prend le temps de déguster et répond longuement aux questions de la fillette sur les animaux, les sorcières, les bons et les vilains. Par ces petits matins merveilleux, elle se guérit de la disparition d'Agathe, qu'il faut oublier. Il n'y a pas d'autre choix.

***

Lorsqu'elle arrive à Paris, Ariane ne peut que constater les importants ravages laissés par la guerre. Après avoir été occupée, pillée, ravagée, la ville doit se reconstruire. De plus, ces années affreusement difficiles ont dessiné sur les visages ridés des Parisiens, épuisés et amaigris, les sillons d'une soumission forcée. Elle a quitté une capitale fière et courageuse, et retrouve une cité dénudée et honteuse d'avoir dû courber l'échine. Abasourdie, Ariane voit tous ces gens aller et venir, se précipiter vers leurs occupations, nerveux, impatients, n'échangeant pas l'ombre d'une parole gentille, voire polie. Emportée par ce flot continu, elle court à son tour, craignant à tout moment qu'elle ou la petite ne soient happées par une automobile circulant à trop grande vitesse.

Pendant quelques jours, le silence de Rodrigue Di Marco lui fait craindre le pire. Avec Anaïs, Ariane se rend plusieurs fois à l'adresse donnée et rentre bredouille. Elle finit par apprendre que l'homme n'y habite plus. Déçue, mais décidée à poursuivre tout de même ses démarches, elle s'apprête à prendre le train vers la Suisse. Inutile pour elles de rester plus longtemps à Paris.

À la veille de leur départ, par un après-midi pluvieux, pour distraire la gamine désœuvrée et confinée à la chambre de leur hôtel, Ariane l'entraîne au cinéma Gaumont pour y voir le film *La Merveilleuse Aventure de Pinocchio*. Dès les premières images, Anaïs est enchantée. Pendant toute la représentation, elle ne bouge pas ni ne prononce un son. Ce petit garçon fait de noyer l'interpelle directement. Après avoir traversé une multitude d'aventures dangereuses et tragiques, à force de croire la chose possible, il devient vrai ! Elle aussi éprouve ce sentiment de prendre vie au contact de sa nouvelle maman, qui l'a réchappée de son angoisse d'orpheline. Et les péripéties de Pinocchio, malgré les plus cruelles, s'achèvent magnifiquement.

Lorsqu'elles rentrent à leur hôtel, dans le hall, elles tombent face à face avec Rodrigue Di Marco, pas plus richement vêtu que Geppetto, le vieux menuisier italien. Son ancienne logeuse l'a avisé de la visite d'une dame dénommée Martin, qui avait laissé une note pour lui. Après avoir beaucoup hésité, l'homme s'est décidé à se présenter.

— Les deux guerres m'ont coûté ma fortune. Les Allemands ont réquisitionné mes maisons et les ont mises à sac. Quant aux affaires, cinq ans d'arrêt m'ont pour ainsi dire jeté à la rue. Vous avez devant vous un homme déchu, madame, qui a perdu la foi en l'être humain et en ses propres capacités.

Elle écoute longuement ses doléances, manifestant de l'empathie pour les déboires de cet homme à l'équilibre psychologique précaire. Quand elle juge le moment opportun, elle se risque à aborder la question qui lui tient à cœur.

— Je cherche à savoir ce qui est arrivé à ma sœur, Annabelle Deusden.

Ariane ignore alors que ce nom de famille va résonner comme une malédiction dans la tête et le cœur de Rodrigue Di Marco.

— Quand vous saurez l'histoire, vous me direz qu'elle n'a aucune responsabilité quant aux actes commis par son père, mais je me demande : la fille du diable peut-elle avoir une âme ? Cela me semble impossible, et c'est justement ce qui m'a fait hésiter à honorer notre rendez-vous. Je crois qu'il vaudrait mieux pour vous que vous renonciez à votre projet de retrouver la fille de Georges Deusden.

Curieuse de comprendre à quels faits terrifiants l'homme fait allusion, Ariane invite Rodrigue à partager un repas, seul avec elle, dans l'un des restaurants avoisinant son hôtel. Même si, visiblement, l'homme ne mange pas à sa faim et que cette invitation constitue pour lui une rare occasion de se remplir gratuitement la panse, il ne se montre pas pressé d'accepter.

— Je ne suis pas certain de vouloir vous aider.

— Donnez-moi le temps de mettre ma petite au lit, de trouver quelqu'un du personnel pour en prendre soin et nous discuterons. Je vous paierai pour votre aide. Je vous en prie !

Tortillant sa casquette abîmée, Rodrigue se tait, mais son silence fait office d'assentiment. Lorsque Ariane revient, moins d'une heure plus tard, elle trouve le bonhomme endormi, calé au fond du fauteuil confortable et moelleux du hall d'entrée. Elle met temps et efforts pour le secouer et le réveiller, lui rappeler son engagement et lui permettre de retrouver le fil des événements dans sa pauvre tête fêlée.

Ariane en vient à se demander si le bougre n'a pas complètement perdu l'esprit quand, un verre de rouge à la main, il se met à raconter comment Georges Deusden a profité de la guerre pour collaborer avec les Allemands, et s'enrichir sur le dos des Juifs et de bien des Européens en confisquant les fortunes et en effaçant les traces dans des comptes à numéros.

— Cet homme-là est de ceux qui n'ont pas de limites. Pour de l'argent, ils peuvent tuer leur propre mère. Il faut vous en méfier, madame... Et prendre très au sérieux ce que je vous dis.

— Vous vous basez sur des rumeurs ? Toutes ces horreurs que vous lui attribuez me semblent un peu exagérées. De toute façon, je m'intéresse à sa fille, pas à lui.

— Justement, Deusden la protège et la tient en retrait depuis le jour où cette enfant a été privée de sa maman, déracinée et envoyée dans un couvent réservé aux jeunes filles de familles très riches. Deusden a peu revu Annabelle pendant des années. Personne de la famille Martin n'a été autorisé à garder un lien avec elle, et ce, en dépit des demandes répétées de Jeanne, ma mère. Nous sommes restés très longtemps sans nouvelles. Puis, il y a quelques mois, j'ai rencontré un ami qui avait entrevu la jeune femme lors d'une activité mondaine. Celle qu'il me décrivait n'avait plus rien de la fillette que j'avais connue. Il m'a confié qu'elle s'exprime en butant sur les mots, semble souffrir d'un mal étrange et ne plus avoir toute sa tête. Paraît-il qu'Annabelle a déjà tenté d'interroger son père au sujet de sa mère, qu'elle disait toujours vivante. Deusden s'est mis dans une telle colère que la pauvre ne s'en est toujours pas remise…

Ariane n'en revient pas. Rodrigue lui explique qu'il est terrifié à la seule idée que Deusden découvre qu'il est celui par qui la fille d'Alice a pu retrouver la sienne. Voilà pourquoi, à quelques semaines de leur rencontre, il a reculé, quitté son logement ainsi que Paris. De toute évidence, le gaillard ne blague pas : à son sens, Deusden peut briser les reins de quiconque se met en travers de sa route. Sa peur est réelle…

— Si vous approchez Annabelle, organisez-vous pour que Deusden ne l'apprenne pas. Elle a déjà payé assez cher. Et demandez-vous pourquoi vous tenez tant à déranger cette pauvre victime.

Le flot continu de ses paroles ne fait qu'accentuer son anxiété, ce qui alerte Ariane. Est-il fou ? Dangereux ? Ou dit-il vrai ? Elle rentre à sa chambre confuse, la tête pleine de questions laissées sans réponses. Rodrigue Di Marco lui a tout de même donné des informations précises sur Deusden et l'adresse où il habite en Suisse. Et il lui a fait promettre de prendre toutes les précautions pour qu'on ne le retrace pas.

***

Pendant ce temps, à Montréal, Marcel mène une négociation serrée avec le directeur de la programmation de Radio-Canada. Il est revenu sur leur entente salariale pour demander deux fois plus. Pour donner du poids à ses arguments de négociation, il a approché certains propriétaires de clubs de jazz et s'est déjà assuré de pouvoir offrir les enregistrements des concerts les plus sélects. Sûr de lui, il a joué ses cartes: Oscar Peterson, Maury Kaye, Bob Langlois et bien d'autres. Il les connaît tous et il pourrait les avoir à son émission. Personne dans le milieu ne pourra offrir du contenu et de la variété de ce calibre. Quinze ans de jazz et de vie de nuit lui permettent de parler avec autorité. Il se sait imbattable et il se sent revivre à l'idée de renouer avec ses premières amours. Son attitude est celle d'un homme qui n'a pas besoin de CBF pour vivre. La fermeté de son approche lui vaut un acquiescement à toutes ses demandes. On veut de lui, c'est clair, et il adore cette sensation.

— Voilà l'affaire conclue ! Nous vous souhaitons la bienvenue dans votre nouvelle maison professionnelle, monsieur Lepage.

Le directeur lui serre la main, fier de sa nouvelle acquisition. Le jazz enflamme la ville et n'est pas facile à percer. La prise est de taille, sans compter que, si l'aventure lui plaît, Lepage en viendra peut-être à quitter son poste dans la maison de publicité qui l'a embauché pour se joindre définitivement à Radio-Canada.

Heureux de sa victoire, Lepage nourrit pour sa part un plan audacieux: un jour, quand il aura assez d'argent pour le faire, il ouvrira sa propre agence de publicité. Il aimerait discuter de tout cela avec Ariane et doit l'admettre: sa femme lui manque. Et plus le temps passe, plus il regrette de l'avoir trahie pour une partie de jambes en l'air, qui ne lui a procuré qu'un plaisir furtif déjà oublié. Il a passé plusieurs nuits sans dormir, se demandant comment effacer sa faute. Il en est venu à la conclusion que, sans attendre, il lui fallait tout dévoiler à sa femme puisque, selon l'adage, faute avouée est à moitié pardonnée. Il se confessera donc de son aventure avec Minnie, et se sent déjà mieux à cette perspective…

Quand il saisit le téléphone et qu'il demande à l'opératrice de lui passer Paris, il est décidé à tout révéler à sa bien-aimée. Selon lui, dans un couple, l'écart de conduite d'un homme ne compte pas. Seul le mensonge est impardonnable. Il met du temps à obtenir une ligne et à joindre la réceptionniste de l'hôtel où logent sa femme et sa nièce. Quand, de tellement loin, on lui apprend qu'Ariane est sortie, il est envahi par la colère. Et puis, non, il ne supporte pas de la savoir aussi effrontément libre…

Dans un geste spontané, il raccroche. Ses plans viennent de changer, tout comme ses belles résolutions.

***

Dans le train qui roule à bonne vitesse vers Lausanne, Ariane somnole, rassurée par le ronronnement des roues sur les barres d'acier. Sa petite chantonne et se raconte des histoires à voix haute, s'occupant toute seule. Une conférence sur l'état des finances suisses a été annoncée, et Ariane compte bien y assister puisque Georges Deusden y sera présent. L'édition du journal du jour est posée sur ses genoux, car elle vient de lire un nouvel article sur les crimes de guerre. Complètement bouleversée par les horreurs de la Shoah révélées au grand jour, elle imagine les pires atrocités. Comment l'humain peut-il sanctionner de telles actions ? Assassiner des enfants sous les yeux de leur mère, puis leur écraser la tête contre les murs ! Mener à la mort des trains remplis d'humains, pendant des jours, des semaines, des mois ! Se taire devant la barbarie, accepter son existence. Le procès de Nuremberg, avec les images qu'il a exposées au monde entier, a rendu l'enfer accessible, réel, présent. La guerre a fait cinquante millions de morts, trente-cinq millions en Europe seulement. Leur souvenir hante les vivants, ceux qui restent… La fureur des hommes s'étale, à pleines pages.

Sur le plan des forces internationales, la victoire contre les régimes fascistes en Allemagne et en Italie, et le régime militaire au Japon, fait désormais porter à l'URSS et aux États-Unis le titre de nouvelles puissances mondiales. Les Américains voient en l'URSS leur nouvel ennemi et cherchent à imposer leur autorité sur l'Europe occidentale. En tant que puissance hégémonique, les États-Unis demandent des comptes. Ainsi, auprès des gouvernements helvétiques, les forces américaines font des pressions pour que les montants des fortunes soutirées par les Allemands aux Juifs pendant la guerre soient révélés, et que le sceau des secrets trop bien gardés par les banques soit brisé. Les banquiers, offusqués, s'opposent avec véhémence à cette demande. À titre de porte-parole, Georges Deusden préside une conférence sur le sujet. Ariane se rend sur les lieux pour l'écouter.

Le contraste, une fois en territoire suisse, est stupéfiant. Comme si la guerre était passée à côté de ce pays. Ariane comprend, en voyant les immeubles intacts, les rues étincelantes et l'aisance générale des habitants, qu'elle entre dans une zone particulière. Bien que la dette du pays ait tellement augmenté à la suite du conflit, on semble tout de même s'en tirer beaucoup mieux ici qu'ailleurs en Europe. Les comptes à numéros n'y sont peut-être pas pour rien.

Bien au-dessus du pouvoir politique, le pouvoir des financiers et des hommes d'argent a préséance. Cela saute aux yeux. Ariane se fait cette remarque, alors qu'elle observe tout le gratin de la ville s'installer pour entendre Georges Deusden. Celui-ci, *de facto*, détient les cordons de la bourse des richesses colossales qui ont été illégitimement enlevées, puis placées de façon anonyme. Le délire de Rodrigue Di Marco revient par bribes à l'esprit de la jeune femme.

— La confiance envers tout le système se trouve ici en cause.

Deusden, complètement insensible à la gravité des drames que sous-entend l'affirmation, n'apporte que des arguments rationnels, sur un ton parfaitement calme et contrôlé. Aucune question ni émotion ne parviennent à le perturber. Tandis qu'il parle, Ariane le regarde attentivement. D'où elle est placée, elle le voit très bien. Rare femme parmi les autres auditeurs, elle tente de passer inaperçue en maintenant la petite Anaïs tout contre elle, comme pour se rassurer. Car l'homme trahit par sa seule attitude quelque chose d'effrayant. Toute humanité semble s'être retirée de lui. Il n'est plus qu'une carapace. Il pourfend l'indéfendable avec conviction, sans aucune empathie pour les victimes qui ont tout perdu. Pour les objections, il n'a que mépris et condescendance. Tout ce chemin parcouru pour assister à un tel spectacle ! La dénonciation de Rodrigue n'est peut-être pas si loin de la réalité. Dans la salle, ni les journalistes ni les bourgeois, venus probablement pour être bien vus du bonhomme, ne paraissent s'offusquer de ses propos. De même, les hommes politiques, serviles par leur silence, affichent une attitude de soumission. Du coup, Ariane se sent fière d'appartenir à ce continent américain et s'identifie à cette puissante nation qui exige des comptes à la Suisse. Mais elle comprend que la justice n'aura pas gain de cause contre l'argent.

— Viens, ma chérie, nous ne resterons pas ici plus longtemps… murmure-t-elle à Anaïs, tentant de dissimuler sa colère et sa frustration.

Le fait d'assister à la conférence n'aura pas été vain. Deusden n'est pas un homme ordinaire, Ariane a été à même de voir à quel point. Si elle veut établir un contact avec Annabelle, il faudra le faire à l'insu du dangereux banquier. En dépit de l'hystérie et du trouble de Rodrigue, il y avait dans les confidences qu'il lui a faites une grande part de vérité.

Ariane s'apprête à quitter les lieux quand, tout à coup, elle perçoit dans la foule un mouvement de déplacement. L'attention de certains se porte vers un petit couloir où on se bouscule un peu. Attirée par cette cohue, Ariane détourne son regard vers la droite. Elle porte la main à ses yeux, qu'elle frotte pour être certaine qu'elle ne fabule pas : entourée par plusieurs personnes à son service, sa sœur, Agathe Calvino, s'avance avec discrétion et élégance. Sonnée, Ariane doit s'appuyer un instant sur une colonne de marbre tout près. *C'est Annabelle !* Ainsi donc, sa sœur cadette était le sosie de cette première enfant qu'Alice avait été forcée d'abandonner ! Le comportement de sa mère et son injuste et démesuré amour pour Agathe, à défaut d'une excuse, trouvent enfin une explication.

Ariane se remémore la naissance d'Agathe, qu'on lui a souvent racontée. Dans un éclair, elle revoit le regard illuminé de sa mère, décrivant ce bébé blond, aux traits fins, comme si la perle rare, celle qu'elle espérait, lui avait été redonnée ! Les sanglots d'Alice, toute à sa joie de serrer contre elle son cher poupon, Ariane les entend toujours... *Et moi qui, toute ma vie, ai été jalouse de ma sœur ! Est-ce bête de devoir me rendre compte qu'Agathe n'était pas non plus aimée pour qui elle était ! En elle, notre mère retrouvait son Annabelle !* Ses pensées tourbillonnent. Elle a autant envie de pleurer que de rire de l'imposture. Les bras ballants, la bouche entrouverte, elle recule de quelques pas pour laisser passer la fille Deusden. L'air hagard, absent, Annabelle affiche un teint cadavérique. Les mains repliées sur les paumes, elle salue sans les voir les invités et les connaissances de son illustre géniteur. Comme son père, Annabelle semble avoir perdu son âme. Celle-ci a quitté son corps, laissant par contre à la femme une légèreté beaucoup plus touchante. Elle n'a pas toute sa tête, c'est une évidence. Dans la foule, on murmure :

— Avez-vous vu sa robe ? Et ses colliers de perles ?

— Elle est jolie de visage.

— Dommage...

— Son père dit qu'elle est tombée de cheval, toute jeune...

— Une opération a été tentée ces dernières années dans l'espoir d'espacer les crises. Elle ne s'en est jamais remise.

Ariane se fraie un chemin parmi les gens. Elle en a assez entendu.

Sa mission tombe à l'eau, il lui faudra décevoir Alice. Elle envisage la situation avec philosophie : au fond, son voyage lui a permis de remettre en place les pièces de casse-tête de son enfance. Son périple lui a aussi offert une occasion de se rapprocher de sa nièce et de créer avec elle des liens solides. Sa fille adoptive rayonne.

***

Marcel se demande ce qu'il va porter. À New York, l'été bat son plein et les grandes chaleurs risquent d'être étouffantes. Henri et Claude, assis dans l'escalier, ne prononcent pas un mot, déçus d'apprendre que leur père les quitte et ne reviendra pas avant une bonne semaine. Ils ont tout fait pour partir avec lui. Mais leur papa n'a pas cédé. Il doit travailler et ne peut pas s'embêter de deux petits gamins grouillants comme eux. Il leur rapportera plutôt des surprises.

Minnie Lester, dans la maison familiale du quartier surpeuplé de Saint-Henri, toute proche d'atteindre son but, répète à sa mère qu'elle ne doit pas s'inquiéter, qu'elle s'en va à New York avec une amie, que la ville n'est pas si dangereuse qu'on le dit... Si quiconque dans sa famille découvrait qu'elle part en compagnie d'un Blanc, un homme marié de surcroît, elle serait rapidement et solidement rappelée à l'ordre par ses frères et par son père. Car les Lester tiennent à leur réputation de gens bien ; ils sont pauvres, soit, mais ils sont bien élevés et à leur place.

***

Devant le café, Ariane s'arrête net, comme si quelqu'un à l'intérieur l'interpellait à voix haute. Elle n'a pas pu retrouver Rodrigue Di Marco pour le remercier. Elle rentre à son hôtel, déçue. Bientôt, elle quittera Paris sans avoir pu lui faire un bilan de ses réflexions et lui dire qu'il n'avait pas tout à fait tort. Elle met sa main en visière pour stopper l'aveuglement causé par les rayons lumineux et, de l'autre côté de la vitre du bistrot, elle aperçoit en un gros plan étonnant un visage ami. Eugène Boyer lui fait de grands signes, mais cherche tout comme elle à comprendre cette force étrange qui l'a poussé à regarder dans la direction d'Ariane, celle à qui il rêve toujours...

Chapitre 15

Ariane l'avait quitté encore jeune homme, un peu pataud dans son corps trop grand pour lui, inhibé et au début de sa carrière de peintre. Près de quinze années plus tard, il a pris du coffre et acquis la maturité des gens qui n'ont pas obtenu les choses facilement. Son physique, plutôt ingrat au départ, s'est adouci avec l'âge et le sert aujourd'hui. Il a appris à mettre en valeur sa belle tête, couronnée de cheveux ondulés coupés court, ses traits graves et marqués, son allure d'artiste. Il porte une casquette de marin légèrement inclinée sur le côté et un caban de laine. Dans sa mélancolie et son détachement, il est beau. Eugène Boyer semble avoir pris une place dans sa propre vie.

Dans le café bondé, Ariane l'a rejoint rapidement, se glissant entre les tables, un sourire fendu jusqu'aux oreilles. Elle se félicite d'avoir confié Anaïs à une des employées de l'hôtel, car la petite, fatiguée, avait besoin de faire une sieste. Debout, Eugène lui tend les bras, comme s'il l'avait toujours espérée, comme si le rendez-vous qu'il lui avait donné en fantaisie se matérialisait enfin. Alors qu'elle se blottit contre lui, il referme autour d'elle ses grands bras, en silence. De la part de quiconque, une telle proximité l'aurait mise mal à l'aise. Mais à ce moment précis de sa vie, alors qu'elle parvient au bout d'un chemin, elle a envie de baisser sa garde. Aussi s'abandonne-t-elle sans réserve en laissant passer de longues minutes sans chercher à se dégager de l'étreinte solide et rassurante.

— Ariane Calvino… J'ai parlé de toi, il y a de ça deux semaines. C'est étrange ! Comment est-ce possible que tu te trouves à Paris ? Que fais-tu ici ?

— Il me semble que c'est plutôt à moi de te poser la question !

Son rire clair éclate comme des bulles. Il lui donne raison. En quelques phrases courtes, il résume son parcours, n'abordant que les aspects professionnels. Après avoir beaucoup peint au cours de ses voyages et obtenu une certaine reconnaissance de par le monde, il a naïvement cru qu'à son retour à Montréal on lui ferait un meilleur accueil qu'autrefois. Mais comme ses difficultés avec les agents et les galeries de la rue Sherbrooke ont refait surface et persisté, il est à Paris pour présenter une exposition de ses œuvres des dernières années.

— Je n'ai jamais eu d'attentes quant à la vente de mes toiles. C'est l'enseignement qui me permet de survivre. Mais des amis français m'ont convaincu d'exposer à leur galerie. Alors j'ai fini par m'amener dans l'Hexagone. Après tout, je n'ai rien à perdre.

— C'est tellement injuste ! Toi qui as tant de talent !

— Le succès n'est qu'un accident dans la vie d'un artiste. Et je ne l'attends plus. Mais à ton tour, maintenant… Dis-moi, comment vas-tu, ma douce amie ?

L'évocation vibrante de sa douceur réchauffe Ariane dans la partie vulnérable de son âme. Dans le café, on va et on vient. Elle se raconte avec confiance, comme si elle avait toujours su que la vie la conduirait là, précisément. Sur la banquette, serrée contre le couple voisin, elle évoque ses années aux États-Unis, son travail de réalisatrice, la mort de sa sœur, la découverte de l'identité d'Annabelle et le naufrage de celle-ci. Pas un mot sur Marcel. Eugène ne la quitte pas des yeux, silencieux, tel un chat, les sens aux aguets. Il l'observe, l'écoute attentivement, la questionne, lui demande de préciser un détail… Puis, au bout des mots, le silence s'installe.

Combien de temps restent-ils ainsi, l'un devant l'autre, accrochés ? Impossible pour eux de le dire. Puis pour s'extirper de l'engourdissement, Ariane s'exclame qu'elle meurt de faim, hèle le garçon, commande un plat. Eugène lui prend la main. Elle la lui donne. Entre eux, ce n'est plus comme autrefois. On pose un plat sur la table. Le parfum du lapin en sauce moutarde lui caresse les papilles. Elle a faim.

— Pourquoi tu ne répondais plus à mes lettres ?

— J'en avais assez d'être ton ami. J'essayais de me changer les idées.

— Dis-m'en plus, répond-elle, en faisant mine de ne pas avoir entendu l'allusion à cet amour insatisfait qu'il lui porte toujours.

Il lui raconte l'Afrique et ses terres brûlées qui s'étendent, comme alanguies par la chaleur. Il est parti là-bas à l'emploi de l'ami d'un ami, anglophone de souche britannique, mécène et grand amateur d'art. Le patron offrait logement et nourriture, en échange de menus travaux, de compagnie et surtout de la propriété exclusive de tout ce qu'il peindrait au cours de ce voyage. Eugène avait sauté sur l'occasion et accepté l'offre. Enfin libéré des contraintes matérielles qui avaient brisé son quotidien et interrompu sans cesse son travail, il pouvait se laisser aller à peindre, à déployer les couleurs par coups de pinceau brefs. Il se trouvait sur la route des safaris au Kenya et vivait un dépaysement complet. Puissamment inspiré par la nouveauté et l'exotisme des paysages, il s'était attaqué d'abord aux animaux, reproduisant les fascinants impalas et leurs troupeaux à perte de vue qui ne faisaient plus qu'un et réagissaient en un unique mouvement. La marche lente et nonchalante des fauves et grands félins, des lions, des léopards et des guépards suivant de près cette pitance offerte, lui laissait un souvenir encore puissant. Les bêtes dansaient en rythme le langoureux ballet de la survie, le plus fort se nourrissant du plus faible, voilà ce qui l'interpellait et qu'il tentait de reproduire. Son observation des bêtes l'avait vite amené à l'analogie avec le comportement des hommes. L'occupation et l'exploitation des Blancs auprès des populations autochtones se calquaient sur la chasse des grands félins. Il devinait que, comme la fuite de la bête traquée par son prédateur était en pure perte, la révolte des Africains à l'égard des empires coloniaux s'avérerait aussi inutile. Et puisqu'un jour le pouvoir blanc effacerait tout, il se donnait pour mission d'immortaliser la beauté de ce qu'il voyait. C'était un devoir, une urgence. Il peignait avec acharnement, autant des portraits que des paysages et des scènes animalières. Au fil des mots, Ariane décode une grande solitude, souvent hantée par l'alcool. La rencontre déterminante avec un groupe de Massaïs, ces grands nomades toujours de passage, avait offert à Eugène un souffle nouveau. Il s'était intégré à leur vie, à leur continuelle mouvance.

— Les jours avec eux figurent parmi les plus heureux de mon existence. Ne rien posséder, vivre en mouvement dans la savane, c'est le plus grand art que l'on puisse apprendre. Les Massaïs croient que leur dieu leur a confié leur bétail pour qu'ils s'en occupent. Ils ne chassent pas et ne tuent pas. Les hommes ne sont pas tous faits pour la chasse… et je suis de ceux-là.

Il s'interrompt, relève son regard vers elle.

— Maintenant, je veux absolument voir tes toiles, trouve-t-elle à répondre.

Fébrile, Ariane craint de trahir son trouble. Quelque chose en cet homme met ses sens en éveil. Un rien imperceptible au premier abord s'intensifie, comme un tremblement de terre qui s'annonce.

— Mon exposition couvre très peu ma période africaine, car comme je te l'ai mentionné, j'ai tout cédé à Georgy Thompson, mon prédateur à moi. Ce que j'expose ici comprend plutôt mes quatre ans de période nordique…

Il enchaîne sur cet immense territoire qui lui rappelle, hormis le froid, les terres du Kenya. Si les Esquimaux sont des chasseurs et des pêcheurs, ils ne tuent jamais plus que ce qui leur est nécessaire et vouent un grand respect à leurs victimes. Les énormes étendues glacées sont faites de la même étoffe que la savane.

— Travailler les teintes de blanc, avec les variations de bleu et de jaune dedans, avait quelque chose de jouissif. Après tant d'années de bruns et d'ocres en Afrique.

— Tu as toujours eu cette obsession du blanc ! lui répond Ariane, sourire en coin. Déjà aux Beaux-Arts, tu m'en parlais. As-tu oublié ? Et sur les chars de la Saint-Jean-Baptiste, tu m'en parlais encore...

Eugène acquiesce. Mais il ne veut pas retourner sur le terrain de ces souvenirs. Il est trop fragile. Et sa façon d'être, ce dévoilement complet, cette complicité profonde au-delà du temps et des frontières déclenchent chez son interlocutrice un signal d'alerte. Elle tombe vers lui ! Et les murs de son univers disparaissent. Elle ne peut plus s'y agripper.

Eugène raconte et raconte encore, la vie des peuples sur la Côte-Nord, la chasse aux phoques, les chiens attelés aux traîneaux, la loyauté qui les unit aux hommes. Les femmes aussi, dont une qui, elle le devine, a attiré son attention. Première surprise, elle sent une main ferme lui broyer le cœur.

Quand il met fin à son monologue, Eugène semble parvenu au bout de son souffle. Il a l'air de l'attendre, elle...

— Voilà.

Imperturbable, sûr de lui, il ne bronche pas et garde son regard bien planté sur elle. Ariane hésite. Quelle direction prendre ? Patient, immobile, absolument calme, l'homme devant elle ne presse rien, n'exige pas, laissant agir son silence. Une image vient à l'esprit d'Ariane : aux abords d'un lac sans vagues, tout à coup, la tête d'un homme jaillit des eaux. Dans les brumes de l'aube, il nage encore quelques pieds, en brasses vigoureuses. Il regagne la berge à un rythme régulier. Trouvant appui sur le sol, il pose ses pieds dans le sable vaseux, puis émerge. Nu, il repousse sa chevelure mouillée vers l'arrière de sa tête. Ariane reconnaît dans le visage de ce séduisant inconnu les traits d'Eugène. Il y a si longtemps qu'elle n'a pas désiré un homme !

— Tu n'es pas comme les autres… Et je t'attends depuis que je t'ai vue, la première fois, dans la salle de dessin à main levée. J'ai bien cru mourir tellement tu m'as manqué certains soirs de ma vie…

***

Dans la trop grande et trop vide demeure d'Outremont, dissimulés dans le fin fond de la garde-robe, Claude et Henri, les espiègles jumeaux, s'amusent ferme. Ils n'entendent plus les bruits qui trahissent habituellement la présence de leur gardienne charmante, mais complètement dépassée par l'intelligence et la synergie des deux garçons. Ils jouent à la cachette dans un des recoins de ce couloir secret reliant les deux chambres les plus vastes de l'étage. Au cas où on mettrait longtemps à les trouver, ils se sont apporté des provisions qu'ils mangent goulûment, savourant tout autant le plaisir de jouer un bon tour que celui d'avoir réussi à le prolonger pendant presque toute la matinée…

— Je pense que Josette est partie. Elle s'est fatiguée de nous chercher et nous a laissé toute la maison ! murmure Claude, tout joyeux.

— Si elle n'est plus là, ça veut dire qu'on peut sortir d'ici !

Henri ne fait ni une ni deux, il enjambe prestement les souliers et les vêtements et franchit les quelques pieds qui le séparent de la porte du placard. Il ressort, fier d'avoir gagné au jeu et content de pouvoir se dégourdir les jambes. Il part en courant vers le couloir qui le mène à sa chambre. Son frère le suit de près.

Une fois dans leur pièce commune, les jumeaux se dirigent tout droit vers le coin réservé au bricolage et à la peinture, là où on leur impose systématiquement de faire attention. Les deux gamins, dans un mélange d'angoisse et de délectation, ouvrent les contenants, y plongent les pinceaux et se mettent à tracer de grandes lignes au hasard sur les murs, sur les lits, sur les fenêtres. Tout au plaisir de la pure délinquance, ils passent ensuite directement aux pots, qu'ils vident en les renversant n'importe où : au sol, sur les meubles et même sur eux. Le délire total s'intensifie. Henri a les deux mains couvertes de gouache, qu'il répand joyeusement, secondé par Claude, qui rit à gorge déployée. Au bout d'une heure de déchaînement total, les enfants, épuisés, tombent endormis.

C'est celle qu'ils appellent « tante Colette » qui les trouve, enlacés et couverts de peinture… complètement seuls.

— Mais qu'est-ce qui se passe ici, mes garçons ?

La grande complice d'Ariane comprend que la gouvernante, désarmée d'avoir perdu ses deux protégés et craignant les réprimandes, a pris ses jambes à son cou. Josette s'est enfuie de la maison d'Outremont, une valise dans chaque main. C'est du moins ce que les voisins, interrogés, apprennent à Colette. Après ces événements, celle-ci décide de s'installer dans la demeure de son amie et de faire office de gardienne jusqu'au retour de leur mère. De fil en aiguille, en discutant avec les jumeaux, elle découvre aussi que leur père ne donne plus signe de vie depuis quelques jours… Tandis que, du haut de leurs deux ans et demi, ils bafouillent et expliquent tant bien que mal ce qui s'est passé et comment ils se sentent, les garçons ne cessent de bouger, de s'agiter, de s'époumoner. Ils ont grandement besoin d'une personne responsable et qui les aime pour s'occuper d'eux.

***

À New York, bien loin des malheurs de ses fils, Marcel, confiant en la vie et fier comme un paon, déambule sur la 52e avenue avec, à son bras, sa nouvelle flamme. Il a repris les rênes de son existence. Il a rencontré ses patrons, demandé et obtenu une forte augmentation. Il ne souhaite que profiter du moment avec

Minnie Lester, vêtue tout de neuf aux frais de son amant, élégante et à la mode. Repu de sa peau, de ses seins voluptueux et du bon côté des choses que cette femme voit en tout, Marcel ne regrette pas sa décision. Il s'est autorisé une escapade adultère. Il n'est pas le premier à succomber à la tentation du plaisir. Il a cédé aux charmes de son ancienne maîtresse. Tant pis ! Voilà ce qui se passe quand on laisse un homme seul. Minnie prend appui sur son bras et, hissée sur ses fragiles talons hauts, elle lui mord l'oreille. Il frissonne. Encore avide de ses caresses, il l'entraîne plus loin dans la rue, jusqu'à leur hôtel. Il faut être prudent dans cette Amérique raciste et violente. Aussi, rapidement, il l'invite à monter. Leurs rires, cristallins et joyeux, résonnent longtemps dans leur sillage, vibrant à l'insouciance des amoureux !

***

Dans cette galerie parisienne, Anaïs Calvino fait un effort pour rester immobile. Elle essaie de se montrer patiente aux côtés de sa mère. Mais le temps lui semble bien long. Sa maman s'arrête devant chacun des tableaux qu'elle observe attentivement sans bouger. Pour se distraire, la fillette s'amuse à repérer les chiens, car il y en a toujours au moins un sur chacune des toiles. Parfois, les bêtes apparaissent de façon évidente au premier plan, alors qu'à d'autres moments il faut travailler pour les débusquer au loin, sur le fil de l'horizon, tirant les traîneaux sur la neige. Une fois qu'un molosse est localisé, Anaïs s'applique à en remarquer les détails : celui-là a des poils brunâtres, des pattes énormes, un œil bleu et un autre brun, et s'est roulé en boule pour lutter contre les rigueurs d'un froid intense. Absorbée par son analyse, elle en vient à entendre les aboiements des bêtes, qui résonnent dans sa tête, avec le vent froid soufflant derrière.

— Tu as produit une œuvre absolument stupéfiante, déclare Ariane, en félicitant son talentueux complice.

— J'ai tenté au mieux de reproduire le silence de ces espaces infinis et froids, et de montrer la vie de ces gens qui les habitent. Mon travail n'est ni parfait ni terminé, et ne le sera jamais. Et pour cette raison, j'appartiens au Grand Nord. Je compte y retourner chaque fois que ce sera possible et dès que j'aurai un peu d'argent pour le faire.

Fortement impressionnée par la maîtrise révélée par cette exposition, Ariane se demande si elle a bien fait de suivre son ami. L'intensité des sentiments qu'elle éprouve pour Eugène s'accentue de toile en toile. La grandeur d'âme de cet artiste, sa sensibilité, sa curiosité, son amour pour ce pays rude et inconnu, qu'il s'entête, envers et contre tous, à aimer et à défendre ; cela le rend immensément attirant. Cet homme la séduit. Il ne fait aucune concession, taillé tout d'un bloc, il est incapable de mensonge. Est-ce l'accumulation de ces tableaux, criants de beauté et de sincérité, ou encore tous ces gens qui manifestent leur admiration et enthousiasme qui l'influencent ainsi ? Elle l'ignore. Mais chose certaine, elle ressort de la galerie subjuguée. Complètement amoureuse.

Elle retourne à son hôtel en tentant de se maîtriser. Une fois à sa chambre, elle concentre son attention sur les soins à prodiguer à Anaïs. Comme toujours, la petite se réjouit, profitant à plein des histoires que sa mère adoptive invente expressément pour elle. Tandis qu'elle trempe dans ce bain chaud et délicieusement parfumé, Anaïs se détend. Une fois la fillette assoupie, Ariane, plus calme, se plante devant la fenêtre donnant sur la rue. Elle suit sans véritablement les voir les mouvements de la ville, affairée.

Faut-il toujours qu'un homme passe pour que change le cours de la vie d'une femme ? N'a-t-elle pas son existence propre ? Et son mari qui l'attend à Montréal ? Ses deux fils, qu'elle a négligés et qui lui manquent ? Et son travail, laissé en plan ? Et puis il y a aussi Alice, qui espère. Va-t-elle tout laisser tomber et reproduire ce que sa mère a fait ? De sorte que, inlassablement, la même histoire se répète ? Elle décide que non.

***

Eugène perçoit tout de suite cette distance subtile qu'elle a réinstallée entre eux. Il se serait contenté du silence, mais elle tient à mettre cartes sur table.

— J'aurais aimé t'accompagner là-bas, dans tes horizons de neige bleue, avec les phoques et les igloos. Je me serais remise au dessin, et qui sait, j'aurais peut-être adoré ça !

— Au mois de juin, le soleil de minuit efface nos repères, et tout prend une saveur différente. Avec toi, ça aurait été encore plus magnifique.

— Tu es le plus grand artiste que je connaisse. De loin. J'aimerais pouvoir te suivre dans ton rêve. Mais j'ai une famille, un travail, un mari…

— Il faudra que je m'y fasse : c'est mon œuvre que j'habite. Mon bonheur ne se trouvera jamais que là…

Ariane quitte Eugène sans l'embrasser. Une fois sa décision prise, elle s'engage droit devant, évitant ce qui pourrait rendre les choses plus difficiles.

Tandis qu'elle traverse l'océan, la petite Anaïs à ses côtés, elle ne se doute pas à quel point l'univers qu'elle va bientôt retrouver aura changé de visage.

Chapitre 16

De passage à Montréal, Marcel déborde d'enthousiasme. Son installation à Toronto, qui date de l'automne 1947, donne ses premiers signes encourageants. Le marché commence à lui faire une place. Les clients sur lesquels il a misé au départ lui ouvrent leurs portes. Il a décroché quelques contrats. Ses patrons américains lui ont tapé dans le dos et ont décrété que sa tentative s'avérait suffisamment concluante pour qu'il la poursuive.

— Mes objectifs ont été atteints pour 1948, déclare-t-il en faisant sauter le bouchon de la bouteille de champagne. Mes primes vont doubler, mes revenus pour l'année aussi. Et 1949 s'annonce encore meilleure.

Ariane tend sa coupe, voit le liquide pétillant couler et un trait de lumière le traverser. Son mari a du flair, il sait prendre de bonnes décisions et s'imposer. Pour un Canadien parti de rien, il manœuvre de façon impressionnante. Fière de lui, elle doit admettre que le sacrifice de la séparation vaut la peine sur le plan des gains professionnels comme financiers.

— Au lieu de tourner en rond à traduire des textes alambiqués, je me lie désormais directement aux clients et m'occupe de la traduction à la source plutôt que de servir d'intermédiaire. Tout le monde y gagne. Mais je dois vivre là-bas. Quelques années au bas mot…

Dès son retour d'Europe, Ariane avait accepté le pari et appuyé son mari dans ses grands projets. Avec son accord, il avait quitté Montréal pour s'installer *downtown Toronto*.

— Je me donne cinq ans pour me bâtir une clientèle, avait-il dit.

— Dans cinq ans, les jumeaux en auront presque huit ! Anaïs, onze ! Ils ne te reconnaîtront plus, n'avait-elle pu s'empêcher de rétorquer.

— Allons, ne prenons pas les choses si tragiquement. Je reviendrai régulièrement à Montréal, puisque je resterai responsable des enregistrements en français. Une fois par mois au moins, je prendrai le train. Et vous viendrez me voir aussi… Le sacrifice sera payant, je n'ai aucun doute.

Ariane avait acquiescé. Sans trop de résistance, elle avait cautionné leur séparation. Se l'avouant tout juste à elle-même, il fallait admettre que cet éloignement tombait à point nommé dans sa vie. Elle gardait l'âme et le cœur empreints du souvenir d'Eugène, dont elle ne parvenait pas à se défaire, obsédée par l'envie d'avoir ses mains posées sur son corps et de se laisser enivrer par ses caresses. L'ampleur de son erreur, elle l'avait mesurée sur le chemin du retour alors que l'océan ne lui soufflait que des regrets. *J'aurais dû céder à ses avances. Peut-être me serais-je alors libérée de mon attrait pour lui ? J'ai toujours détesté les traversées, mais celle-là plus que toute autre, car elle m'éloigne de celui que j'aurais dû aimer et me rapproche de celui-là que je n'aime plus.*

Le champagne apporte une détente bienfaitrice et apaisante. Ariane avale une gorgée puis une autre. Marcel s'enthousiasme pour ses projets, discute de ses techniques pour parvenir à se faire connaître et se félicite des relations qu'il a le don d'établir. Ariane boit même si elle ne devrait pas, car le champagne cogne dur. Et puis aussi, chaque fois qu'elle prend un verre, elle craint la route de l'outrance qu'elle atteint trop souvent. En ce qui a trait à l'alcool, elle ignore ses limites. Et au cours de la dernière année, seule avec les enfants, elle a frôlé l'excès plus souvent qu'à son tour. Sa démesure l'inquiète.

Anaïs et les jumeaux interrompent la conversation. Les garçons en pyjama et la fillette en robe de nuit surgissent pour embrasser papa et maman. Ceux-ci sont installés dans chacun des deux fauteuils tulipe de velours orangé donnant sur la baie vitrée du salon. La complicité au sein du trio d'enfants fait plaisir à voir : Anaïs au milieu des jumeaux, le clan s'est ressoudé. À tour de rôle, ils posent un baiser sur les joues de ceux qu'ils n'ont pas vus ensemble depuis longtemps. Pour tenter de gagner quelques minutes avant de devoir monter dormir, Claude s'assoit sur le banc du piano et exécute un air inventé. Anaïs et Henri, en une prestation absurde, chantonnent des paroles pour l'accompagner. Pas dupe du manège, Ariane fait un clin d'œil à Marcel : elle autorise cette entorse à la routine. Pour une fois, les petits se coucheront avec une grosse heure de retard. C'est de bonne guerre. Marcel se plie aux décisions de son épouse. Pour tout ce qui concerne la vie de la famille, c'est elle qui décide désormais, car il n'est plus assez présent à la maison pour affirmer son autorité. Ariane pose un instant sa coupe sur le manteau de la cheminée. Comme son verre est vide, Marcel le remplit puis va rejoindre les enfants au piano. Il ne tarit pas de facéties et de blagues ; il est devenu une sorte d'amuseur.

Tandis qu'Ariane porte de nouveau sa flûte à ses lèvres, les premiers moments de son retour de Paris lui reviennent. Elle se souvient de sa visite à sa mère. Alice n'avait pas caché sa déception en apprenant qu'elle ne reverrait pas sa fille aînée.

— J'étais pleine d'espoir ! Toute prête à l'accueillir, je l'aurais logée ici…

La pauvre s'était mise à évoquer toutes les raisons pour revoir Annabelle, renouer avec sa fille chérie, voletant d'argument en argument comme un oiseau en cage et se brisant les ailes. Puis tellement désolée, elle n'en trouvait plus ses mots. Il n'y avait plus rien à ajouter. Dans son regard, Ariane lisait la même souffrance qu'à la mort d'Agathe. C'était terrible de lui faire revivre un tel chagrin. Comme si la mère perdait sa fille une nouvelle fois. Plutôt que de la colère ou de la jalousie, c'est de la tendresse qu'Ariane avait éprouvée cette fois. Aussi, dans un mouvement sincère qu'elle n'avait pas souvent eu envers celle qui l'a mise au monde, elle l'avait enserrée, et d'une main maternelle lui avait caressé le front.

— Je sais combien perdre un enfant est difficile, maman. Y renoncer alors qu'il est bien vivant doit l'être mille fois plus. J'en suis consciente. Mais je n'y peux rien.

Dans le contre-jour de cette fin de journée, dans les bras l'une de l'autre un long moment, elles avaient senti la peine prendre toute la place puis s'estomper doucement. Dans un murmure, Alice lui avait adressé ses excuses. Ariane avait saisi à demi-mot le sentiment de rejet qui avait bercé le secret de ce premier abandon.

— C'est plutôt toi qui dois me pardonner, petite maman. Sans le vouloir, j'ai tout chamboulé. À cause de moi dans ton ventre, tu as dû avouer, sacrifier Annabelle…

— Si j'avais pu te chérir, si j'avais pu… avait répondu Alice en faisant non de la tête.

— Tu as pensé que je voulais remplacer ta première fille, alors que je ne demandais rien… Tu avais le cœur trop meurtri pour me faire une place. Je me l'explique seulement aujourd'hui.

Ariane aussi pleurait, soulagée de dénouer les fils de sa propre genèse et bouleversée de cerner les raisons de tant d'années de malaise. Beaucoup de peine remontait à la surface. Elle qui avait nourri une telle haine envers Agathe mesurait l'ampleur de son erreur. Que de tristes malentendus jalonnent parfois la vie…

Quand elle avait quitté sa mère et qu'elle était rentrée chez elle ce jour-là, la première chose qu'elle avait faite, le premier geste, avant même d'aller saluer les enfants, avait été de se servir un verre. La chaleur du Cinzano dans ses veines lui permettait de gagner des forces sur sa peine, pour surmonter sa tristesse et ne pas s'écrouler.

***

— *Congratulations, Lepage, keep up the good work in Toronto.*

Tels ont été les derniers mots d'encouragement de son employeur. Marcel a pour ainsi dire carte blanche après sa première année d'essai. Il a travaillé d'arrache-pied pour assurer la plus grande satisfaction à sa clientèle et élargir son réseau de connaissances. Il a organisé réceptions et cocktails, assisté à tous les événements mondains de manière à se faire voir et à inspirer confiance aux hommes d'affaires d'un naturel assez méfiant.

Lorsqu'il avait quitté Montréal, il était plein de bonne foi, décidé à faire ses preuves. Étranger dans une ville inconnue et installé pour de bon à son hôtel, il s'était vite senti esseulé. La facilité déconcertante avec laquelle Ariane l'avait laissé partir lui avait écorché le cœur. Le sentiment d'abandon qu'elle lui avait imposé encore une fois l'avait heurté de plein fouet. Il aurait voulu qu'elle le retienne, voire qu'elle le supplie de rester. Il aurait tellement aimé partir autrement que dans l'indifférence. Un peu plus et il la sentait libérée… Il haïssait cette impression.

***

Prête pour l'enregistrement, Ariane place les écouteurs sur ses oreilles. La voix du comédien lui parvient. Quelque chose dans le jeu de l'interprète détonne et les répliques s'enchaînent mal. Agacée par ce qu'elle entend, la réalisatrice fait un effort pour cacher son insatisfaction. Il y a une rupture dans le rythme qu'elle croyait avoir corrigée au moment des répétitions, mais qui ressurgit aujourd'hui, à son plus grand agacement. Ce nouvel accroc en est un de trop. C'est la goutte qui fait déborder le vase.

— Son attitude a commencé à changer dans les mois qui ont suivi ton retour d'Europe. Depuis, il s'acharne à détricoter tout ce que tu mets en place. Je l'ai remarqué, lui confesse un des adaptateurs du radioroman.

— Ma patience a des limites !

Mme Martin, comme on l'appelle encore et toujours dans les couloirs de CKAC, ne cesse depuis un an de contrecarrer les indisciplines d'un des comédiens de la distribution pour maintenir son autorité et garder le contrôle de son équipe. Perfectionniste à l'extrême, elle multiplie les répétitions. Elle investit toutes ses énergies pour mener le travail à bien. Mais les remarques, les questionnements, la résistance sourde qu'elle tolère depuis tout ce temps lui causent grand tort. Le doute, qu'elle a rarement rencontré sur le plan professionnel, s'insinue et la ralentit. Voilà qu'elle se demande si elle fait bien les choses. Elle se pose mille et une questions sur la direction à donner au jeu des acteurs et sur la couleur des interprétations. Alors qu'elle cherche à resserrer sa poigne, c'est le contraire qui se produit : certains en viennent à s'opposer ouvertement à ses directives. L'essentiel de la grogne est induit par un vieux routier dénommé Claude Julien, qui installe puis nourrit la rébellion. Cet acteur d'expérience émet haut et fort des doutes sur les choix artistiques d'Ariane. Celle-ci vit très mal cette contestation alors qu'elle travaille jour et nuit pour donner à CKAC le meilleur radioroman possible. Exaspérée par l'attitude du bonhomme, elle craint qu'en plus cela finisse par nuire à la série. Ariane s'en confie à son directeur, devenu un ami au fil des années.

— J'ai besoin plus que jamais de vos lumières et de vos conseils, lance-t-elle tout de go. Une hypothèse me vient en tête pour expliquer les oppositions de M. Julien, et j'aimerais vous la soumettre pour avoir votre avis.

— Depuis toutes ces années, vous savez bien que vous pouvez compter sur moi. J'ai eu vent des insatisfactions de Julien.

— Je crois que, ce qu'il me reproche, bien avant nos quelques divergences d'ordre professionnel, c'est que je suis une femme, une femme qui vit séparée de son mari de surcroît !

— Séparée ? Le grand mot ! Marcel est à Toronto pour affaires.

— Oui, bien sûr, mais certains ne font pas de nuances. Et M. Julien est de ceux-là. Je ne vois qu'une solution à la crise : nous devons éliminer le personnage.

À l'air interrogatif qu'il lui lance, elle peut lire les hésitations de son interlocuteur. Mois après mois, elle a toléré ce que jamais un réalisateur n'aurait supporté dans son studio. Si les femmes doivent faire preuve de patience, ce dont Ariane n'a pas manqué, lorsque les limites sont atteintes, il n'y a pas d'autre choix que de passer à l'action. C'est du bout des lèvres que sa décision est approuvée.

— Ça change l'histoire. Il y aura des coûts.

— Un fauteur de troubles dans une équipe finit aussi par coûter cher !

— Eh bien, procédez, puisque c'est la seule solution.

En refermant la porte du bureau, Ariane sent un grand soulagement l'envahir. Après s'être retenue si longtemps d'exprimer sa colère et sa frustration, elle voit enfin poindre sa libération. Elle entre dans le bureau à cloisons qui lui est réservé, satisfaite. Les semaines à venir s'annoncent difficiles, mais ne pourront être que plus productives par la suite.

Cette nuit-là, elle revient en taxi après avoir travaillé plusieurs heures en compagnie des adaptateurs pour amorcer la modification d'une trentaine des épisodes touchés par la disparition d'un des rôles principaux. Ce travail colossal demande toute la force de persuasion d'Ariane pour que les scripteurs s'y plient. Aussi rentre-t-elle chez elle épuisée et à bout. Depuis l'avenue Outremont, dans le quartier assoupi, elle aperçoit la lumière du salon laissée allumée par Mme Demers, qui la remplace quand elle n'est pas à la maison et qui s'occupe des enfants. La dame a établi ses quartiers en bas, là où Agathe logeait jadis, et se couche rarement après huit heures.

En arrivant, Ariane a donc tout le loisir de se servir une rasade de rhum, qu'elle sirote seule, en se félicitant de son aplomb. Certains jours, il faut savoir imposer le respect. Une nouvelle lampée d'alcool emplit son verre. Elle boit trop. Il faut cesser…

***

Minnie grimpe dans le train. Elle doit se montrer prudente, car une femme de couleur voyage à ses risques et périls. Et puis, à bord, elle peut toujours croiser l'un ou l'autre de ses voisins ou amis engagés en bon nombre par les compagnies de chemins de fer. C'est seulement une fois descendue sur le quai, lorsqu'elle est protégée par l'anonymat de la grande ville, qu'elle peut respirer un peu. Parvenue à la gare Union, au cœur de Toronto, elle n'a plus qu'à traverser vers le Royal York, ce somptueux immeuble de vingt-huit étages et de plus de mille chambres. Les gens du comptoir ont été prévenus de sa visite par M. Lepage. Ils se montrent courtois. Dans le hall, dix ascenseurs sont mis en service. Minnie monte jusqu'au cinquième étage. Une fois à destination, elle pose sa valise et s'assoit sur le lit moelleux. Ébahie de découvrir la salle d'eau avec une baignoire attenante, elle se fait couler un bain, totalement séduite par autant de richesse. Elle allume le poste de radio et se délecte de musique tout en se laissant tremper un long moment. À la fin de sa journée, Marcel la rejoint. Un repas copieux a été commandé et livré à la chambre par un groom en tenue impeccablement pressée.

Ils mangeront et riront ensemble, elle chantera pour lui. Puis ils feront l'amour avec délectation, savourant chacun de ces instants d'autant plus intenses qu'interdits et condamnés à l'éphémère. Ils ne devraient pas, et pourtant, une fois par mois à peu près, ils répètent ces rendez-vous clandestins. Mille fois ils ont mis fin à leur aventure, mille fois ils l'ont reprise.

Marcel préférerait être un homme fidèle. Invariablement, quand il rentre à la maison pour retrouver sa femme et ses enfants, il se souhaiterait une autre histoire que la sienne. Ariane s'avère une épouse irréprochable qui l'appuie en tout.

Malgré tout, il la trompe avec Minnie, dont il ne veut plus se passer. Bien sûr, il a toutes les excuses pour avoir une maîtresse. Quand la femme légitime n'a plus envie d'accomplir son devoir, il faut bien trouver une solution. Il n'a rien à se reprocher, mais déteste ce malaise qui persiste et qui lui gâche l'existence.

***

Henri a eu une mauvaise semaine. Il a pleuré souvent, multiplié les incartades, s'est montré désobéissant. Mais en ce samedi matin grisâtre, il retrouve enfin son goût de jouer ! Il s'est construit une cabane dans le salon avec les coussins du fauteuil. Aidé par ses deux complices, il a apporté des provisions. Le trio salive à l'idée du festin qui les attend : chaussons aux pommes et confiture. Les trois compères sont planqués devant le poste de radio. Ils attendent *tante Lucille*. Chaque semaine, cette femme que les enfants aiment sincèrement leur présente une nouvelle histoire. Les contes de tante Lucille convient les gamins à un rendez-vous que, chez les Lepage, on ne manque pour rien au monde. Mme Demers a pris congé, et les enfants en profitent. Leur mère travaille à l'étage. L'occasion de liberté est offerte. Blottis les uns contre les autres, réfugiés dans leur bunker, Anaïs, Claude et Henri se préparent à suivre les aventures de Pipo tandis que la gelée de pommes leur dégouline sur les doigts. Reconnaissant la musique d'ouverture de l'émission ainsi que le mot de bienvenue de M. Campagnat, les enfants se figent, concentrés sur leur écoute.

Affairée à relire un des épisodes corrigés *in extremis*, Ariane rature et prend ses notes pour la réalisation. Un comédien tombé gravement malade deux jours plus tôt a forcé la correction de l'histoire. Toutes les mises en scène doivent être revues et reprises pour le surlendemain. Elle travaille encore un moment et met un temps à prendre conscience du silence qui règne dans la maison. C'est inhabituel. Elle relève la tête et jette un coup d'œil à l'horloge : dix heures. Les enfants sont seuls au rez-de-chaussée. Il faut qu'elle aille voir ce qui se passe. Une telle tranquillité est anormale. Elle pose son stylo, repousse sa chaise capitonnée et quitte son bureau.

Tandis qu'elle s'avance dans le couloir, elle prend un instant pour admirer cette demeure qu'elle habite et dont elle avait rêvé toute sa vie. Les planchers de bois franc craquent sous ses pas. Le puits de lumière au centre du couloir inonde l'étage de clarté printanière. Cette maison, qu'elle a gagnée à la sueur de son front, personne ne peut la lui enlever. Et cela la rassure de penser qu'elle est parvenue à échapper à la vie de bohème de son enfance.

Engagée dans l'escalier, elle entend des murmures près de l'entrée. Le poste de radio a été déplacé dans le salon. Elle aperçoit les fauteuils renversés. Ariane devrait se mettre en colère devant cette désobéissance clairement exposée. Mais l'amas de coussins et de couvertures est organisé de façon tellement originale et ingénieuse que le résultat ne peut que la faire sourire. Et puis les rires qui percent l'abri résonnent contre les murs clairs. Elle se questionne un instant sur l'attitude à adopter, puis laisse tomber et rigole à son tour.

— Eh bien ! Vous en faites, du désordre !

— Chuttttt ! C'est *tante Lucille* ! décrète Anaïs dans un langage clair qui réjouit sa mère.

— Ah ! Je comprends. Faites-moi une place, je viens l'écouter avec vous !

Surpris autant qu'enchantés, les garçons se rapprochent. Henri se montre particulièrement heureux de voler ces instants à sa maman toujours tellement occupée.

Finalement, l'absence de Marcel n'est peut-être pas une si mauvaise chose pour les petits, pense Ariane tandis qu'elle se glisse au milieu de la structure improvisée. L'éloignement de son mari élimine les conflits et les divergences de vues à propos de l'éducation ou de la vie de famille. L'atmosphère générale est plus calme. Elle a aussi appris à s'arrêter, ce qu'elle ne fait jamais quand

Marcel se trouve à la maison. Ce matin-là, calée dans sa cabane de bonheur, elle se surprend à éprouver pour son petit clan un amour immense.

***

Amélie amasse des caisses de vêtements. À la petite école de danse qu'elle a fondée, elle organise régulièrement des collectes. Une fois par deux mois, elle accumule les dons. La visite de sa grande sœur est prévue. Quand elle entend la sonnerie à la porte, elle se réjouit. Les premières chaleurs du mois de mai 1949 resteront longtemps gravées dans les mémoires.

— Je t'ai apporté un pot de mon ketchup !

— Tu en as, du courage, de cuisiner par ce temps ! répond Amélie, en entraînant Ariane par la main pour lui montrer fièrement toutes ces caisses empilées dans son hangar à l'arrière.

— Merci, Amélie ! C'est une belle récolte ! dit-elle en agrippant déjà sa première boîte de carton.

— Je t'aide à mettre le tout dans le coffre, déclare Amélie, heureuse.

Ariane remercie chaleureusement sa sœur cadette, toujours prête à rendre service. Elle met la voiture en marche. Elle a une belle récolte à aller porter au comptoir des pauvres, où l'abbé Gilles l'attend. Tandis qu'elle conduit, elle se remémore sa rencontre avec ce cher homme qui a enrichi son existence.

Dès son retour de Suisse, Ariane avait repris ses activités bénévoles. *Cela allège ma vie*, s'était-elle dit. Le départ de Marcel pour Toronto l'avait laissée seule et elle voulait s'occuper. Comme la soupe populaire de sœur Monique s'était éteinte avec sa chère fondatrice, la jeune femme s'était tournée vers les bonnes œuvres de la Société Saint-Vincent-de-Paul. Deux ou trois fois par semaine, elle se rendait au comptoir de l'ouest de la ville pour y apporter ce qu'elle recueillait. Par l'entremise de la radio, des collectes étaient lancées fréquemment. Une fois dans le local des cueillettes, elle classait les biens par catégories, les rapiéçait et les nettoyait. Elle prenait place au milieu des autres femmes occupées à organiser l'aide. Comme elle possédait une voiture, il arrivait souvent qu'elle aille elle-même porter secours aux nécessiteux.

— Il faudrait livrer ça à une famille qui n'a plus rien. C'est à quelques coins de rue d'ici, avait dit une des organisatrices.

Sans hésiter, Ariane s'était engagée pour accomplir sa mission, le coffre arrière plein de victuailles et de vêtements. Elle s'était arrêtée devant une maison plus délabrée que les autres. Les enfants avaient surgi et s'étaient groupés autour du véhicule. Ils étaient curieux. Elle avait remarqué leurs petites jambes arquées à cause de la mauvaise alimentation. Puis elle avait saisi deux sacs et s'était dirigée vers le palier du deuxième étage. La porte d'entrée était restée entrouverte. Une femme en robe de chambre tenait dans ses bras un poupon qui ne pleurait plus.

— Par chance, j'ai apporté du lait, avait annoncé Ariane.

La mère n'avait rien répondu. Tandis qu'Ariane remplissait un biberon, un homme était entré dans la pièce.

— Vous êtes le père ?

L'autre avait éclaté d'un grand rire :

— Un compagnon d'usine de celui-ci plutôt, et prêtre ouvrier. Je me suis entendu avec le propriétaire, vous allez pouvoir rester jusqu'à la fin du mois, avait-il dit à la maman, dépassée. C'est toujours ça de gagné...

L'abbé Gilles égayait la pièce de son sourire d'enfant. Sa peau rose et ses paroles d'espoir contrastaient avec la misère des lieux. Une marmaille grouillante piaillait autour de l'homme, qui invitait les uns et les autres à se débarbouiller avant d'aller au lit. Il avait l'habitude de la famille. Les aînés avaient aidé Ariane à monter ce qu'il restait de provisions. Les armoires s'emplissaient. La famine était évitée, du moins pour quelques jours. La jeune mère l'avait remerciée du bout des lèvres, manifestement au bout de son rouleau.

Les deux samaritains parvenus à la fin de leur soirée s'étaient quittés avec l'impression étrange de se connaître depuis toujours.

— Il me semble que je viens de rencontrer un grand homme, lui avait-elle dit, en lui tendant la main.

— Et moi, une femme d'exception…

— Je ne fais que mon devoir. J'essaie de rendre un peu de ce que la vie me donne.

— Gilles Plante, avait-il lancé, en accompagnant ses mots d'une solide poignée de main.

— C'est vrai que nous ne nous sommes pas présentés. Je m'appelle Ariane Martin… euh… Lepage de mon nom de femme.

— Alors là ! Madame Martin, on me parle beaucoup des histoires que vous mettez en scène ! Bravo, madame, vous faites du bien à beaucoup de gens.

— Vous êtes français ? À votre accent…

Succinctement, l'homme avait décrit son parcours. Inspiré par le mouvement des prêtres ouvriers, il avait exercé quelques années en France. Attiré par l'aventure, il avait tout quitté pour venir à Montréal, où il s'était trouvé du travail. Il faisait depuis tout ce qu'il pouvait pour aider ses compatriotes.

— Vous êtes tellement différent de tous les curés que j'ai connus !

— Ma formation en psychologie me permet de voir les choses différemment.

Un psychologue ! Et prêtre ouvrier ! Qui mettait la main à la pâte plutôt que de faire des sermons ! Ariane était subjuguée. Plus l'homme parlait et plus elle prenait la mesure de sa richesse intérieure et de son savoir. Déjà, elle ébauchait la série passionnante qu'elle pourrait mettre en ondes, où cet homme répondrait en toute simplicité aux questions des auditeurs à propos de la vie quotidienne et de ses difficultés. L'abbé Gilles possédait à la fois l'humanisme et la science. Elle voulait à tout prix que le public profite d'un tel diamant brut.

— Que diriez-vous d'être utile à des milliers de personnes à la fois ? Si je vous donnais un micro...

— Je n'ai rien d'un comédien. Et je préfère le travail de l'ombre.

— La psychologie est une science nouvelle qui peut profiter à tant de gens !

Après avoir longtemps discuté sur le siège de sa voiture en compagnie de l'abbé Gilles, Ariane était rentrée chez elle au milieu de la nuit. Elle n'avait pas mangé de toute la journée. Faible sur ses jambes flageolantes, elle avait englouti la moitié du pain frais du matin avec un bout de fromage laissé pour elle par Mme Demers. Dans son esprit, elle formulait déjà les arguments pour persuader ses patrons du bien-fondé de son projet. Il ne lui restait qu'eux à convaincre. En ce qui concernait l'abbé Gilles, elle avait déjà gagné la partie, elle en était à peu près certaine. Elle était convaincue aussi que s'amorçait pour elle le début d'une grande amitié et d'une nouvelle aventure professionnelle. Elle ne se trompait pas.

***

Avec les vacances d'été qui approchent, Marcel revient de Toronto avec l'intention de donner à sa vie de famille une seconde chance. Il roule à bon rythme sur la route du Nord vers Sainte-Marguerite et le splendide lac Masson. Le propriétaire de la maison qu'il a louée pour la saison estivale l'y attend. Lepage a choisi la plus chère, la plus confortable, la mieux située. Avec l'année qu'il a eue à Toronto et la prime qu'on lui a versée, il peut s'offrir le grand luxe. Il paye comptant, pour tout l'été, le locateur ravi. Quand il s'engage en sens inverse vers Montréal, il est habité par le sentiment d'être un mari et un père exceptionnels.

— Comment, tu es en congé ? Mais je ne le savais pas ! Tu ne m'as pas prévenue de ton arrivée.

— Bien heureux de voir combien ça te réjouit !

La réaction de son épouse ne l'étonne pas. En femme organisée, Ariane déteste qu'on la surprenne. Il a justement envie de la brusquer un peu.

— J'ai fait l'impossible pour revenir passer la belle saison avec vous ! Ma petite famille me manque, mes enfants me manquent, ma femme me manque...

— Arrête, Marcel ! lance Ariane, qui essaie de ne pas se montrer trop catégorique pour éviter de le contrarier.

Elle dit non avec sa voix, mais tout son corps, lui, dit oui, pense-t-il. Il la connaît trop bien : elle a envie de lui. Il est flatté, et du coup, son sexe se durcit. Sa main caresse doucement sa poitrine, son ventre. Elle se laisse faire. Il y a des siècles qu'ils n'ont pas fait l'amour.

— Prends congé aujourd'hui. Je t'emmène en balade.

Elle bafouille, rétorque qu'elle ne peut pas, que c'est impossible, que c'est un jour de semaine, qu'elle enregistre. Il la laisse se débattre, veut bien se montrer conciliant et faire un effort. Il l'attendra devant CKAC à seize heures. Ils partiront ensuite, et là, ce n'est pas négociable. Il a une surprise pour elle.

***

— Tu as les clés pour entrer ? demande-t-elle, des points d'interrogation dans le regard, en suivant son mari à l'intérieur. Cette maison a été dessinée par un architecte ? Elle est très moderne, superbe.

— Et il y a une piscine derrière. Allons nous baigner !

— Je n'ai pas mon maillot !

— Et alors ?

Il saisit sa main, l'entraîne, traversant l'aire ouverte et lui révélant les immenses fenêtres du plancher au plafond. Ils ressortent. Il fait encore clair. Le grand bassin bleuté les attend. Il détache les boutons de sa chemise, enlève son pantalon. Son envie impérative le prend par surprise. Il interrompt leur marche et lui impose de se tourner vers lui. Marcel se rapproche d'Ariane et défait rapidement ses vêtements. Elle garde les yeux fermés, mais pour une fois ne l'arrête pas dans son emportement, l'aidant à la dévêtir. Nus tous les deux, ils s'allongent à même le sol au milieu des herbes et des branches. Il plonge en elle. Il se sent amoureux et la trouve belle comme jamais. Il veut remettre le compteur de leur union à zéro et lui donner une nouvelle chance. Cet été 1949 sera celui de leur renaissance, du moins, il en a bien l'intention !

***

L'abbé Gilles est l'homme le plus passionnant qu'il lui ait été donné de rencontrer. Il sait parler simplement et ouvertement des sujets de la vie des gens ordinaires avec grande intelligence et dans un souci d'éclairer les comportements. Pour éprouver ses capacités d'orateur, Ariane a organisé une série de conférences où les gens ont pu lui poser leurs questions. Cela constitue une sorte de test, décisif pour l'émission à venir.

L'homme révèle une aisance et une habileté à exprimer une pensée claire dans un français impeccable. Ariane a non seulement la certitude d'avoir trouvé un communicateur hors pair, mais en plus elle se sent en présence d'un être absolument remarquable.

À la demande de la réalisatrice, l'abbé Gilles a produit la liste des sujets qu'il aimerait traiter dans le cadre d'une série pour la radio. Il a rédigé un bilan des conférences et un document pour résumer son parcours. Plus il travaille, plus Ariane en est convaincue : avec cet homme comme animateur, elle fera un tabac.

Depuis *L'Heure provinciale,* elle n'a rien vu d'aussi percutant comme formule. Elle tient un succès et ne veut pas que cette série lui échappe ou soit confiée à un autre qu'elle. Ariane rencontre ses patrons et leur signifie qu'elle a fait le tour des adaptations de séries américaines et qu'elle souhaiterait y être remplacée pour assumer un nouveau défi, une émission de ligne ouverte.

Alors qu'elle se trouve au beau milieu de ces tourbillonnements sur son avenir, voilà que Marcel débarque sans s'annoncer avec une maison louée à la campagne et presque deux mois de vacances.

— Je ne peux pas lâcher mon travail comme ça, Marcel ! J'ai mis un gros projet en branle. En plus, Anaïs n'a pas terminé son année scolaire ! Ça a déjà été suffisamment difficile pour elle...

Plus elle résiste, plus elle se le reproche. Alors que son mari lui tend la main et semble vouloir parler d'amour, elle répond emploi du temps et obligations professionnelles. Aussi recule-t-elle de ses fermes positions. En fin de compte, ils conviennent qu'elle fera devancer ses vacances à la station et que, en attendant, ils resteront la semaine à Montréal et passeront leurs fins de semaine à la campagne d'ici le grand congé scolaire.

Alors qu'elle doit mettre les bouchées doubles pour parvenir à effectuer son travail à CKAC, terminer la série radiophonique intitulée *L'Abbé Gilles vous écoute*, s'occuper de la fin d'année scolaire de sa fille, veiller sur les garçons, voilà que Marcel organise réception sur réception chez eux afin de tirer parti de sa présence à Montréal. Son séjour à Toronto l'a gonflé à bloc. Il est plein d'idées et de projets pour le marché en effervescence du Canada anglais. La porte de leur maison est toujours ouverte, à tel point que Mme Demers elle-même peine à suivre le rythme. Ariane s'essouffle et bientôt n'en peut plus.

— Donnez-moi quelques semaines de repos. Je serai requinquée, et à mon retour nous défendrons ensemble notre série à la direction pour qu'elle soit mise en ondes au plus vite, demande la réalisatrice à l'abbé Gilles, surpris, mais compréhensif.

— Si jamais ça ne fonctionnait pas ? Je ne voudrais pas être la cause d'un échec.

— Ça fonctionnera. Vous verrez, répond Ariane à son complice, soulagée de s'être expliquée avec lui et d'avoir gagné un sursis dans le travail du développement de leur émission.

L'esprit libéré, Ariane s'accorde un temps de pause sur les rives du splendide lac Masson. D'une fin de semaine à l'autre, Marcel rayonne. Elle ne l'a jamais vu aussi enjoué et heureux. À tout moment, il lui pose une main sur la cuisse, l'enlace et lui vole un baiser. Depuis cette fois aux abords de la piscine, il lui fait l'amour régulièrement sans se rendre compte que la jouissance de sa femme n'est plus au rendez-vous.

À Sainte-Marguerite, la demeure offre un confort qui met Ariane mal à l'aise. Elle qui a tant souhaité la sécurité qu'apporte l'argent, qui a choisi un homme d'affaires désormais puissant n'éprouve pourtant pas le plaisir qu'elle s'imaginait à vivre comme une reine. Surtout, elle ne voudrait pas que l'abbé Gilles soit témoin de son opulence, qui lui fait honte.

***

Malgré tout, à la fin de l'été, Ariane doit l'admettre : les vacances ont été agréables et salutaires. Les enfants ont profité pleinement de la campagne. Les saucettes dans le lac ont fait du bien à Ariane, les escapades à bicyclette à cinq et les soupers s'éternisant sur la terrasse grillagée aussi. Son mari n'a pas totalement tort dans sa façon de voir les choses. Mais de là à quitter Montréal pour aller s'établir à Toronto…

— C'est impossible, Marcel.

— Rien n'est impossible ! Allez ! On trouvera de bonnes écoles pour les enfants. Françaises, si tu le souhaites. Même Mme Demers pourrait nous accompagner. Et tu n'aurais aucun mal à te trouver du travail.

— Mes sœurs vivent ici et ma mère a besoin de moi.

— Une fois par mois, on prendrait le train, comme je l'ai fait. On verrait tout ton monde…

Si elle écoutait la voix de la raison, elle suivrait son mari, mais son cœur résiste de toutes ses forces. La jeune femme, plongée dans l'ambivalence, cherche à gagner du temps. Marcel piaffe et menace à tout moment de se mettre en colère devant cette nouvelle rebuffade.

— Alors, tu m'accompagnes cet automne ?

Pour toute réponse, un silence froid emplit la pièce. Un poing tombe avec force sur la table. Marcel se lève et la laisse seule avec sa conscience troublée.

— Tant pis pour toi, tu l'auras voulu ! l'entend-elle déclarer au loin.

Chapitre 17

— Avez-vous dix sous pour acheter un exemplaire du *Radiomonde* ? lance à la volée le vendeur de journaux.

Marjolaine Hébert vient d'être élue Miss Radio de l'année 1951 à titre de préférée du public. En plus d'avoir triomphé sur les planches du Théâtre lyrique Molson, du Théâtre Lux, du Théâtre Ford et aux Nouveautés dramatiques, la comédienne a joué dans tous les radioromans à succès. Cette fin du mois de mai annonce des changements. Marjolaine Hébert vient en effet d'être nommée annonceure à l'antenne de CKVL, première femme à obtenir ce poste au Québec.

Ariane Martin tient son journal contre elle et s'avance, mallette à la main, en direction de la station. Pour elle aussi, cette année est celle de son plus grand succès. Dès les premières diffusions de *L'abbé Gilles vous écoute,* l'émission a remporté les faveurs et l'affection des auditeurs. De tout ce qu'elle a réalisé jusqu'ici, aucune émission n'avait soulevé la vague d'enthousiasme que suscite celle-ci, ce que le directeur de la station lui confirme.

— Bravo ! Vous nous offrez une émission aussi audacieuse que nécessaire. Les gens nous écrivent : ils sont ravis de cet ajout à notre programmation. Votre animateur est une vraie trouvaille.

***

Gilles Plante fait tout à pied. Il sillonne la ville comme il en avait l'habitude à Paris. Lorsqu'il marche, il pense aux sujets à traiter dans ses émissions, et le temps n'existe plus. Il emprunte la direction de la rue Sainte-Catherine, affairée et bigarrée. Voilà qu'au comptoir du grand magasin où la vendeuse étale plusieurs paires de ces gants de *kid* qui lui font envie, la jeune fille déclare :

— Mais je vous connais, vous !

Et lui de relever la tête, d'observer attentivement le visage de son interlocutrice pour répondre avec certitude :

— Je ne crois pas. Vous devez faire erreur.

— Non, je suis certaine... Avez-vous de la parenté à Lachute ? Ma famille est de là-bas. Ah, puis non ! Parlez encore un peu... Vous êtes l'abbé Gilles ! Oh mon doux Jésus ! s'exclame l'employée, qui doit s'appuyer sur son comptoir le temps de reprendre contenance.

Le pauvre Gilles acquiesce, expulsé de force de son anonymat. Il ressort de chez Dupuis Frères un peu abasourdi de constater les répercussions de ses nouvelles fonctions d'animateur radio. Dix fois, vingt fois, on l'arrête dans la rue, tantôt pour le saluer et lui dire à quel point on apprécie son travail, tantôt pour lui poser des questions :

— Mon mari donne la *strap* à mes gars, est-ce que c'est une bonne manière de faire ?

— Mon fils veut aller vivre en appartement à Montréal, je lui ai permis. C'est correct, vous pensez ? Moi, je suis pas de la ville...

— La confession chaque mois pour les enfants, c'est une obligation ?

Patiemment et avec diligence, l'abbé répond aux questions. Il met le monde à l'aise, quels que soient les sujets abordés. Rien ne le rebute, au contraire, et c'est ce qui plaît aux auditrices, car ce sont majoritairement des femmes qui l'interpellent. Enfin quelqu'un qui parle franchement de sexe autant que de l'éducation des garçons ou de religion !

Maintenu dans l'ignorance si longtemps, le peuple se montre reconnaissant à celui qui brise les chaînes du secret.

— Il faut avouer que vous êtes une perle rare ! lance souvent Ariane à celui qui, plus qu'un ami, est devenu une inspiration. Et vous me réconciliez avec les hommes d'Église. Ce n'est pas rien !

Quand celui que tout le monde appelle « l'abbé Gilles » vous regarde, ses grands yeux s'emplissent d'une telle bonté que plus rien ne semble grave ou condamnable. Ariane s'y laisse prendre, un jour où il se présente à la salle de réunion de la station, autour d'une cafetière brûlante.

— Alors, comment ça va aujourd'hui ?

— Honnêtement ?

— Bien sûr.

— Marcel s'attend à ce que je m'installe à Toronto avec lui, même si je me tue à lui répéter qu'il n'en est pas question pour moi. On dirait qu'il refuse de m'entendre, et je ne sais plus par quel moyen lui faire comprendre calmement que ma décision est irrévocable.

— En fait, vous ne voulez plus partager sa vie…

Ses propos la bouleversent par leur simplicité et leur vérité. Elle ose faire face :

— Oui, c'est exactement cela. Avec Marcel, je ne fais jamais que donner, me plier à ses désirs, prendre soin de lui. Et aimer de cette manière-là, je n'y parviens plus…

Gilles inspire lentement, lève un regard désolé vers sa grande complice. Il n'ajoute pas les mots de consolation que la bienséance imposerait. Il se contente de se laisser imprégner par sa confession. Et Ariane, comme nue devant Dieu, ferme les paupières tandis que deux petites larmes perlent au coin de ses yeux clos.

***

Le nouveau Steinberg qui vient d'ouvrir au coin des rues Van Horne et Dollard offre de tout. Dans l'immense magasin, Anaïs et les jumeaux s'en donnent à cœur joie, jouant à la *tag* et galopant dans les allées pendant que leur mère cherche le comptoir à viandes. Revenu de Toronto pour quelques jours, Marcel restera avec le quatuor. Plutôt que de manger au restaurant en tête à tête, comme son mari et elle ont l'habitude de le faire lorsqu'il est en ville, Ariane a insisté pour qu'ils passent la soirée ensemble à la maison, un de leurs rares moments en famille des six derniers mois.

— Je cuisinerai moi-même ma fameuse blanquette de veau !

— C'est comme tu voudras. J'avais réservé une bonne table...

Exténuée par les dernières semaines et plusieurs tâches connexes aux enregistrements qui ont atterri sur son bureau, elle peine à dissimuler sa fatigue sous un sourire forcé. Elle salue le boucher et commande la viande. L'homme se dirige vers l'immense pièce réfrigérée, porte un mouvement sec sur la poignée de fer. Un claquement et il disparaît. Ariane affiche une attitude de confiance devant l'étal de pièces sanguinolentes. L'homme émerge avec une cuisse sur l'épaule, qu'il laisse tomber sur la planche à découper. Il tranche la pièce en sifflotant. Ariane sourit en percevant au loin les rires d'Anaïs. Le boucher déroule une bande de papier ciré, enveloppe rapidement la découpe, puis l'emballe de nouveau dans un papier rosé. Il dégage le crayon coincé entre son crâne et son oreille et inscrit le prix à payer sur le paquet. Tel un cadeau, la viande pour le souper du soir est remise à Ariane.

— Merci !

Elle s'avance dans l'allée et autorise les enfants à s'acheter tout ce qu'ils désirent. C'est la fête !

***

Marcel passe la journée aux studios d'enregistrement. Bientôt, il se sera gagné une clientèle suffisante pour réaliser son grand projet. Sous peu, il fondera sa propre boîte publicitaire, à Montréal. D'ici un an, deux tout au plus, il ouvrira les portes de son entreprise. L'idée est audacieuse, mais possible. Il met des fonds de côté en prévision du démarrage.

***

La famille Lepage se retrouve sur la galerie grise ceinturée de rampes blanches fraîchement repeintes. La chaleur du mois de juin est étouffante. Les voisins flânent sur les balcons, prolongeant la journée des enfants, heureux que l'école soit enfin finie. Ariane affiche un air détendu et Marcel de même. Il lui a acheté des fleurs. Dans la poche de son veston, la forme d'une petite boîte carrée trahit le présent qu'il lui offrira plus tard, lorsque les enfants seront couchés.

Quand il lui offre son cadeau, Ariane ne peut cacher son étonnement.

— Un diamant ? Mais en quel honneur ?

— Pour célébrer ma réussite et pour te remercier pour tous les sacrifices que tu as faits. J'aurai bientôt les reins assez solides pour ouvrir ma propre boîte.

Au moment où elle pose sa tête sur l'oreiller, Ariane s'assoupit, l'estomac lourd et l'esprit ralenti par le vin qu'ils ont trop bu. Une bague scintille à son doigt. Elle a manqué de courage et le regrette. Si elle n'aime plus Marcel, elle n'arrive pas à le lui dire franchement, comme elle le voudrait. Seule dans son lit, car ils font chambre à part, elle se couche le cœur triste. Quand une petite souris du nom d'Anaïs se glisse entre les draps pour se blottir contre elle, elle n'en a pas conscience. Ariane dort à poings fermés.

L'aube se lève dans la chambre, tandis qu'Ariane ronfle dans le grand lit. Quand Anaïs se réveille, à peine a-t-elle ouvert un œil que ses entrailles se serrent. Un signal met ses sens en alerte : quelque chose ne va pas. Son intuition la pousse vers la salle de bain. Inquiète, elle saute en bas du lit et s'y dirige en courant.

Un corps nu repose sur le sol carrelé. Réveillée par les cris de la fillette, Ariane se lève comme si elle avait touché de la braise. Anaïs ne comprend pas.

— Frotte-lui les pieds. Allez ! Il faut lui frotter les pieds. Je vais chercher de l'aide.

Docile et sans méfiance, l'enfant ne fait ni une ni deux. Elle se penche. Le membre qu'elle touche n'est pas un pied. Impossible. C'est trop froid et trop dur. Elle frotte de ses petites mains, comme Aladin sur la lampe. *Allez, rallume-toi, petit papa chéri !* Il faut souffler sur les tibias pour que son haleine chaude transmette un peu de vie dans cette carcasse vide. Loin d'abandonner, la fillette persévère alors qu'elle entend au loin les appels fous et la détresse de sa mère. Les mots « mort » et « crise cardiaque » lui parviennent sans qu'elle sache de quoi il retourne. Elle poursuit ses efforts et s'accroche à l'espoir. Elle n'entend pas les jumeaux qui se réveillent ni Ariane en panique, qui les entraîne dans le grand escalier. Elle perçoit cependant la sonnette de la porte d'entrée. On l'a oubliée dans la salle de bain, auprès du corps inerte de Marcel. Elle frotte toujours et sans cesse. Le mort a les lèvres bleutées. C'est presque joli. Un policier, immense dans son uniforme, pose sa main pataude sur sa minuscule épaule.

— Éloigne-toi un peu, s'il te plaît. Va rejoindre ta maman. Je vais voir ce qu'il a, ton papa.

Anaïs obéit à cette autorité ferme et à cette voix solide. Elle tremble en dedans. Elle peine à reprendre contact avec la maison, le réel. Dans un dernier tableau, elle voit son père allongé de tout son long, et son sexe, proéminent. Ça a l'air d'un animal. Détournant le regard de cette vision étrange, elle se précipite dans les marches et passe près de débouler l'escalier. Elle tente de rejoindre sa mère au salon, entourée de deux policiers qui ne la remarquent pas et lui bloquent involontairement l'accès. Elle se résigne à se blottir sous le piano à queue pour rejoindre ses deux frères, formant avec eux une sphère hermétique et protectrice.

— Mon mari est mort, entend-elle sa mère affirmer.

Son cœur friable comme de la craie s'imbibe de chagrin. À presque dix ans, la voilà orpheline du seul homme qu'elle ait jamais appelé papa…

***

Une dame, Minnie Lester, figure aussi au testament. Encore ébranlée par les événements récents, Mme feu Marcel Lepage ne sait trop quelle valeur accorder à cette information.

— C'est une chanteuse de jazz. Marcel m'avait parlé d'elle pour l'avoir fréquentée lorsqu'il était célibataire, murmure Ariane à Amélie, venue soutenir sa sœur.

— Il a peut-être voulu l'encourager dans sa carrière par un legs.

— Mon mari n'avait rien d'un mécène, tu le sais bien ! Tout ce qu'il avait, il le mettait de côté pour sa maison de publicité.

— Mais si elle est conviée, c'est qu'elle est bénéficiaire, non ?

Les pires expectatives sont confirmées par l'homme de loi. Le pauvre maintient devant les héritiers un décorum de circonstance. Minnie Lester, vêtue de gris et portant une voilette accrochée à son canotier, fait de son mieux pour mettre tout le monde à l'aise.

Les volontés testamentaires de feu M. Lepage sont claires: Ariane hérite de la jouissance de la maison et des intérêts sur des montants qui ont été placés spécifiquement pour elle à la banque. Minnie Lester obtient la jouissance d'une bâtisse à revenus entièrement payée dans le quartier de Saint-Henri. À leur mort, les biens seront cédés aux enfants respectifs des deux héritières. Aux enfants respectifs… Ariane n'a donc pas fait erreur en remarquant le ventre bombé sous la robe de satinage de la chanteuse. Elle vient de découvrir que son mari entretenait une relation avec cette femme à Toronto et qu'il l'a mise enceinte par-dessus le marché ! La veille de sa mort, il se réjouissait pourtant de l'avoir convaincue, elle, de tourner le dos à tout ce qu'elle aimait à Montréal pour s'installer avec lui ! Quelle ironie ! Et pour couronner le tout, voilà qu'Ariane n'obtient que l'usufruit d'une maison qu'elle a en grande partie payée elle-même ! De tout l'argent accumulé par le couple, elle ne pourra toucher que les intérêts et pas le capital, qui ira aux jumeaux. Anaïs, à titre d'enfant adoptive, a été complètement écartée de tout héritage.

— C'est le comble ! Et dire que je me faisais des scrupules à lui annoncer que je ne le suivrais pas à Toronto !

Amélie tient sa sœur par la main, comme autrefois. Elle ne trouve rien à ajouter. L'affront est complet et se passe de commentaires. Le notaire console l'épouse légitime tandis que Minnie profite de la confusion pour tenter de fuir en douce. Maladroitement, en se déplaçant, elle se trouve presque face à Ariane, qui s'esquive pour éviter que leurs regards se croisent.

***

Quelques semaines plus tard, Eugène parcourt un vieil exemplaire de *La Presse*. Le savon Tide rend les chemises étincelantes, tandis que Maurice Richard – le meilleur pointeur des Canadiens – annonce les patins Daoust. Il désespère qu'une de ses toiles fasse un jour la page frontispice du journal. Mais il sait bien qu'on ne s'intéresse pas plus à ses toiles qu'aux Indiens qui n'ont même pas le droit de voter quand vient le temps des élections. Eugène se trouve au village de Waskaganish dans le Grand Nord. La veille, il a assisté à un powwow traditionnel et est encore imprégné de ces couleurs, ces danses, ces chants et ces rituels révélateurs de la beauté et de la complexité de l'âme. Il a passé la nuit à mettre sur papier croquis et esquisses. Quand il ne veut pas oublier, il fixe ses premières impressions visuelles qu'il reprendra et détaillera par la suite.

Il savoure chaque minute passée ici, dans ces territoires désertiques où il se sent chez lui. À son retour d'Europe, il était complètement endetté. Il a dû enseigner des heures et des heures pour réussir à rembourser d'abord les frais de sa traversée et accumuler ensuite suffisamment pour revenir peindre ici. Eugène avale une dernière gorgée, son café est refroidi. Il va refermer le journal quand soudain un détail l'interpelle. Il distingue le visage d'un homme découpé sur fond noir dans la rubrique nécrologique. *Marcel Lepage*... Tremblant, il parcourt quelques lignes. *Le publicitaire et homme d'affaires bien connu est mort foudroyé*... Il stoppe sa lecture. Il ne veut pas en savoir plus. Il refuse de penser à elle, imaginer sa vie alors qu'elle pleure le décès de son mari. Il délaisse le journal et quitte les lieux.

Il va d'un bon pas jusqu'à la grande tente d'armée qu'il occupe depuis le début de l'été et qui lui fait office d'atelier. Les pensées foisonnent dans sa tête. Partir ? Alors qu'il a tant de tableaux entamés et pas un seul achevé à son goût ! Une scène de chasse bien avancée et particulièrement réussie pourrait trouver preneur. La scène de confection d'un canot d'écorce lui plaît aussi. Et ce portrait de femme crie. Et ce totem... Il ne peut tout laisser en plan. Après ces années de torpeur qui ont bien failli le couler, Eugène sait qu'il doit se protéger de lui-même. *Non, tu ne vas pas tout risquer pour rentrer à Montréal !* pense-t-il en secouant vivement la tête de gauche à droite. *Respire, calme-toi et reprends ton travail.* En se retournant, il déplace son chevalet et dans son mouvement fait tomber trois toiles qui traitaient de la peur.

Cette journée banale du mois d'août, pourtant bien commencée, s'assombrit aussi rapidement qu'un ciel lors d'un orage d'été. Va-t-il se laisser envahir de nouveau par cet espoir d'amour qui le tue un peu plus à chaque renaissance ? Il est parvenu à ne plus penser à elle, ne plus se l'inventer, ne plus nourrir ses fantasmes. Il a retrouvé la paix depuis cette rencontre à Paris, il y a quatre ans. Faut-il qu'il soit fou pour avoir Ariane toujours accrochée au cœur comme au premier jour ? Alors que toute sa vie est ponctuée de refus répétés, de frôlements et de retrouvailles avortées. Faut-il qu'il soit fou...

Assis sur son petit tabouret de tissu, les fesses coincées au milieu de la toile tendue, il ne quitte plus des yeux la fougueuse rivière Rupert. L'eau se déchaîne en tourbillons tout comme les pulsions de son âme. Le peintre n'arrive plus à rien. Il range ses pinceaux et jette dans un mouvement de rage les mottes d'huile inutilisées. Les bleus, les rouges, les jaunes se mêlent en bouillie sur l'herbe rase. Il sait ce qu'il doit faire. Ariane Calvino, ses yeux vifs et intelligents, son corps musclé et sensuel, sa poitrine ronde et lourde, sa démarche assurée, se sont de nouveau emparés de lui.

— Je ne veux pas d'une vie de bohème, lui a-t-elle répété tant de fois qu'il ne peut s'enlever ses mots de la mémoire.

Or, rien n'a changé de sa condition, bien au contraire, elle s'est plutôt détériorée. L'enseignement du dessin et de la peinture lui permet tout juste de survivre. Et dès qu'il a accumulé quelque peu d'argent, il repart vers le Grand Nord, sa terre nourricière. En dehors de son art, il est déraciné.

Avant de tout quitter pour aller la rejoindre à Montréal, il devra à tout le moins prendre la précaution de lui écrire ou de lui téléphoner. Il jouera de prudence pour une fois et s'assurera d'un minimum de réceptivité de la part d'Ariane. Un souvenir de jeunesse lui revient. Sur le rocher abrupt qui penche au-dessus des eaux noires du lac, il s'avance sur le bout des pieds. Il tend les bras en croix et s'élance. Le saut de l'ange était sa spécialité. Et il l'est toujours. Il ne téléphonera pas.

En quelques heures, il remise tout ce qu'il possède. Il reviendra peut-être d'ici quelques semaines. Sinon on lui gardera ses affaires jusqu'à l'année prochaine. Ça n'a pas d'importance. Un des trappeurs s'en retourne vers le sud et accepte de l'emmener. L'occasion ne repassera pas avant des jours. Eugène se met de nouveau en danger. Il va rejoindre Ariane.

Bientôt, Waskaganish disparaît dans son dos. Et sa folie le grise et son amour toujours si vif lui mord l'âme. Il rajeunit, se sent fort et beau. Est-il trop tard pour qu'un homme de quarante-deux ans rencontre son amour ? De toutes ses forces, il souhaite que non.

***

Un nouveau théâtre est sur le point de voir le jour grâce à six hommes qui, pour la plupart, étaient membres des Compagnons de Saint-Laurent. Le Théâtre du Nouveau Monde entend présenter des œuvres du répertoire classique et contemporain. Ariane se réjouit de cette porte qui s'ouvre sur le monde et qui révèle de nouvelles œuvres. En ce sens, par le travail qu'elle fait à la radio, elle participe à sa manière à cette libération à laquelle le public prend goût. Lorsqu'elle fait part de son enthousiasme à l'abbé Gilles, celui-ci n'est pas dupe :

— Je devine de la colère dans votre voix.

— Cher Gilles... Effectivement, la mort de mon mari m'en a laissé beaucoup sur le cœur. Et j'en reste prisonnière, c'est bien vrai, confesse-t-elle simplement. Cette jalousie féroce que j'éprouve envers Minnie Lester me ramène à mon mari. Par ce sentiment dont je n'arrive pas à me libérer, je donne le pouvoir à Marcel en quelque sorte.

— Et si vous alliez faire la paix avec cette femme ?

Ce conseil en forme d'interrogation se révèle d'un coup la seule avenue possible. Contre la colère, il n'y a que le pardon... À la fin de sa journée, après avoir mûrement réfléchi, Ariane prend un taxi jusqu'à la rue Albert. Un énorme incendie a eu lieu quelques semaines plus tôt et donne au paysage une apparence sinistre. Ariane sonne à la porte de cette maison que son mari a léguée à une autre, et sourit à Minnie lorsque celle-ci entrouvre prudemment.

— Il m'a dit qu'il vous avait quittée. Qu'il était divorcé. Et libre.

Sa belle voix chaude et profonde émeut Ariane, qui n'est pas venue pour cultiver la rancune. Aussi, dans un geste amical, elle pose une main tendre sur l'avant-bras de la maîtresse de son mari.

— Il nous a trompées l'une autant que l'autre. Je serais stupide de vous en vouloir et de chercher vengeance. Je vous propose la paix.

Minnie offre un verre de limonade à son invitée, qui accepte avec plaisir. Elle entend au loin le bruit de petits pieds nus et humides clopinant sur le plancher de bois. Jim Lester apparaît, tel un fantôme. Comme à son habitude, il garde un doigt glissé dans sa bouche, suçant l'index plutôt que le pouce. Il est âgé d'à peu près trois ans. Ses cheveux bouclés serrés se tiennent droit comme des antennes sur le haut de sa tête. Il sourit à Ariane et s'approche d'elle sans timidité. Les explications sont superflues : Ariane comprend très bien, reconnaissant sur le visage de l'enfant le décalque de celui de son père. Ainsi, la liaison entre Minnie et Marcel datait de son voyage en Europe, où elle s'était refusée à Eugène… Et elle avait duré jusqu'à tout récemment, puisqu'il lui avait fait un deuxième enfant.

***

Anaïs rentre de l'école. Elle ne trouve personne pour l'accueillir après une autre journée pénible. Mme Demers n'est pas là aujourd'hui. Elle traverse le long couloir carrelé et rejoint la cuisine. Dans le garde-manger, elle déniche des biscuits au gruau, ses préférés. Elle pose sa collation dans une assiette blanche au contour vert amande et doré. Elle emplit de lait sa tasse décorée de chiots caniches et de chatons persans puis s'assoit. Tandis qu'elle mange, elle scrute les moindres détails du dessin sur son gobelet. Plus rien ne l'atteint. Quand ses frères ouvrent à leur tour la porte d'entrée et se précipitent dans l'escalier pour aller à leur chambre et se débarrasser de leurs devoirs, elle ne bronche pas. Elle se sent épuisée au point de ne pas pouvoir bouger. Elle croise les bras devant elle, pose sa tête un instant et s'endort.

Vers dix-huit heures, après une journée de course folle, Ariane arrive enfin à la maison. Elle se dirige vers la porte arrière, celle qui donne sur la cour, les sacs d'épicerie dans une main et sa mallette de travail dans l'autre. La neige tombe dru. C'est la première tempête. Les garçons, dehors, se font un fort. De la fenêtre, Ariane aperçoit sa fille assoupie. Un sentiment de tristesse l'étreint : depuis la mort de Marcel, Anaïs perd pied. Elle entre, et la petite, réveillée par le bruit, réagit mollement.

— Qu'est-ce que tu fais là, Nana ? Réveille-toi ! Tu ne pourras plus dormir ce soir ! Comment s'est passée ta récitation ?

L'air qu'elle fait en guise de réponse ne dit rien qui vaille à Ariane. Le moral de la mère descend d'un cran.

— Et si on allait au théâtre, toutes les deux ? lance Ariane, consciente que rien ne fait plus plaisir à sa fille.

— Ce soir ?

Dans le regard d'Anaïs, une lueur réapparaît. La mère détecte cette étincelle, sur laquelle elle sent qu'il faut souffler.

— Pourquoi pas ? Par si mauvais temps, il y aura certainement plusieurs sièges libres. On nous fera des places. Allez, on mange, je vais conduire les garçons chez la voisine et on part toutes les deux.

Anaïs ne se fait pas prier. Elle repousse sa chaise, rejoint sa mère, saisit les sacs de nourriture pour l'aider à tout ranger. Puis elle court à sa chambre, empressée d'aller se changer et se préparer pour cette sortie impromptue. Elle fait vite, sa longue queue de cheval tournoyant dans son dos. Elle choisit sa robe fraîchement cousue pour le temps des fêtes, en velours épais vert turquoise. La jupe à larges froufrous, cintrée à la taille, se poursuit en un haut ajusté et sans manches. Elle pose un châle laineux sur ses avant-bras. La voilà prête pour la sortie !

Quand Ariane aperçoit sa beauté endimanchée comme pour un soir de gala, une pensée s'impose : cette enfant, qui ressemble à sa mère comme deux gouttes d'eau, lui échappe et lui glisse entre les doigts. Elle voudrait la retenir, lui dire de se vêtir en y mettant moins de faste et de scintillant. Lui apprendre plus de discrétion. Mais elle la briserait et l'aime trop pour faire ça.

— Tu es splendide, ma chérie ! Allez, viens !

Le Théâtre du Nouveau Monde, ouvert depuis peu, présente *L'Avare*, de Molière. Anaïs se sent fébrile au point d'en trembler de tous ses membres. Aller au théâtre lui procure une joie intense. Depuis que, toute petite, elle accompagne Ariane dans les studios d'enregistrement, elle est fascinée par le travail des comédiens. Mère et fille parviennent au guichet. Ariane n'a qu'à se nommer pour qu'on lui obtienne des billets. La fillette se sent pleine d'admiration pour cette maman tellement différente des autres. Elle aussi se sent différente d'ailleurs.

La mère et la fille rejoignent leur place. Une surprise les attend : Jean Lecours et sa femme sont leurs voisins de banc ! L'homme a écrit, mis en scène et produit plusieurs pièces à succès tandis que son épouse les interprète. Tous deux saluent Ariane avec chaleur. Heureux de reconnaître Anaïs et de constater combien elle a grandi, M. Lecours prend la main de la fillette et y pose un doux baiser.

— Quel âge as-tu maintenant, belle jeune fille ?

— Dix ans, monsieur Lecours, répond-elle sans ce maudit bégaiement qui la force encore parfois à s'interrompre.

— Et tu aimes le théâtre, à ce que ta maman m'a dit.

— J'adore ! J'ai tenu de petits rôles déjà. Et j'aimerais devenir comédienne ! lance la fillette dans un cri du cœur.

— Eh bien, que dirais-tu de travailler au cinéma ? Si ta mère est d'accord, bien entendu. Je cherche une personne de ton âge et qui, comme toi, a un joli espace entre les deux dents d'en avant...

Des larmes de joie montent aux yeux de l'enfant. Elle fait oui avec vigueur, questionnant et implorant sa mère du regard pour obtenir une permission.

Ariane ne tranche pas encore. Le silence s'est fait dans la salle. Dans quelques secondes, ce sera le lever du rideau. Trois coups résonnent en écho.

***

— Si tu as de bons résultats scolaires, alors tu pourras passer l'audition au cours des vacances de Noël.

Du coup, Anaïs s'attelle au travail comme jamais. Et la roue du désespoir s'interrompt. En plus de rattraper ses retards scolaires, la petite ajoute la mémorisation du texte de son audition. Elle aime ce personnage tellement éloigné de tout ce qu'elle a connu. Rien ne lui procure autant de plaisir que de prendre l'identité de quelqu'un d'autre. Elle oublie tout et se donne avec passion.

Une fois le congé scolaire bien entamé, vu le rétablissement spectaculaire de sa fille, Ariane l'invite à travailler ses répliques avec elle pour se préparer. Elle s'étonne alors d'entendre cette petite de dix ans interpréter avec justesse et sensibilité le sens d'un récit tout en profondeur.

— Et tu as tout appris par cœur ! Même les répliques des autres personnages de la scène ? Et tu déclames sans hésitation ? C'est merveilleux, ma chérie !

— Oui ! Et j'ai hâte de réciter ma tirade à M. Lecours ! répond-elle avec enthousiasme.

Le jour des auditions, Anaïs se lève tôt. Dans la lumière du petit matin, elle reproduit les exercices de pose de voix et de diction enseignés dans les cours qu'elle suit depuis toute jeune. Prête à se dévoiler, elle se concentre. Avec la détermination d'une athlète, elle se plonge dans un état de confiance et d'abandon. Les garçons ont beau tout tenter pour distraire leur sœur, ils n'y parviennent pas. Ariane donne ses consignes à Amélie qui, accompagnée de ses propres enfants, gardera les jumeaux. La fillette les salue vaguement et sort sur la galerie, répétant mentalement son texte.

Un froid glacial la fige. Sur un ciel bleu sans nuages, un oiseau avance avec courage. Anaïs se sent comme lui. De l'autre côté de la rue, elle remarque quelqu'un qui fait les cent pas. Sa maman émerge derrière elle, referme la porte de la maison, affairée comme toujours, puis l'invite à se presser pour qu'elles arrivent à l'heure. Ariane aperçoit l'homme à son tour et stoppe net son mouvement.

— Qu'est-ce qu'il y a ?

— Rien, rien. J'ai cru reconnaître quelqu'un.

— C'est le monsieur là-bas ?

— Personne, je me suis trompée. Allez, on galope, ma jolie !

La mère prend la main de sa fille, la presse à descendre les marches. Elles vont toutes deux au pas de course jusqu'à la voiture. Anaïs s'assoit à la place du passager. Ariane veut ignorer les battements de son cœur qui se sont accélérés et cette moiteur qui l'échauffe. Elle tarde quelques secondes avant d'ouvrir la portière. *C'est lui ! C'est Eugène ! Il est revenu !* pense Ariane sans vouloir y croire. Elle fait démarrer la Peugeot puis remonte la rue sans ralentir. Sur le volant, les mains de la conductrice tremblent.

Parvenues à l'adresse indiquée par Lecours, Ariane et Anaïs aperçoivent une rangée de fillettes toutes plus jolies et enthousiastes les unes que les autres, postées à la porte du bureau du réalisateur. Calme, Anaïs s'assoit, repoussant tout contact avec celles qui, plus expressives, veulent établir la conversation.

Ariane se souvient des épreuves de sélection si pénibles qu'elle a passées jadis à Paris. Elle ne retrouve pas en sa fille ce manque de confiance qui la rendait presque malade. Quand le nom d'Anaïs Calvino résonne, la gamine se lève sans hésiter et s'avance avec aplomb. Sa mère s'apprête à la suivre, mais du regard l'enfant indique qu'elle entend mener son combat seule. Ariane se rassoit et attend, sourire en coin, rassurée.

Jean Lecours ne met pas une minute à faire son choix. Devant lui, c'est une comédienne qui s'exécute, une vraie. Loin de feindre ou de cabotiner, Anaïs rend les émotions avec justesse. C'est elle qu'il veut pour le rôle, et il le confirme à Ariane en raccompagnant Anaïs à sa mère.

— Ta fille aura une grande carrière, je te le prédis, murmure-t-il à Ariane pour ne pas être entendu de la fillette.

— C'est elle que tu retiens ?

— Sans l'ombre d'un doute, répond-il aussitôt. On te le confirmera par téléphone à la fin de la journée. Mais mon choix est fait. Prépare-toi à avoir une vedette dans la famille.

Lecours est un réalisateur avisé. Il fallait le verdict du grand homme pour qu'Ariane prenne conscience des dons d'Anaïs comme comédienne. Sa fille adoptive a les qualités, l'attitude, l'instinct d'une artiste.

Réjouie, satisfaite de son expérience, Anaïs babille et gambade, légère, en dépit de sa lourde canadienne de laine et de ses bottes d'hiver à attaches. L'après-midi est assez avancé lorsque la mère et la fille rentrent chez elles après avoir flâné dans les magasins pour se détendre. La voiture enfin garée, Ariane s'extirpe d'entre deux congères. Elle croit rêver en l'apercevant, toujours là, à attendre. A-t-il pu passer la journée par ce froid intense à marcher de long en large dans sa rue en espérant son retour ?

— Va rejoindre tante Amélie à l'intérieur, veux-tu ? J'arrive tout de suite, j'ai oublié quelque chose dans l'auto.

Obéissante et revigorée, Anaïs pousse la porte d'entrée, interpellant déjà ses frères. Ariane retourne sur ses pas. Elle traverse la rue et s'approche de lui. Le col de fourrure de son parka lui obstrue le visage, aussi a-t-elle encore des doutes. Il ne bouge pas avant qu'elle se trouve à une dizaine de pieds de distance. Alors il retire son capuchon. Sa belle tête blanchie par le temps se dévoile.

— Eugène…

Chapitre 18

Ariane ouvre toute grande la garde-robe du couloir. Les tissus repassés s'alignent en piles et répandent une odeur de lilas. Elle a elle-même glissé des brins odorants au printemps pour qu'ils dorment entre les fibres. *Ma maisonnée est parfaite, à mon image, et telle que je l'ai toujours souhaitée.* Élégante femme bourgeoise, tirée à quatre épingles et élevant trois enfants intelligents, bien mis et aux bonnes manières, Ariane juge que son travail ne l'a pas empêchée d'atteindre les critères de réussite en tant qu'épouse et mère. La mort de son mari et même son infidélité l'ont hissée au statut de modèle de vertu et de courage auprès des amis et des proches tenus dans la confidence. Elle passe la main entre les tissus, choisit ceux qui lui semblent les plus doux. Un instant, elle imagine le corps nu d'Eugène qui frôlera le lin. Le placard se referme dans un claquement sec.

— Prends ces draps : tu dormiras sur le divan du salon.

— D'accord. Comme tu voudras, répond-il avec douceur.

Il s'engage à sa suite dans le couloir. Alors qu'ils se sont toujours parlé beaucoup, tous les deux, voilà que cette fois-ci seulement quelques mots leur suffisent.

— J'ai quitté le Grand Nord dès que j'ai su pour ton mari. Je me suis dit que tu avais peut-être besoin de moi. Mais si tu me le demandes, je repars demain.

— Jamais de la vie ! Tu restes ici.

***

Encore assommée par la nouvelle, Mme Demers quitte le bureau de son ancienne patronne en comptant les dollars qu'elle glisse dans sa poche. Elle qui s'attendait à obtenir une augmentation doit plutôt trouver une autre famille à qui offrir ses services. À la suite du décès de M. Marcel, Mme Lepage a décidé de modifier des choses. Et la gouvernante fait partie des changements engagés.

— Je n'ai plus les moyens de vous avoir à ma charge. J'en suis absolument navrée.

— Et les enfants ? Et la maison ?

— Je devrai me débrouiller sans vous, répond la patronne, désolée. Anaïs, Claude et Henri ont grandi, ils vont apprendre à faire les choses et à m'aider.

Jusque-là, son raisonnement est tout à fait logique. Les uns et les autres compatiront avec la veuve, à qui un cruel destin aura imposé ce renvoi. Mais que diront les gens lorsqu'ils comprendront qu'Eugène Boyer s'apprête à occuper la chambre encore chaude de la bonne ? Elle ne veut pas trop y penser, mais elle en a vu plus d'une perdre son travail pour des cancans moins juteux que ça. Si les hommes peuvent se permettre toutes les aventures sans risquer l'opprobre, les femmes, fussent-elles veuves, n'ont pas le droit de vivre en concubinage, du moins ouvertement. L'iniquité entre les sexes est même inscrite au Code civil.

Ariane n'aime pas le risque qu'elle encourt. Mais elle ne peut pas non plus se résigner à livrer le peintre à son sort. Eugène ne possède rien. Les galeristes de l'ouest de la ville ont définitivement boycotté ce Canadien français trop nationaliste et entêté. Il n'a même pas ce qu'il faut dans ses poches pour remonter vers le Grand Nord.

— Je me trouverai des contrats ici et là. J'ai l'habitude, avait-il déclaré avec un haussement d'épaule quand elle l'avait interrogé sur les moyens de gagner sa vie. Ces questions ne m'inquiètent pas.

Cet homme au physique plutôt banal l'émeut pourtant aux larmes. Sa désarmante simplicité, le bien-être qui émane de sa personne, cette grandeur d'âme qui le distingue : plus que jamais, elle souhaite être avec lui.

***

L'abbé Gilles l'observe depuis un moment. Il connaît trop sa chère réalisatrice pour ne pas se douter d'un changement dans sa vie. Il la regarde qui gesticule, déplace les papiers, s'affaire à tout en même temps et semble, fait exceptionnel, mal préparée pour l'enregistrement. Depuis qu'elle est entrée à la station, les choses ne tournent pas comme d'habitude. Il aborde la question.

— Je ne suis pas dans mon assiette, d'accord, tu as raison, répond-elle à son complice de travail. J'ai besoin de ton avis à propos d'un ami, une vieille connaissance, que je compte héberger chez moi.

Elle va ajouter quelques précisions quand, subitement, Ariane s'arrête net. Encore une fois, elle cherche l'approbation. Un peu plus, elle se justifiera de garder Eugène à la maison. Elle s'apprête à mentir, à évoquer le fait qu'il soit un cousin lointain en détresse. Elle se sent pitoyable.

— Et puis non, Gilles, excuse-moi. Je sais très bien ce que je dois faire et je n'ai besoin de l'avis de personne, coupe-t-elle sur un ton conclusif.

L'abbé Gilles reste estomaqué. Depuis quelque temps, sa collègue se montre habitée moins par le chagrin que par une sorte de dilemme intérieur. *Il faut parfois se résoudre à la solitude pour renaître à certains passages de la vie...* Il se fait cette réflexion et réplique gentiment qu'il n'a rien demandé à personne. Ariane acquiesce du regard. Le travail reprend ses droits.

***

En ce soir de février 1952, Anaïs se débarrasse de ses devoirs au plus vite. Elle respecte la promesse faite à sa mère : ses notes ont connu une remontée spectaculaire. Aussi a-t-elle obtenu la permission de tenir son premier rôle au cinéma et une vraie chance de jouer. La jeune fille aide ensuite les garçons à ranger leur chambre, puis le trio descend à la cuisine et s'affaire à mettre la table pour le repas du soir. Il ne restera qu'à réchauffer le bœuf préparé par leur mère aux aurores. Ariane a oublié ses clés : à la porte d'entrée, deux coups successifs se font entendre et annoncent son retour. Henri se précipite pour aller ouvrir.

Les enfants peuvent s'organiser seuls. Confirmé jour après jour, ce constat apporte un grand soulagement à leur mère. Ariane peut se passer d'une aide à la maison, qui grugerait autrement une grosse part de son salaire. Avec une bonne routine familiale, elle peut combiner les exigences de son travail avec celles de sa famille. C'est une libération que de savoir ses canetons plus autonomes. Le bouilli chauffe sur le poêle au gaz pendant que les enfants lisent et grignotent un morceau de pain frais. Eugène, juste au-dessous d'eux, dans la chambre de la bonne, fait grincer les pieds de son chevalet. Ariane l'imagine en train de ranger ses pinceaux, de recouvrir sa palette de peinture à l'huile pour qu'elle ne s'assèche pas, puisqu'elle servira dès le lendemain. Il monte l'escalier du sous-sol.

— Mmm... Un pot-au-feu... Est-ce que vous m'invitez ? demande Eugène le plus sérieusement du monde.

Les enfants acquiescent en chœur. Leur mère corrobore d'un sourire, heureuse de voir l'entente mutuelle qui semble s'établir. Chacun mange de bon appétit. Anaïs doit se coucher tôt, car on l'attend sur le plateau de tournage de très bonne heure le lendemain. Cela fait beaucoup, et pourtant, c'est ce rôle qui a guéri la fillette de son spleen.

***

— J'apprécie chaque minute passée avec toi. Mais je n'en déduis rien.

— Ce qui veut dire…

— Que je ne nourris aucun espoir, que je suis prêt à repartir. Tout de suite. Maintenant. À tout moment. Tu n'as qu'à me faire un signe et j'aurai disparu.

— Je te demande de rester. J'insiste. En toute amitié.

— Alors je reste ici. Le temps que tu voudras.

— Depuis qu'on s'est croisés à Paris, tu ne quittes plus mes pensées.

— Et moi, c'est depuis que je t'ai vue, à quinze ans, souffrir pour un autre homme. Par la suite, quand tu m'as confié ton grand besoin de sécurité matérielle, j'ai compris que je ne pourrais jamais le combler. Alors j'ai cessé de lutter.

— La vérité, Eugène, c'est que je ne peux pas supporter l'idée de te savoir loin de moi.

Les mots se sont échappés comme des papillons volant devant la lumière. Le rire d'un homme heureux résonne dans la pièce. Les enfants dorment à poings fermés. Ariane et Eugène sont seuls au monde, face à face, vulnérables. *Cette fois, c'est à elle de faire les premiers pas, quitte à tout perdre.* Il ne bronche pas et reste immobile, en attente. Il voit Ariane qui s'approche, attirée. Elle l'embrasse. Il s'abandonne. Il se laisse caresser, explorer, saisir. Le corps d'un homme se dévoile comme une terre inconnue dans le regard de cette femme qui renaît de ses cendres. Cette nuit-là, il ne la passera pas seul dans la chambre de la bonne.

***

La sonnerie du téléphone réveille Anaïs. La petite secoue sa mère assoupie à ses côtés.

— Maman ! Maman !

Machinalement, Ariane se lève, attrape sa robe de chambre et file dans le couloir, en refermant la porte derrière elle. La gamine se rendort, épuisée par les heures d'attente éprouvantes du tournage de son film.

Ariane reconnaît la voix de Rodrigue Di Marco. Le pauvre homme peine à trouver les mots pour annoncer une nouvelle aussi effarante.

— Il est arrivé malheur. C'est votre parente... Elle a mis fin à ses jours.

Tandis qu'il explique les circonstances de la mort tragique de sa demi-sœur, Ariane met un moment à assimiler la gravité des propos. Apparemment, ce n'était pas sa première tentative ; Annabelle avait enfin trouvé délivrance. Rodrigue poursuit en s'attardant sur le destin malheureux de la chère fille d'Alice. Alors qu'elle acquiesce et compatit à la peine de son interlocuteur, Ariane est frappée par un constat : Agathe et Annabelle ont disparu, et elle, debout en dépit des blessures, est toujours là...

***

L'aube se lève sur le mois de mars 1952. Le froid mordant fait craquer la neige et y met du bleu. Ariane traverse la rue Saint-Denis pour rejoindre l'appartement de sa mère, où elle effectue sa visite hebdomadaire.

Alice s'est installée devant la baie vitrée du salon. Un chat ronronne sur ses genoux, un autre sur le bras du fauteuil. Le soleil réchauffe les vieux os du trio. Chacune de ses filles a son jour de visite. Le dimanche appartient à son aînée. Une quinte de toux lui arrache les poumons. Elle a attrapé une mauvaise grippe. Depuis quelque temps, Ariane rayonne comme jamais auparavant. Sa fille se montre plus tendre, plus chaleureuse, plus douce.

— Il n'est jamais trop tard pour bien faire. Et si tu veux me donner ma chance, j'aimerais être une meilleure fille pour toi.

Un peu mal à l'aise, Alice hésite à répondre. Sa grande volette autour d'elle, l'aide à se rendre jusqu'à sa chambre, déboutonne sa chemise et lui fait une mouche de moutarde pour dégager ses bronches. Les gestes sont doux et la voix est empreinte de sérénité. Alice somnole tandis que son aînée se dirige vers la cuisine pour y ranger les courses et cuisiner des réserves.

Ariane revient à la chambre une heure plus tard avec un bol de café au lait et un croissant au beurre. Sa mère ronfle, la bouche ouverte et la tête basculée à la renverse sur les oreillers. Sa beauté lui apparaît, derrière le rideau de la vieillesse. La colère qui l'a si longtemps habitée s'est évanouie. Elle pose le petit-déjeuner sur le lit tandis qu'Alice ouvre un œil.

— Je sais ce que c'est que de ne pas vouloir d'un enfant. Ma fille, celle que j'ai perdue, n'était ni attendue ni désirée. Je ne l'ai pas accueillie dans le bonheur. Ce sont des choses qui se produisent...

Le gros matou perçoit l'odeur du lait chaud. Il saute sans se gêner sur le lit. Le bol se renverse, et le liquide brûlant se répand sur les draps. Sans un cri, la pauvre Alice repousse les couvertures, enlève sa chemise de nuit et dévoile ses jambes abîmées, son ventre flétri et ses fesses affaissées par tant de grossesses. Bien loin de se sentir rebutée par toutes les imperfections de ce corps fané, Ariane éprouve un amour immense. Elle entoure de ses bras les épaules fatiguées de sa mère et pose sa tête dans le creux de l'épaule vieillie.

— Je ne veux plus que tu aies de chagrin, car tu en as eu plus que ta part.

***

Encore sous le choc de la mort de sa demi-sœur, Ariane sent la colère l'assaillir lorsqu'elle songe au triste destin d'Anna, aussi tragique que celui de Muriel Guilbault, qui s'est enlevé la vie peu avant elle, en janvier 1952. Cette comédienne au talent indéniable, doublé d'une beauté surréaliste, était une proche d'un peintre des Beaux-Arts. Elle avait signé le manifeste du *Refus global* quelques années plus tôt, un texte de révolte contre le conservatisme ambiant qui avait fait grand fracas dans la frileuse et soumise société canadienne-française. Affligée par ces suicides, Ariane s'en confie à Eugène, qu'elle a rejoint dans sa chambrette au sous-sol.

— Combien de malheureuses n'ont trouvé à résoudre leurs souffrances qu'en mettant fin à leurs jours ? se désole-t-elle.

— Épouse-moi ! réplique spontanément Eugène. Marions-nous ! Conjurons le sort. Affirmons notre bonheur ! Luttons à notre manière contre l'impuissance, lance-t-il, plus fou d'amour que jamais.

— Et tu voudrais que je devienne Mme Boyer ? Je ne vois pas là ce qu'il y aurait de très heureux. Ne crois-tu pas que le mariage m'a coûté assez cher ?

— Excuse-moi... J'ai cru un instant...

Eugène se tait. Confiné dans cette chambre minuscule aux plafonds bas et aux murs gondolés par le ciment mal fixé, il est tenté un instant de fuir vers les grands espaces pour émerger à l'air libre et se pointer la tête dans le vent. C'est ce qu'il a fait toute sa vie, chaque fois qu'Ariane lui échappait. Loin de chercher à le rassurer, elle quitte la pièce sans un mot. Il reste seul, le cœur broyé.

Eugène saisit la boîte de fusains sur la table. Un vide sec l'envahit, une solitude immense. Il a peur et froid. Le mal s'amplifie, gagne du terrain. Pour s'être abandonné à un moment d'audace, il va la perdre encore, et ce sera une fois de trop. Ses entrailles se nouent. Il en a le souffle coupé. Pour tenter de distraire son esprit, il dessine avec fébrilité les déserts enneigés du Grand Nord et les traîneaux à chiens. Le goût de l'alcool qu'il a tant bu là-bas lui revient aussi, plus fort que lui-même. Il repousse l'esquisse. Il quitte le chevalet. Il va monter au salon, vers le bar au ventre plein. Il imagine le liquide dans sa bouche se logeant là où ça brûle. Décidément, le corps n'oublie pas. Après tant d'années d'abstinence et de combat contre sa dépendance, voilà qu'il est prêt à se livrer de nouveau à ses démons, comme un gamin sans mémoire.

Ariane l'entend gravir l'escalier du sous-sol. En l'apercevant, elle devine le secret de son grand loup solitaire. Et elle se sent plus proche de lui que jamais, car elle aussi, à certains moments, s'est perdue dans l'abus et l'oubli. Il s'avance dans le couloir tandis qu'elle, blottie dans les marches de l'escalier où elle s'était assise un instant pour reprendre contenance, le voit traverser le hall pour se diriger au salon. Elle se lève sans bruit et le rejoint. Il est là, dans l'éclairage tamisé, sur le point d'ouvrir une bouteille.

— Que fais-tu ?

— Rien. J'ai soif.

Elle s'approche de lui. Jamais il ne lui a semblé plus fort qu'en cet instant de fragilité totale.

— Je m'appelle Ariane Calvino, et c'est ce nom que je porterai jusqu'à ma mort. J'ai tant cherché qui j'étais ! Je crois que je viens de le trouver.

Dans sa voix, il perçoit une détermination. Il relâche le goulot. La bouteille restera pleine.

— Bien mieux que le mariage, c'est une vie sans échappatoire que je te propose. Une existence que l'on regarde bien en face. Si tu restes ici pour vivre avec moi, c'est cet amour que je peux te donner.

Ariane tend sa main vers lui. Cette liberté qu'il a défendue farouchement dans chaque toile, avec chaque coup de pinceau, et souvent au prix de son bien-être physique et moral, ce sentiment qu'il a tant cherché, il a l'impression de l'éprouver enfin en frôlant cette paume à laquelle la sienne se soude.

— J'accepte ton offre et je te propose ma sobriété en échange. Ma force et ma faiblesse. Tout ce que j'ai. Et la promesse d'une vie à deux sans mensonges et sans asservissement.

— Nous serons libres et égaux.

Épilogue

Montréal, avril 1953

Chère Agathe,

Comme chaque année à la date fatidique de ton départ, je t'écris.

Alice a traversé un rude hiver. J'ai attendu l'été pour lui révéler la mort de sa fille. Étrangement, cela l'a soulagée. Elle s'est remise sur pied et a repris tranquillement contact avec la réalité. Elle enseigne le piano à ses petits-enfants, qui sont nombreux désormais. Elle leur parle souvent de toi, de ton immense talent, de tes succès. Tu as repris ta place parmi nous. Et c'est heureux.

Il est temps pour moi de revenir sur une promesse que je t'ai faite et qu'il m'est devenu difficile de tenir. Tu souhaitais que ta fille choisisse une autre voie que celle des arts. J'ai insisté pour qu'Anaïs soit première de classe et l'ai inscrite dans les meilleures écoles. Si elle a poursuivi ses cours de diction qu'elle aime tant, il reste que je l'ai tenue, autant que possible, éloignée du théâtre. Elle n'a fréquenté la scène et les plateaux de tournage qu'à petites doses. Mais je dois m'y résoudre : la chair de ta chair se révèle très douée. Elle joue comme elle respire, toujours en représentation, habitée par ses rôles, implacable séductrice. Je ne peux lui enlever un feu aussi vivifiant sans provoquer des réactions intenses. L'art dramatique l'a guérie de son extrême timidité et de l'immense chagrin causé par la mort de Marcel.

J'espère que tu m'excuseras. En dépit de tous mes efforts, notre Anaïs chérie est appelée précocement à jouer, et je ne parviens pas à l'en détourner. Malgré moi, je vais la regarder déployer ses ailes blanches. On la présente déjà comme une petite vedette.

Je t'invite à veiller sur elle, de là-haut, et à m'aider à la guider pour le mieux.

Ariane

Remerciements

Sans l'appui indéfectible de plusieurs personnes, cet ouvrage n'aurait jamais vu le jour.

Merci à mes grands complices : ma fille, Gabrielle, qui a cru en mon projet dès le début ; mon fils, Jean-Michel, pour le soutien ; mon amoureux, Bernard, pour l'appui et pour nos discussions. Tous m'ont beaucoup aidée.

Je tiens à remercier Johanne Guay, vice-présidente Édition, qui a cru à mon récit et m'a ouvert la porte du Groupe Librex. Merci pour cette confiance, tellement essentielle.

Je remercie de tout cœur Nadine Lauzon, directrice littéraire incomparable, de m'avoir prise sous son aile et encouragée à donner le meilleur de moi-même. Merci pour l'intelligence, la gentillesse, la grande compétence. Un tel apport dans l'aventure n'a pas de prix. Faire équipe avec une telle personne constitue un bonheur, un privilège et une joie.

Merci à tous les gens du Groupe Librex, qui font un travail formidable. Je leur en suis très reconnaissante.

Merci à ceux qui ont servi d'inspiration à mon histoire.

Merci aux amis, à la famille et à ceux qui m'ont appuyée et qui m'ont encouragée à continuer. Vous m'avez beaucoup touchée.

Merci à ma grand-mère, pour ces histoires qu'elle laisse derrière elle et pour celles qu'elle a pris le temps de me raconter.

Merci enfin aux lecteurs de saisir cette main que je leur tends.

À vous tous, un immense merci !

Suivez les Éditions Libre Expression sur le Web :
www.edlibreexpression.com

Cet ouvrage a été composé en Cochin 12,25/14,7
et achevé d'imprimer en août 2014 sur les presses
de Marquis Imprimeur, Québec, Canada.

certifié

procédé sans chlore

100 % post-consommation

archives permanentes

énergie biogaz

Imprimé sur du papier 100 % postconsommation, traité sans chlore,
accrédité Éco-Logo et fait à partir de biogaz.